Susan Elizabeth Phillips es autora de numerosas novelas que han sido best sellers del *New York Times* y se han traducido a varios idiomas. Entre ellas se cuentan *Toscana para dos*, *Ella es tan dulce*, *Cázame si puedes*, *Tenías que ser tú*, *Nacida para seducir*, *Este corazón mío*, *Lo que hice por amor*, *Llámame irresistible* y *La gran fuga*, todas ellas publicadas en los diferentes sellos de Ediciones B. Phillips ha ganado el prestigioso premio Rita, y mereció en cuatro oportunidades el premio al Libro Favorito del Año de Romance Writers of America. *Romantic Times* la hizo acreedora del Career Achievement Award, un premio a su carrera literaria.

Vive en las afueras de Chicago y le encantan la jardinería, la lectura y montar en bicicleta. Está casada y tiene dos hijos ya adultos.

www.susanelizabethphillips.com

Título original: *Glitter Baby*
Traducción: Francesc Reyes Camps
1.ª edición: octubre, 2014

© Susan Elizabeth Phillips, 1987, 2009
© Ediciones B, S. A., 2014
  para el sello B de Bolsillo
  Consell de Cent, 425-427 - 08009 Barcelona (España)
  www.edicionesb.com

Printed in Spain
ISBN: 978-84-9872-994-8
DL B 16193-2014

Impreso por NOVOPRINT
            Energía, 53
            08740 Sant Andreu de la Barca - Barcelona

Una chica brillante

SUSAN ELIZABETH PHILLIPS

Para Lydia, con amor.
Hermanas para siempre.

1

La Niña Brillante estaba de vuelta. Se detuvo bajo el arco de entrada a la Orlani Gallery para ofrecer a los invitados a la inauguración el tiempo necesario para reconocerla. El murmullo de las educadas conversaciones de la reunión se mezclaba con los ruidos procedentes de la calle mientras los compradores potenciales fingían interés por las muestras de arte africano primitivo exhibidas en las paredes. El aire difundía el aroma a Joy, a *foie* importado y dinero. Habían pasado seis años desde que su rostro había sido uno de los más famosos en Estados Unidos. La Niña Brillante pensaba en si la recordarían... y en qué haría si resultaba que no.

Miró al frente con una estudiada expresión de enojo, los labios algo separados y las manos, desprovistas de anillos, relajadas a uno y otro lado. Los zapatos de tacón de aguja la erigían, muy por encima del metro ochenta, como belleza alta y fuerte, con una espesa melena que le caía desbordante sobre los hombros. Los peluqueros de mayor renombre de Nueva York se esmeraban en identificar el color de aquel cabello con una única palabra. Primero se decantaron por el «champaña», luego por el «whisky» y al final incluso por la «melaza», pero nunca quedaban enteramente satisfechos, porque su pelo, además de reflejar todos esos colores, era un compendio de los tonos del rubio, variables según la luz.

Y no era solo su cabello lo que inspiraba la imaginación. Todo lo referido a la Niña Brillante daba lugar a superlativos. Años antes se había producido un hecho que pronto se convirtió en anécdota célebre: un temperamental editor de moda había despedido a un colaborador por cometer el error de describir aquellos célebres ojos como «pardos». El mismo editor se apresuró a reescribir el artículo para dejar claro que los iris de Fleur Savagar eran «de marmóreas vetas doradas y terrosas con sorprendentes irrupciones de verde esmeralda».

En esa noche de septiembre de 1982, la Niña Brillante aparecía más bella que nunca ante el público. Sus ojos no-simplemente-de-color-pardo tenían una expresión altiva y el mentón se adelantaba casi con arrogancia, pero por dentro Fleur Savagar estaba aterrorizada. Aspiró profundamente y se obligó a recordar que la Niña había crecido, que no iba a volver a permitir que le hicieran daño.

Miró hacia la multitud. Diana Vreeland, impecablemente vestida con una capa de noche de Yves Saint Laurent y pantalones negros de seda, estudiaba una cabeza de bronce de Benín, mientras Mijaíl Barishnikov lucía los hoyuelos de sus mejillas en el centro de un grupo de mujeres más interesadas por el encanto ruso que por el arte étnico africano. En una esquina, un presentador de televisión con su dicharachera esposa conversaban con una actriz francesa cuarentona que hacía su primera aparición pública después de un *lifting* facial no demasiado discreto, mientras que más allá la bonita modelo y mujer de un productor de Broadway notoriamente homosexual permanecía a solas vestida con un Mollie Parnis que desatinadamente había dejado abierto hasta la cintura.

El vestido de Fleur era diferente de todos los demás. Su diseñador se había esforzado para que así fuera.

«Tienes que ser elegante, Fleur. ¡Elegancia, elegancia y más elegancia! ¡Guerra a la vulgaridad!»

Había cortado al bies una pieza alargada de raso bronceado para confeccionarle un vestido largo de líneas nítidas, cuello alto y sin mangas. A medio muslo, había realizado un largo tajo en diagonal hacia el tobillo opuesto y rellenado el espacio resultante con una cascada de volantes del *point d'esprit* más diminuto y negro. Y había bromeado sobre los volantes, diciendo que eran un obligado camuflaje para pies tan enormes.

Los rostros empezaron a volverse hacia ella y ella supo que la curiosidad de los presentes se transformaba en reconocimiento. Lentamente soltó la respiración. Se oyó un murmullo en la galería. Un fotógrafo barbudo volvió su Hasselblad, hasta entonces dedicada a la actriz francesa, para enfocar a Fleur y tomó la fotografía que por la mañana ocuparía la primera página de *Women's Wear Daily*.

Al otro lado de la sala, Adelaide Abrams, la columnista de ecos de sociedad más leída de Nueva York, miró hacia el arco de entrada. ¡No podía ser! ¿No era aquella Fleur Savagar, por fin de vuelta? Adelaide se apresuró hacia ella y chocó con un magnate de la industria inmobiliaria. Buscaba con frenesí a su propio fotógrafo, pero solo pudo comprobar que la *nafka* de *Harper's Bazaar* corría hacia la entrada. Adelaide empujó a dos sorprendidos personajes y, como si de *Secretariat* en pos de la Triple Corona se tratara, llegó al *sprint* hasta Fleur Savagar.

Fleur, que había observado la carrera entre la de *Harper's* y Adelaide Abrams, no podía asegurar si se alegraba de que hubiese ganado la última. Aquella columnista era un pájaro de cuidado y con muchos años en el oficio, de manera que no iba a resultar fácil quitársela de encima con medias verdades y respuestas vagas. Pero Fleur la necesitaba.

—Dios mío, Fleur, ¿de verdad eres tú? ¡No puedo creer lo que ven mis ojos! Madre mía, ¡estás guapísima!

—A ti también te veo bien, Adelaide.

Fleur tenía un acento vagamente del Medio Oeste, agradable y melodioso. Escuchándola, nadie podría pensar que el inglés no era su lengua materna. Su barbilla rozó los cabellos teñidos de henna de Adelaide al inclinarse para el intercambio de besos en el aire. Adelaide la llevó hacia un extremo de la sala, apartándola con destreza de los demás miembros de la prensa.

—El setenta y seis también fue un mal año para mí, Fleur

—dijo—. Pasé por la menopausia. Espero que Dios te dispense del infierno que sufrí yo. Si me hubieras dado la exclusiva me habrías levantado el ánimo, seguro. Pero supongo que tenías demasiadas cosas en la cabeza como para acordarte de mí. Y luego, cuando por fin apareciste en Nueva York... —Le dio unos toquecitos en la barbilla con el dedo—. Digamos que eso me disgustó.

—Cada cosa a su tiempo.

—¿Eso es todo lo que vas a decirme?

Fleur le respondió con lo que consideró una sonrisa inescrutable y tomó una copa de champán de un camarero que pasaba.

Adelaide también se agenció una.

—Nunca olvidaré tu primera portada para *Vogue*. Jamás, ni que viva cien años. Esa osamenta tuya... y esas manos maravillosas, tan grandes. Sin anillos, sin manicura. Te fotografiaron con pieles y con una gargantilla de diamantes de Harry Winston que debían de valer un cuarto de millón.

—Sí, lo recuerdo.

—Cuando desapareciste nadie se lo podía creer. Y luego Belinda... —Una expresión calculadora iluminó su rostro—. ¿La has visto últimamente?

Fleur no iba a hablar sobre Belinda.

—He estado en Europa la mayor parte del tiempo. Tenía que arreglar varios asuntos.

—Eso puedo entenderlo. Eras una chica muy joven. Se trataba de tu primera película y no se puede decir que tuvieras una infancia normal. La gente de Hollywood peca muchas veces de insensibilidad, al contrario de lo que ocurre con nosotros los neoyorquinos. Seis años y luego vuelves. Pero no eres tú. ¿Qué asuntos son esos que llevan seis años?

—Las cosas se complicaron. —Y miró hacia el otro lado para dar a entender que daba el tema por zanjado.

Adelaida cambió de táctica.

—Así que dime, doña misteriosa, ¿cuál es tu secreto? Es difícil de creer, pero resulta que estás mejor que cuando tenías diecinueve años.

A Fleur le pareció un cumplido interesante. A veces, cuando miraba sus fotografías, percibía la belleza que la gente veía en ella, pero únicamente si lo hacía con desapego, como si la imagen perteneciera a otra persona. Por mucho que quisiera creer que los años habían aportado fuerza y madurez a sus rasgos, ignoraba cómo percibían esos cambios los demás.

Fleur no tenía vanidad personal y nunca había logrado entender a qué se debía tanto jaleo a su alrededor. Su rostro era demasiado anguloso. Esos huesos que encantaban a fotógrafos y editores de moda a ella le parecían masculinos. Y en cuanto a la estatura, las manos y los grandes... ¡Por favor!

—La que tiene secretos eres tú —le respondió al fin—. Tienes una piel maravillosa.

Adelaide se permitió sentirse halagada durante un segundo antes de desechar el cumplido.

—Háblame de este vestido que llevas. Hace años que nadie lleva nada parecido. Me trae recuerdos de la moda de otra época. —Señaló con la cabeza hacia la mujer de cremallera abierta del productor—. Antes de que la chabacanería remplazara al estilo.

—Su diseñador vendrá más tarde. Es extraordinario. Tienes que conocerlo. —Fleur sonrió—. Y será mejor que hable con la de *Harper's* antes de que te dispare por la espalda.

Adelaide le tocó el brazo y Fleur percibió lo que le parecía auténtica preocupación en su rostro.

—Espera. Antes de que te vuelvas, tienes que saber que Belinda acaba de entrar.

Una sensación extraña y mareante invadió a Fleur. No se lo había esperado. ¡Qué estúpida había sido! Tenía que haber pensado que... Sin siquiera comprobarlo, podía asegurar que todas las miradas estaban pendiente de ellas en ese mismo momento. Se volvió lentamente.

Belinda se aflojaba el fular que llevaba debajo del abrigo de piel de marta. Se quedó como petrificada cuando vio a Fleur. Luego se le agrandaron sus inolvidables ojos azul jacinto.

Belinda tenía cuarenta y cinco, y era rubia y adorable. La línea de su mentón permanecía firme y llevaba unas suaves botas altas hasta la rodilla que le moldeaban unas pantorrillas delgadas y bien torneadas. El peinado era el mismo que lucía desde hacía décadas —la sofisticada media melena de Grace Kelly en *Crimen perfecto*— y aun así seguía pareciendo actual.

Sin mirar siquiera a las personas que la rodeaban, se dirigió directamente hacia Fleur. Por el camino se quitó los guantes y se los metió en un bolsillo, sin advertir que uno se le caía al suelo. En ese momento solo tenía conciencia de su hija, la Niña Brillante.

El apodo se lo había inventado ella. ¡Era tan perfecto para su Fleur, tan bonita! Tocó el pequeño dije que volvía a llevar en una cadenilla, bajo el vestido. Flynn se lo había regalado en aquellos maravillosos días del Garden of Allah. Pero ese no había sido exactamente el principio.

El principio... ¡Recordaba tan claramente el día en que todo había empezado! Aquel jueves de septiembre de 1955 había sido caluroso en la California meridional. Y ella había conocido a James Dean.

La niña del barón

2

Belinda Britton cogió al paso un ejemplar de *Modern Screen* de los expositores del *drugstore* Schwab de Sunset Boulevard. Se moría de impaciencia por ver la nueva película de Marilyn Monroe, *La tentación vive arriba*, por mucho que hubiera deseado que Marilyn no tuviera como pareja a Tom Ewell. No le parecía suficientemente guapo. Le hubiera gustado más verla otra vez con Robert Mitchum, como en *Río sin retorno*, o con Rock Hudson; mejor aún con Burt Lancaster.

Un año antes Belinda se moría por Burt Lancaster. Cuando había visto *De aquí a la eternidad* había sentido que era su propio cuerpo, no el de Deborah Kerr, el abrazado mientras las olas rompían alrededor, que eran sus labios los que Burt besaba. Pensaba en si Deborah habría abierto la boca cuando él la besaba. No le parecía que fuera de esas. En cualquier caso, si Belinda hubiera hecho ese papel, habría ofrecido su boca a la lengua de Burt, eso seguro.

Para seguir con su fantasía, habría surgido un problema con la iluminación o habrían distraído al director con algún asunto... y en fin, por algún motivo la filmación no se habría detenido, y Burt tampoco. Le habría bajado la parte superior del bañador de una pieza perdido de arena, la habría abrazado llamándola «Karen», su nombre en la película. Pero Burt sabría perfectamente que se trataba de Belinda y al inclinar la cabeza hacia sus senos...

—Disculpe, señorita, ¿podría alcanzarme un *Reader's Digest*? Fundido hacia las olas rompiendo, como en la película.

Belinda se lo tendió y luego cambió su *Modern Screen* por un *Photoplay* con Kim Novak en la portada. Hacía seis meses que soñaba despierta con Burt Lancaster, Tony Curtis y los demás. Seis meses desde que viera la cara que había borrado a todas las demás. No sabía si sus padres la habían echado de menos, pero suponía que estarían contentos de haberla perdido de vista. Todos los meses le enviaban cien dólares, de manera que no tenía que buscarse ningún trabajo humilde para subsistir. Hubiera resultado embarazoso que tal circunstancia llegara a oídos de la buena sociedad de Indianápolis. Sus adinerados padres la habían tenido cuando ambos ya superaban los cuarenta. La habían llamado Edna Cornelia Britton. Para ellos había representado una inesperada incomodidad. Aunque no se mostraban crueles con ella, sí indiferentes y fríos. Y así, había crecido con una leve predisposición al pánico procedente de esa sensación de ser de algún modo invisible. Otras personas le decían que era guapa y los profesores que era lista, pero esos cumplidos no le arreglaban nada. Porque ¿cómo podía ser especial alguien invisible?

A la edad de nueve años, descubrió que todos los malos sentimientos desaparecían cuando se sentaba en una butaca del Palace Theater y pretendía ser una de las rutilantes estrellas que brillaban en la pantalla. Preciosas criaturas con rostros y cuerpos diez veces mayores que en la realidad. Esas mujeres eran las escogidas y Belinda hacía conjeturas respecto a las posibilidades que tendría, algún día, de ocupar un lugar entre ellas en esa misma pantalla. Viéndose así aumentada, ya nunca más se sintió invisible.

—Serán veinticinco centavos, bonita.

El cajero era un rubio guapo, seguramente un actor sin trabajo. Le estaba dando un buen repaso al cuerpo de Belinda, quien iba a la última con un vestido azul recto y entallado, con adornos blancos y ceñido con un cinturón de cuero rojo amapola. Habría podido llevarlo perfectamente Audrey Hepburn, por mucho que Belinda se veía más del tipo de Grace Kelly. La gente le decía que se parecía a Grace. Incluso había recurrido a su mismo peinado para hacer que esa semejanza destacara más.

El maquillaje complementaba la finura de sus pequeños rasgos, meticulosamente realzados con el pintalabios Red Majesty de Tangee. Se había aplicado unos toques del colorete en crema de Revlon justo por debajo de los pómulos para dar énfasis a su contorno, un truco que había aprendido en un artículo del *Movie Mirror* firmado por Bud Westmore, el maquillador de las estrellas. En las pestañas se aplicaba un rímel marrón oscuro que resaltaba su mejor baza: aquellos ojos de un azul jacinto excepcional y sorprendente, saturados de color e inocencia.

El rubio se inclinó sobre el mostrador.

—Salgo de trabajar dentro de una hora. ¿Qué te parece si me esperas un rato? En esta misma calle, más abajo, ponen *No serás un extraño*.

—No, gracias.

Belinda escogió una de las barras de chocolate Bavarian que solía haber en los mostradores de Schwab y le tendió un billete de dólar. Eran el lujo especial que se permitía, junto con el nuevo número de la revista cinematográfica, en sus dos visitas semanales al *drugstore* de Sunset Boulevard. Hasta entonces había visto a Rhonda Fleming en el mostrador comprando una botella de champú Lustre-Creme y a Victor Mature saliendo por la puerta.

—Entonces ¿este fin de semana? —insistió el cajero.

—Me temo que tampoco.

Belinda recogió el cambio y le dedicó una mirada triste y pesarosa para que el chico creyera que ella iba a recordarlo siempre con agridulce arrepentimiento. A Belinda le gustaba el efecto que producía en los hombres. Sabía que procedía de su aspecto singular, pero en realidad se trataba de algo muy diferente. Belinda hacía que los hombres se sintieran más fuertes, inteligentes y masculinos de lo que en realidad eran. Otras mujeres habrían sacado provecho de semejantes cualidades, pero ella no pensaba demasiado en sí misma.

Se fijó en un joven sentado en uno de los bancos de plástico, inclinado sobre un libro y una taza de café. El corazón le dio un vuelco, aunque temió que se llevaría un nuevo chasco. Pensaba tanto en él que imaginaba verlo a cada momento. Una vez incluso había seguido a un hombre durante más de un kilómetro y al final había descubierto una nariz, la de aquel hombre, enorme y fea: no la del rostro de sus sueños.

Se acercó lentamente al banco, con la emoción, la expectativa y la casi certeza de una decepción agitándose en su interior. Lo vio tender la mano para coger el paquete de Chesterfield y reparó en que tenía las uñas mordisqueadas. Luego vio que golpeaba el paquete con el dedo para extraer un cigarrillo. Belinda contuvo la respiración, a la espera de que él alzara el rostro. Todo a su alrededor se difuminó. Todo, excepto aquel joven.

En ese momento él volvió la página del libro que leía, con el cigarrillo colgando de los labios y sin encender, y abrió un sobre de cerillas. Ella casi había llegado al banco cuando el joven por fin frotó la cerilla y levantó los ojos. Así fue como Belinda se encontró viendo a través de una cortina de humo los fríos ojos azules de James Dean.

En aquel instante se vio transportada a Indianápolis, concretamente al Palace Theater. La película era *Al este del Edén*. Ella estaba sentada en la última fila cuando ese mismo rostro había explotado en la pantalla. Con esa frente alta e inteligente y esos desasosegados ojos azules había irrumpido en su vida, más grande que todos los rostros que hubiera visto en la vida real. En su interior estallaron fuegos artificiales y giraron ruedas luminosas. Se sintió como si le hubieran extraído el aire del cuerpo.

James Dean, el chico malo, el de la mirada ardiente y la sonrisa torcida. Jimmy, el que chasqueaba los dedos al mundo y se reía cuando lo mandaba al infierno. Y desde aquel momento en el Palace Theater, James Dean lo significó todo para ella. Era el rebelde, el encanto, el faro más brillante... Una inclinación de cabeza y un encogimiento de hombros le bastaban para proclamar que un hombre es su propia creación. Ella había interiorizado ese mensaje y había salido del cine siendo su propia creación. Un mes antes de la graduación del bachillerato había perdido la virginidad en el asiento trasero de un Oldsmobile 88 con un chico cuyo rictus labial le recordaba a la sonrisa de Jimmy. Después había hecho la maleta, se había marchado sigilosamente de casa y había ido a la estación de autobuses de Indianápolis. Al llegar a Hollywood ya se había cambiado el nombre por el de Belinda y había dejado atrás a Edna Cornelia para siempre.

Ahora, al quedarse paralizada frente a él, el corazón se le encabritó. Ojalá hubiera llevado sus pantalones negros y ceñidos en lugar de ese vestido de algodón azul tan remilgado. Quería unas gafas oscuras, los tacones más altos y la melena rubia echada a un lado, sujeta con un pasador de carey.

—Me gustó... me gustó mucho tu película, Jimmy. —La voz le temblaba como la cuerda de un violín—. *Al este del Edén*. Me encantó. —«Y te quiero, te quiero más de lo que puedas imaginar.»

El cigarrillo añadía un punto de exclamación a sus labios enfadados. Los párpados caídos pestañearon entre el humo.

—¿Ah, sí?

¡James Dean estaba hablando con ella! ¡No se lo podía creer!

—Soy tu... tu mayor admiradora —añadió entrecortadamente—. He perdido la cuenta de las veces que he visto *Al este del Edén*. —«¡Jimmy, lo eres todo para mí! ¡Eres todo lo que tengo!»—. Es una película maravillosa. Y tú estás fantástico.

Lo miraba arrebatada. El amor y la adoración iluminaban los ojos azul jacinto.

Dean encogió aquellos hombros estrechos y maravillosos.

—Me muero de impaciencia por ver *Rebelde sin causa*. Se estrena el mes que viene, ¿verdad? —«Levántate y llévame a casa contigo, Jimmy. Por favor. Llévame a casa y hazme el amor.»

—Ajá.

El corazón le iba tan rápido que se sentía mareada. Nadie podía entender a Jimmy como ella.

—He oído que *Gigante* va a ser algo especial. —«Ámame, Jimmy. Te lo daré todo.»

El éxito lo había hecho inmune a las rubias de ojos azul jacinto con adoración por las estrellas. Gruñó y volvió a inclinarse sobre el libro. No consideraba que su comportamiento fuera rudo. Era un gigante, un dios. Las reglas que se aplicaban a los demás no valían para él.

—Gracias —murmuró ella mientras retrocedía. Y luego, en un susurro—: Te amo, Jimmy.

James Dean no la oyó. Y si la oyó no le dio importancia. Se lo habían dicho en tantas ocasiones...

Belinda pasó el resto de la semana reviviendo ese encuentro tan mágico. El rodaje de exteriores en Texas había concluido, de manera que con seguridad volvería a Schwab y ella también iría todos los días, para comprobarlo, hasta verlo de nuevo. Entonces ella no volvería a tartamudear. Siempre gustaba a los hombres, y con Jimmy no iba a ser diferente. Se pondría su modelo más atrevido y él tendría que enamorarse de ella.

Pero al viernes siguiente, cuando salió del humilde apartamento que compartía con otras dos chicas para dirigirse a su cita, llevaba el respetable vestido azul, recto y entallado. Billy Greenway era un obseso sexual con una cara llena de acné, pero también estaba a cargo del servicio de mensajería en el departamento de reparto de la Paramount. Un mes atrás Belinda había tenido una audición en la misma Paramount. Según pensaba, había sido una de las chicas más monas en la sala de espera, aunque no sabía si el ayudante del director de reparto había pensado lo mismo. Al salir del edificio había conocido a Billy, y en la tercera cita le había prometido que se dejaría meter mano si él le procuraba una copia del informe del director de reparto. El día anterior Billy había telefoneado para decirle que ya tenía la copia.

Casi habían llegado al coche de Billy cuando este la atrajo hacia sí para besarla. Ella percibió el crujido del papel en el bolsillo de la camisa a cuadros y lo empujó para mirarlo y preguntarle:

—¿Tienes el informe o no, Billy?

Él le besuqueó el cuello. A Belinda le recordó a todos los chicos sobreexcitados de Indiana que había dejado atrás.

—Te dije que lo traería, ¿verdad?

—Déjame verlo.

—Después, guapa.

Las manos de Billy se desplazaron a las caderas.

—Estás con una señorita a la que no le gustan que se propasen. —Lo miró con severa reprobación y subió al coche, pero sabía que no iba a ver el papel hasta que pagara su precio—. ¿Dónde me llevas esta noche? —preguntó mientras se alejaban en el coche.

—¿Qué tal una fiesta divertida en el Garden of Allah?

—¿El Garden of Allah? —Belinda se emocionó. En la década de 1940 había sido uno de los hoteles más famosos de Hollywood. Algunas estrellas seguían residiendo allí—. ¿Cómo has podido conseguir una invitación para una fiesta en el Garden?

—Uno tiene sus recursos...

Billy conducía con una mano en el volante, mientras con la otra le rodeaba los hombros. Tal como ella se imaginaba, no la llevó directamente al hotel. En lugar de eso, circularon por las calles secundarias de Lauren Canyon hasta que encontró un rincón apartado. Apagó el motor pero accionó la llave de contacto para seguir escuchando la radio. Sonaba la orquesta de Pérez Prado interpretando *Cherry Pink and Apple Blossom White*.

—Belinda, ya sabes que estoy loco por ti —le dijo mientras se aplicaba a lamerle el cuello.

Ella hubiera preferido que se limitara a entregarle la copia y luego la llevara a la fiesta en el Garden sin hacerle pasar por eso. De todos modos, la última vez tampoco había ido tan mal, por lo menos a partir del momento en que había cerrado los ojos y se había imaginado que él era Jimmy.

Billy le metió groseramente la lengua en la boca sin darle tiempo a respirar. Ella emitió un gemido ahogado y luego proyectó la imagen de Jimmy en la parte posterior de los párpados. «¡Jimmy, qué malo eres! Tomas lo que deseas sin pedir permiso, ¿eh?» Se le escapó otro gemido al sentir la lengua rasposa e invasora. «¡Chico malo, Jimmy! Pero ¡qué lengua tan suave!»

Él empezó a desabrocharle el vestido sin sacar la lengua de su boca. Belinda sintió el soplo del aire frío en la espalda y los hombros cuando él le bajó el vestido hasta la cintura y le quitó el sujetador. Cerró los ojos con más fuerza e imaginó que era James Dean quien la miraba. «¿Te parezco lo bastante guapa, Jimmy? Me gusta que me mires. Me gusta que me toques.»

La mano se deslizó por las medias y las ligas para posarse en el muslo desnudo. Le acarició la cara interior de los muslos y ella abrió las piernas. «Tócame, Jimmy. Tócame ahí. ¡Sí, Jimmy, cariño, sí!»

Él le tomó una mano y la atrajo a su regazo para que lo sobara. Los ojos de Belinda se abrieron de golpe.

—¡No! —Se apartó y empezó a recolocarse la ropa—. No soy una cualquiera.

—Ya lo sé, guapa —dijo él, apretando los dientes—. Se nota que tienes mucha clase. Pero no está bien que me enciendas tanto y que luego recules.

—Pues te has encendido tú solito. Y si te molesta, dejamos de salir y ya está.

Con gesto de enfado, él volvió a arrancar el coche y condujo por la oscura calle. Durante todo el camino de bajada de Lauren Canyon permaneció en silencio y seguía malhumorado cuando enfiló Sunset Boulevard. Solo cuando hubo aparcado en el Garden of Allah se metió la mano en el bolsillo y sacó el papel que ella deseaba.

—Esto no te va a gustar.

Belinda notó que el estómago se le revolvía. Le arrebató el papel y recorrió con la mirada la lista mecanografiada de nombres. Tuvo que repasar la hoja dos veces antes de encontrar el suyo. Junto a él había un comentario. Lo leyó e intentó darle un sentido. Poco a poco fue asimilando las palabras.

«Belinda Britton —leyó—: buenos ojos, buenas tetas, talento cero.»

El Garden of Allah había sido el epicentro de la diversión en Hollywood. Después de ser el hogar de Alla Nazimova, la gran estrella del cine rusa, se había convertido en un hotel a finales de los años veinte. A diferencia de Beverly Hills y Bel Air, el Garden nunca había sido completamente respetable, e incluso cuando abrió por primera vez tenía ya algo de sórdido. Pero aun así las estrellas acudían, atraídas como polillas por sus veinticinco bungalós de estilo español, así como por una fiesta que no parecía acabar nunca.

Tallulah Bankhead había retozado desnuda alrededor de la piscina, que tenía la forma del mar Negro. Scott Fitzgerald había conocido a Sheilah Graham en uno de los bungalós. Los hombres vivían en ellos entre matrimonio y matrimonio: Ronald Reagan cuando se separó de Jane Wyman, y Fernando Lamas tras Arlene Dahl. Durante la época dorada se los podía encontrar a todos en el Garden: Bogart y su *baby*, Tyrone Power, Ava Gardner, Sinatra, Ginger Rogers... Los guionistas se sentaban en sillas de listones blancas frente a sus puertas y se pasaban el día escribiendo a máquina. Rachmaninov había ensayado en un bungaló, Benny Goodman en otro. Y siempre, siempre, en algún lugar había una fiesta.

Aquella noche de septiembre de 1955 el Garden estaba en su agonía. La suciedad y la podredumbre manchaban las paredes blancas de estuco, el mobiliario de los bungalós estaba decrépito y justo el día antes habían encontrado un ratón muerto flotando en la piscina. Irónicamente, seguía costando lo mismo alquilar un apartamento allí que en Beverly Hills. Al cabo de menos de cuatro años todas las construcciones iban a ser demolidas por la bola de los derribos, pero esa noche de septiembre el Garden seguía siendo el Garden y algunas estrellas seguían presentes.

Billy le abrió la portezuela a Belinda.

—Vamos, guapa. Esa fiesta te animará. Por lo que sé, habrá algunos de los de la Paramount. Te los presentaré, ya verás. Y seguro que se quedan impresionados contigo.

Belinda apretó los puños sobre el papel que tenía en el regazo.

—Déjame sola un momento, ¿quieres? Nos encontraremos dentro.

—Lo que tú digas, guapa.

Sus pasos crujieron en la grava mientras se alejaba. Ella hizo una bola con la lista y luego se hundió en el asiento. ¿Y qué ocurría si resultaba que realmente no tenía talento? Cuando había soñado en ser una estrella del séptimo arte no pensaba demasiado en eso de actuar. Había imaginado que ya le darían clases o algo así.

Un coche aparcó en el sitio contiguo con la radio a todo volumen. La pareja no se preocupó por apagar el motor antes de empezar a darse el lote. Eran un par de adolescentes que se escondían en el aparcamiento del Garden.

Y entonces la música se interrumpió para dar paso a las noticias.

Fue la primera.

El locutor repitió la información con calma, como si fuera algo que ocurriera todos los días, como si no fuera un ultraje, el fin de la vida de Belinda, el fin de todo lo demás. Lanzó un grito, un grito terrible y prolongado, más horrible todavía porque se produjo dentro de su cabeza.

James Dean había muerto.

Bajó del coche y corrió sin rumbo por el aparcamiento. Se metió entre los arbustos y bajó por uno de los senderos, intentando controlar la angustia que la ahogaba. Corrió más allá de la piscina con la forma del mar Negro de la Nazimova, pasado un gran roble que había al final de la piscina junto al cual había un poste con un teléfono y un cartel que decía: DE USO EXCLUSIVO PARA EL PERSONAL. Corrió hasta que topó con un largo muro de estuco que delimitaba el patio de un bungaló y, en la oscuridad, se apoyó allí y lloró por el fin de sus sueños.

Jimmy era de Indiana, como ella, y ahora estaba muerto. Se había matado en la carretera de Salinas al volante de un Porsche plateado que él llamaba *Little Bastard*. Él había dicho que cualquier cosa era posible. Un hombre era su propio hombre y una mujer su propia mujer. Sin Jimmy, sus sueños parecían cosa de críos, imposibles.

—Cariño, estás haciendo un ruido espantoso. ¿Te importaría mucho llevarte tus problemas a otro lado? A menos, naturalmente, que seas muy bonita, en cuyo caso estás invitada a entrar y tomarte una copa conmigo.

La voz, profunda y con un toque británico, parecía mecerse por encima del muro de estuco.

Belinda levantó la cabeza bruscamente.

—¿Quién es usted?

—Una pregunta interesante. —Se hizo un silencio, puntuado por la distante música de la fiesta, pero no duró demasiado—. Digamos que soy un hombre lleno de contradicciones. Soy un amante de la aventura, de las mujeres y el vodka, no necesariamente en este orden.

Había algo en esa voz... Belinda se secó las lágrimas con el dorso de la mano y buscó la verja. Cuando la encontró, entró, atraída por esa voz y por la posibilidad de que pudiera aliviarle ese terrible dolor.

Un estanque con iluminación amarilla y pálida ocupaba el centro del patio. Al otro lado había un hombre sentado en la penumbra nocturna.

—Ha muerto James Dean —informó ella—. Un accidente de coche.

—¿Dean? —Los cubitos de hielo tintineaban en su vaso—. ¡Ah, sí! Un muchacho de lo más indisciplinado. Siempre buscándose líos. No es que considere eso algo malo, en absoluto. Yo también me busqué muchos. Pero siéntese, querida, y tómese una copa.

Ella no se movió.

—Yo lo amaba.

—El amor, según he comprobado, es una emoción transitoria que como mejor se satisface es con un buen polvo.

Ella se quedó atónita. Nadie se había expresado con tanta claridad en su presencia. Respondió con lo primero que le vino a la cabeza.

—A mí no me ha pasado nunca.

Él se echó a reír.

—Pues mira, cariño, eso sí que es una tragedia.

Oyó un leve chasquido y luego él se levantó para acercarse a ella. Iluminado al pasar por la piscina, ella vio que era alto, más de metro ochenta, algo grueso de cintura, de hombros anchos y porte erguido. Vestía pantalones de dril blancos y una camisa amarillo pálido con un pañuelo holgado al cuello. Belinda registró los pequeños detalles (zapatos de lona, reloj de pulsera con correa de cuero, cinturón trenzado) y luego, al levantar la mirada, se encontró con los ojos cansados del mundo de Errol Flynn.

3

Para cuando conoció a Belinda, Flynn había pasado ya por tres esposas y por fortunas diversas. Tenía cuarenta y seis, pero parecía veinte años mayor. El famoso bigote se había vuelto gris. Su hermoso rostro, de huesos cincelados y nariz esculpida, se había hinchado por el vodka, las drogas y el cinismo, y ahora lo remataba una consistente papada. Aquel rostro formaba un mapa de carreteras de su vida. Cuatro años más tarde esta habría concluido tras una larga lista de dolencias que, desde luego, habrían matado a muchos hombres mucho antes. Pero muchos hombres no eran Errol Flynn.

Había transitado por la gran pantalla durante dos décadas, y lo mismo luchaba contra los malos que ganaba guerras y salvaba damas. Capitán Blood, Robin Hood, Don Juan... Flynn los había interpretado a todos. Y en alguna ocasión, si estaba de humor, incluso los había interpretado bien.

Mucho antes de llegar a Hollywood, Errol Flynn había intervenido en diversas aventuras que en muchos sentidos eran tan peligrosas o quizá más que las que interpretaba en la pantalla. Había sido explorador y marinero. Había sido buscador de oro. Había traficado con esclavos en Nueva Guinea. La cicatriz que tenía en el talón era el resultado de un disparo efectuado por unos cazadores de cabezas; otra cicatriz, en el abdomen, de una pelea con un conductor de *rickshaw* en la India... O al menos eso contaba él. Con Flynn las certezas eran siempre muy relativas.

Siempre había mujeres de por medio. No lograban obtener todo lo que querían de él, y Flynn a su vez sentía lo mismo respecto a ellas. Le gustaban especialmente las jóvenes. Cuanto más jóvenes, mejor. Mirar una cara fresca y joven y sumergirse en un cuerpo fresco y joven le proporcionaban la ilusión de recuperar la inocencia perdida. Aunque eso también le había traído problemas.

En 1942 fue sometido a juicio acusado de violación. Aunque en el momento de los hechos las chicas se habían mostrado dispuestas, la ley en California hacía ilegal mantener relaciones sexuales con una menor de dieciocho años, con o sin su consentimiento. Pero en el jurado había nueve mujeres y Flynn fue absuelto. Posteriormente perpetuaría el mito de sus proezas, por mucho que le fastidiara convertirse en una broma fálica.

Aquel juicio no había acabado con su fascinación por las chicas jóvenes, e incluso en ese momento, con cuarenta y seis años, alcohólico y disipado, las seguía encontrando irresistibles.

—Ven, ven, acércate, cariño, y siéntate a mi lado.

Le tocó el brazo y Belinda sintió como si la tierra se saliera de órbita. Se dejó caer en la silla que le ofrecía justo cuando creía que las rodillas le iban a flaquear. La mano le temblaba cuando tomó el vaso que él le tendió. No era un sueño. Era real. Ella y Errol Flynn estaban allí, solos y juntos. La miraba con su sonrisa pícara, socarrona y cortés, la famosa ceja izquierda ligeramente más levantada que la derecha.

—¿Qué edad tienes, cariño?

A ella le costó encontrar la voz para responder:

—Dieciocho.

—Dieciocho... —La ceja izquierda se levantó un poco más—. Supongo que no... No, claro que no. —Se atusó el bigote y le hizo una mueca para quitarle importancia, de un modo tan encantador como extraño—. No llevarás encima tu partida de nacimiento, ¿verdad?

—¿Mi partida de nacimiento? —Lo miró con incredulidad.

¡Qué pregunta más extraña! Entonces recordó todo lo que se había dicho sobre el juicio y se echó a reír—. No, no llevo encima la partida, señor Flynn, pero de veras tengo dieciocho. —Su risa sonó descaradamente traviesa—. ¿Cambiaría algo las cosas si no los tuviera?

La respuesta, al más puro estilo Flynn, no se hizo esperar.

—Por supuesto que no.

Durante la siguiente hora guardaron las formas. Él le contó una historia sobre John Barrymore aderezada con chismorreos sobre las principales mujeres de su vida. Luego la hizo partícipe de los secretos sobre lo ocurrido con la Paramount. Le pidió que lo llamara Barón, su apodo favorito. Ella le dijo que así lo haría, pero de todos modos a veces lo llamaba «señor Flynn». Al final de esa hora la tomó de la mano y la llevó al interior de la casa.

Algo nerviosa, ella le pidió utilizar el baño. Después de vaciar la cisterna y lavarse las manos se permitió curiosear en el armario de las medicinas. El cepillo de dientes de Errol Flynn. La maquinilla de afeitar de Errol Flynn. La mirada se deslizó sobre las píldoras y supositorios de Errol Flynn. Cuando cerró el armario se vio sonrojada en el espejo y con los ojos brillantes de emoción. Por fin había acabado en presencia de una gran estrella.

Él la esperaba en el dormitorio. Llevaba un batín borgoña y fumaba un cigarrillo con una boquilla de ámbar muy corta. Tenía una nueva botella de vodka en la mesilla de su lado. Ella sonrió, insegura, sin saber qué hacer. Él parecía tan encantado como divertido.

—Contrariamente a lo que habrás leído, cariño, no soy ningún estuprador de jovencitas.

—No tengo esa opinión de usted, señor Flynn... Barón, quiero decir.

—¿Estás segura de que sabes lo que estás haciendo aquí?

—¡Sí, claro!

—Muy bien. —Le dio una última calada a su cigarrillo y dejó la boquilla junto al cenicero—. Quizá te gustaría desvestirte para mí.

Ella tragó saliva. Nunca había estado desnuda ante un hombre. Le habían quitado las bragas, o el vestido, como ese mismo día Billy, pero esas eran cosas que los chicos hacían siempre. Lo que nunca había hecho era desvestirse delante de nadie. Claro que Errol Flynn era mucho más que «nadie».

Alcanzó con las manos la parte posterior del vestido y se debatió para desabrochar los botones. Cuando finalmente lo logró, deslizó el vestido por encima de las caderas. No se atrevía a mirarlo, de manera que pensó en sus maravillosas películas: *La escuadrilla del amanecer*, *Objetivo Birmania*, *La carga de la brigada ligera*... Esta la había visto en la televisión. Con nerviosismo buscó algún lugar donde dejar el vestido y dio con un armario en el extremo de la habitación. Después de colgarlo allí, se descalzó e intentó decidir qué prenda iba a quitarse a continuación.

Lo miró de soslayo y sintió una sensación agradable. Borró mentalmente las arrugas e hinchazones hasta dejarlo idéntico al que salía en la pantalla. Recordaba lo guapo que había estado en *La isla de los corsarios*. Allí había hecho el papel de un oficial de la armada británica. También salía Maureen O'Hara, en el papel de una pirata llamada Spitfire. Por debajo del encaje de la combinación, Belinda soltó las ligas, se sacó las medias y las dobló con cuidado. Después de esto se quitó el liguero. Por televisión habían dado *Camino de Santa Fe* hacía muy poco. Él y Olivia de Havilland estaban fantásticos juntos. ¡Él era tan masculino y Olivia siempre tan exquisita!

Belinda se quedó únicamente con la combinación, bragas y sujetador... y el brazalete. Desabrochó el pequeño cierre dorado. Las manos le temblaban, pero finalmente lo consiguió y lo colocó junto a las medias. Pensaba que él tal vez iba a levantarse para hacer el resto, pero no mostraba intención alguna de moverse. Se quitó la combinación despacio, por encima de la cabeza.

Recordaba que él estaba casado. Había conocido a Patrice Wymore, su mujer actual, cuando rodaban *Cerco de fuego*. ¡Qué suerte tenía Patrice de estar casada con un hombre así! Pero los rumores sobre su ruptura debían de ser ciertos: de lo contrario, él estaría con Patrice y no con ella. Era muy difícil que un matrimonio funcionara en Hollywood.

Cuando por fin estuvo desnuda, comprobó por la dirección de la mirada de Flynn que le gustaba lo que veía.

—Ven aquí, cariño.

Avergonzada pero excitada, caminó hacia él. Flynn se levantó y le tocó la barbilla. Ella estaba a punto de desmayarse por la emoción. Esperaba su beso. Las manos se deslizaron hasta los hombros. Ella quería un beso igual a los que daba a Olivia de Havilland, Maureen O'Hara y el resto de mujeres preciosas a las que amaba en la pantalla. Pero en lugar de eso se abrió el batín. Debajo no llevaba nada. Los ojos de Belinda quisieron negar la flaccidez de aquella piel bronceada.

—Me temo que vas a tener que ayudarme un poco, querida —dijo él—. El vodka y el amor no son siempre buenos compañeros.

Ella lo miró a los ojos. Sería un privilegio para ella el poder ayudarlo, pero no estaba del todo segura de qué manera exactamente.

Como las mentes de las jovencitas no eran un terreno desconocido para Errol, entendió todas esas dudas y le ofreció una sugerencia específica. Ella se quedó sorprendida, pero fascinada al mismo tiempo. ¡Así era entonces cómo hacían el amor los hombres famosos! Era extraño, pero de algún modo también parecía apropiado.

Se puso de rodillas.

Llevó mucho tiempo y resultó cansado para ella, pero finalmente él le indicó que se incorporara y la tendió en la cama. El somier se combó un poco cuando él se deslizó sobre ella. Seguro que ahora sí la iba a besar...; pero, para su disgusto, no lo hizo.

Le empujó un poco las piernas y ella las separó de inmediato. Flynn tenía los ojos cerrados, pero ella los abría, porque quería registrar cada momento y guardarlo como un tesoro. ¡Errol Flynn estaba a punto de hacérselo a ella! ¡Errol Flynn! Un coro cantaba en su corazón. Sintió un sondeo... un empujón... ¡Realmente era Errol Flynn!

Su cuerpo estalló.

Esa noche, algo más tarde, le preguntó cómo se llamaba y le ofreció un cigarrillo. Ella no fumaba, así que se limitó a dar caladas cortas. Estar inclinada junto a él, apoyada en el cabezal de la cama, con un cigarrillo en los labios, le parecía maravilloso. Por primera vez en horas se acordó de Jimmy. ¡Pobre Jimmy, qué joven había muerto! La vida podía ser muy cruel. ¡Qué suerte tenía ella de poder estar allí, viva y feliz!

Flynn le habló de su yate, el *Zaca*, y sobre los viajes que había hecho recientemente. Belinda no quería parecer entrometida, pero sentía curiosidad por su mujer.

—Patrice es muy guapa.

—Sí, es una mujer maravillosa. Y yo la he tratado muy mal. —Vació su vaso y luego se inclinó por encima de ella para alcanzar la botella en la mesilla. Mientras iba vertiendo el licor, su hombro se hundía en un pecho de Belinda—. Es un vicio que tengo con las mujeres. No quiero hacerles daño, pero es que no estoy hecho para el matrimonio.

—¿Habrá divorcio, pues? —preguntó ella entonces, mientras se aplicaba en desprender la ceniza de su cigarrillo.

—Probablemente. Aunque Dios sabe que no puedo permitírmelo. Hacienda me reclama casi un millón y voy tan retrasado en el pago de pensiones que casi he perdido la pista.

Los ojos de Belinda se llenaron de lágrimas solidarias.

—No me parece justo que un hombre como tú tenga que preocuparse de esas cosas. No es justo. ¡Con lo bien que se lo has hecho pasar a tanta gente!

Flynn le dio unas palmadas en la rodilla.

—Eres una chica muy amable, Belinda. Muy amable y muy bonita. Hay algo en tus ojos que me hace olvidar lo viejo que me estoy volviendo.

Ella se tomó la libertad de apoyar la mejilla en su hombro.

—No tienes que decir esas cosas. No eres viejo.

Él sonrió y le besó la coronilla.

—¡Qué chica tan simpática!

A finales de aquella misma semana, Belinda se había mudado al bungaló de Errol en el Garden. Pasó un mes volando. A finales de octubre él le regaló un brazalete de oro. De él pendía un pequeño dije, un disco en cuyo centro estaba grabado LUV, mientras que en la otra cara estaban las letras I y U. Cuando le daba un golpecito con la punta del dedo, el disco se ponía a girar y se leía el mensaje I LUV U, es decir, «Te quiero». Ella sabía que no podía tomarse ese mensaje en serio, pero apreciaba mucho ese brazalete y lo llevaba con orgullo, como un símbolo ante el mundo de que ella pertenecía a Errol Flynn.

En el reflejo de la fama de ese actor, los antiguos complejos de invisibilidad se volatilizaron. Nunca se había sentido tan bonita, tan lista, tan importante. Dormían hasta tarde y pasaban el día bien a bordo del *Zaca* o bien junto a la piscina. Por las noches se dedicaban a recorrer clubes y restaurantes. Ella aprendió a fumar y beber, y también a no mirar cuando se encontraban con gente famosa, por muy emocionada que se sintiera. La gente famosa, por su parte, parecía apreciarla. Un actor amigo de Flynn le dijo que era porque ella no parecía estar juzgando, que lo único que ofrecía era adoración. Esa observación la confundió. ¿Cómo hubiera podido juzgar? No correspondía a la gente normal emitir juicios sobre las estrellas.

A veces, por la noche, ella y Flynn hacían el amor, pero más a menudo hablaban. A ella le azoraba ver lo triste y preocupado que era él bajo esa fachada de tranquilidad. Se dedicó con más fuerza a hacerlo feliz.

Vio *Rebelde sin causa* y pensó que, después de todo, tal vez su sueño no había muerto. Había pasado de los ayudantes de directores de reparto a conocer a ejecutivos de los estudios. Necesitaba aprovechar esos contactos y prepararse para el momento ineludible en que Flynn se dedicara a otra mujer. No se hacía ilusiones al respecto. Ella no era lo bastante importante como para mantenerlo a su lado demasiado tiempo.

Flynn le compró un atrevido biquini francés rojo carmín y se sentaba al borde de la piscina a beber vodka y mirar cómo se movía. Nadie más en el Garden era lo bastante osada para llevar uno de los nuevos biquinis, pero a Belinda no le suponía ninguna dificultad. Le encantaba que Flynn la mirase. Le encantaba salir del agua y que él la estuviera esperando con una toalla para envolverla. Se sentía a resguardo, protegida y adorada.

Una mañana, ya muy tarde, en que Flynn seguía durmiendo, Belinda se puso el biquini rojo y se arrojó a la piscina. Hizo unos cuantos largos tranquilamente y se sumergió para mirar las iniciales de Alla Nazimova grabadas en el cemento, justo por debajo de la línea del agua. Cuando volvió a la superficie, se encontró con un par de zapatos bruñidos.

—*Tiens!* Una sirena se ha apropiado de la piscina del Garden. Una sirena con ojos más azules que el cielo.

Manteniéndose en el agua, Belinda entornó los ojos al sol para distinguir al hombre que se alzaba ante ella. Se notaba que era europeo. El traje gris perla tenía el brillo de la seda y el planchado inmaculado propio de un hombre que dispone de asistenta. Era de estatura media, delgado y aristocrático, cabello oscuro cortado para disimular una incipiente calvicie. Ojos pequeños y algo achinados, nariz ligeramente aguileña. No era guapo, pero su presencia imponía. El olor a dinero y poder se desprendía de él con tanta naturalidad como la colonia cara que llevaba. Belinda le calculó más de treinta y cinco años. Por el acento pensó que era francés, aunque los rasgos eran más exóticos. Quizá fuera un director europeo.

Le respondió con una mueca socarrona.

—De sirena nada, *monsieur.* Soy una chica de lo más ordinaria.

—*Ordinaire?* Yo no diría eso. Al contrario, más bien me parece *très extraordinaire.*

Ella aceptó el cumplido y con el mejor acento francés que recordaba del instituto, contestó:

—*Merci beaucoup, monsieur. Vous êtes trop gentil.*

—Y dime, *ma petite* sirena, ¿tras ese *charmant* biquini rojo hay una cola?

Su expresión era divertida, pero Belinda notaba algo calculado en tanta audacia. Ese hombre no hacía nada, ni decía nada, por casualidad.

—*Mais non, monsieur* —respondió muy seria—. Solamente dos piernas normales y corrientes.

Él enarcó una ceja.

—¿Tal vez permitiría, *mademoiselle*, que fuera yo quien juzgara?

Ella lo miró un momento y luego se sumergió y fue hacia la escalera del otro lado de la piscina. Pero cuando salió, él ya no estaba. Media hora más tarde, entró en el bungaló y lo encontró hablando con Flynn. Los dos bebían bloody marys.

Las mañanas no eran el mejor momento para Flynn. Al lado de ese extraño tan bien arreglado parecía viejo y estropeado. Aun así, era sobradamente mucho más guapo. Ella se sentó en el brazo del sillón y le puso la mano en el hombro. Aunque le hubiera gustado atreverse a plantarle un beso de buenos días en la mejilla, pero las intimidades esporádicas que acontecían entre ellos por las noches no la hacían sentir con derecho a tales confianzas.

—Buenos días, cariño —dijo él rodeándola por la cintura—. Ya me han dicho que os habéis conocido en la piscina.

Los ojos del extraño se deslizaron por las largas y bronceadas piernas que se extendían bajo el albornoz que se había puesto sobre el biquini.

—Vaya, al final resulta que no hay cola. —Se puso educadamente en pie—. Alexi Savagar, *mademoiselle.*

—Está siendo muy modesto, cariño. Nuestro visitante es en realidad el conde Alexi Nikolai Vasili Savagarin. ¿Lo he dicho bien, caballero?

—Mi familia dejó el título allá en San Petersburgo, *mon ami*, como usted sabe muy bien. —Aunque parecía que el tono era de reproche, Belinda notó que estaba encantado con la utilización del título por parte de Flynn—. Ahora somos franceses sin remedio.

—Y ricos como nadie. Porque los rublos no los dejaron en San Petersburgo, ¿verdad que no? Ni mucho menos. —Flynn se volvió hacia Belinda—. Alexi está en California para comprar algunos coches antiguos. Luego los enviará a París, para su colección.

—Estás hecho un campesino, *mon ami*. Un Alfa Romeo de 1927 no se puede decir que sea un «coche antiguo». Además, si estoy aquí es por negocios.

—Alexi está acrecentando la fortuna familiar con sus incursiones en la electrónica. ¿Cuál era ese trasto del que me hablabas? ¿Tiene algo que ver con las válvulas de vacío?

—El transistor. Será el sustituto de las válvulas de vacío.

—El transistor, eso es. Y si eso le trae dinero, no creas que le pasará por la cabeza dejarme parte de las ganancias para producir mi próxima película.

Aunque la miraba a ella, Belinda tenía la sensación de que le hablaba a Alexi.

El ruso observaba a su amigo con expresión divertida.

—No he edificado laboriosamente mi fortuna tirando el dinero en malos proyectos. A menos, claro está, que quieras separarte del *Zaca*. Entonces sí que podríamos empezar a hablar.

—Antes deberás pasar por encima de mi cadáver —replicó Flynn, un punto irritado.

—Estupendo, *mon ami*, para eso no tendré que esperar demasiado.

—Ahórrate los sarcasmos. Belinda, tráenos un par de bloodys más.

—Voy.

Tomó los dos vasos y fue hacia la pequeña cocina que se abría a un lado de la sala. Ninguno de los hombres se preocupó de bajar la voz, de manera que ella podía oír la conversación mientras rellenaba los vasos con una nueva lata de zumo de tomate. Primero hablaron de los transistores y del negocio de Alexi, pero enseguida la conversación se hizo más personal.

—Belinda representa una mejora respecto a la última, *mon ami* —oyó decir a Alexi—. Esos ojos son *extraordinaires*. De todos modos, un poco mayor, ¿no? Me parece que tiene más de dieciséis.

—¿Tienes algo en mente, viejo zorro? —repuso Flynn riendo—. Pues será mejor que no te hagas ilusiones. Estarías perdiendo el tiempo. Belinda es mi alegría. Es como un perro fiel, adiestrado y precioso. No da más que adoración. Nada de quejas ni monsergas sobre la bebida. Se adapta a mis humores y es sorprendentemente inteligente. Si hubiera más mujeres como ella también habría más hombres felices.

—*Mon dieu!* ¡Cualquiera diría que estás preparando otro viajecito a los altares! ¿Seguro que te lo puedes permitir?

—No es más que una diversión. Pero de las buenas.

Las mejillas de Belinda estaban encendidas cuando les llevó las bebidas. No le había gustado la alusión al perro, pero sí lo demás que había dicho sobre ella.

—Aquí estás, cariño. Le estaba hablando de ti a Alexi.

Percibió una sutil tensión entre los dos hombres que antes no había notado.

—Por lo que dice el barón, es usted una joya, *mademoiselle*. Inteligente, adorable, bonita... Aunque mi visión de su belleza ha sido algo limitada, de manera que el barón tal vez mienta.

Flynn dio un sorbo pausado a su nueva copa.

—Creía que os habíais conocido en la piscina.

—Sí, pero *mademoiselle* estaba en el agua. Y ahora, como se ve... —Señaló con gesto resignado el albornoz.

Ambos hombres se miraron significativamente. Lo que vio en los ojos de Alexi, ¿era desafío? A Belinda le pareció que estaba presenciando un viejo juego entre ellos, un juego que no lograba entender.

—Belinda, cariño, quítatelo, ¿me haces ese favor? —Flynn estrujó un paquete de cigarrillos vacío.

—¿Qué?

—Tu albornoz, cariño. Quítatelo, sé buena chica.

Ella miró a uno y otro. Flynn colocaba un nuevo cigarrillo

en la boquilla de ámbar, pero Alexi la miraba con algo que bien podía ser simpatía. En cualquier caso, aquello le resultaba curioso.

—La estás poniendo en un aprieto, *mon ami*.

—Qué va. A Belinda no le importa. —Se puso en pie y se acercó a ella. Le levantó la barbilla, como Belinda le había visto hacer tantas veces a Olivia de Havilland—. Hará todo lo que yo le diga. ¿Verdad que sí, cariño? —Entonces se inclinó y esbozó un beso sobre sus labios.

Ella dudó solo un momento antes de cogerse el cinturón del albornoz. Flynn le acariciaba la mejilla con el dorso de la mano. Lentamente aflojó el nudo y dejó que el cinturón se soltara. Volvió el cuerpo hacia Flynn e hizo que el albornoz cayera al suelo.

—Deja que Alexi lo vea si no te importa, cariño. Quiero que disponga de una buena vista de lo que su dinero no puede comprar.

Ella miró a Flynn con incomodidad, pero él tenía los ojos puestos en Alexi, y su expresión parecía vagamente triunfante. Despacio, se volvió hacia el ruso. El aire frío sopló sobre su piel y sintió la tela húmeda sobre los pechos. Se dijo que era infantil sentir vergüenza. No era diferente de permanecer junto a la orilla de la piscina. Pero seguía sin atreverse a cruzar la mirada con los ojos rasgados, con los ojos eslavos de Alexi Savagar.

—Tiene un bonito cuerpo, *mon ami* —dijo—. Te felicito. Pero su belleza se echa a perder junto a un ídolo popular gastado. Creo que tendría que birlártela.

Su tono era desenfadado, pero algo en su expresión transmitía que esas palabras no eran fruto de la improvisación.

—Pues yo creo que no. —Belinda intentó sonar fría y sofisticada, como Grace Kelly en *Atrapa a un ladrón*. En aquel hombre había algo que la asustaba. Quizá fuera su aspecto poderoso, la impresión de autoridad que desprendía con tanta facilidad como vestía aquel traje gris perla. Se agachó para recoger el albornoz y volver a ponérselo, pero Flynn le puso una mano en el hombro y se lo impidió.

—No le hagas caso, Belinda. Nuestra rivalidad es muy antigua. —Deslizó la mano por su brazo y luego la desplazó, posesivo, sobre su diafragma desnudo, hasta introducir por fin el meñique en su ombligo—. No puede soportar verme con una mujer a la que no puede obtener. Eso proviene de nuestros años mozos, cuando se las quitaba todas. Mi amigo sigue siendo un mal perdedor.

—No, todas no. Recuerdo que unas cuantas se sintieron más atraídas por mi dinero que por tu cara bonita.

Belinda contuvo la respiración cuando la mano de Flynn, cálida y posesiva, se desplazó más abajo y se posó sobre la entrepierna mínima y encarnada del biquini.

—Pero todas eran mayores. No eran de tu estilo, en absoluto.

Belinda levantó la mirada y vio a Alexi reclinado en el sillón, en un retrato de la indolencia aristocrática, con una pierna de inmaculados pantalones cruzada sobre la otra. Él la miró y durante una fracción de segundo Belinda olvidó que Flynn se encontraba allí.

4

Alexi navegaba con ellos en el *Zaca* y los llevaba a cenar a los mejores restaurantes del sur de California. A veces le compraba a Belinda regalos de joyería, delicados y caros. Ella los guardaba en sus cajas y solamente llevaba el dije giratorio de Flynn prendido de una cadenilla alrededor del cuello.

Alexi le echaba a Flynn en cara aquel dije.

—¡Vaya baratija! Belinda merece algo mejor que eso.

—¡Oh, desde luego, mucho mejor! —replicaba Flynn—. Pero yo no podía permitírmelo, caballero. No a todos nos luce el pelo como a ti.

Ambos se habían conocido en el yate privado del sah de Irán diez años atrás, pero con el tiempo su amistad se había vuelto bastante mordaz. La presencia de Alexi era para Flynn un recordatorio de errores pasados y oportunidades desaprovechadas. Aun así, nunca perdía la esperanza de distraer parte de la riqueza de Alexi en su propio provecho y al final el ruso percibía que la rivalidad se hacía más pronunciada.

Bajo su encantadora ligereza, Alexi Savagar era un hombre que se tomaba la vida en serio. Como aristócrata que era, desdeñaba a Flynn por ser de baja cuna y por no haber recibido una educación formal. Como hombre de negocios despreciaba ese estilo de vida tan despreocupado y tanta falta de disciplina. Pero a los treinta y ocho, con la fortuna segura y con un poder incuestionable, la diversión se había convertido en un producto precioso. Por otra parte, Flynn nunca le había supuesto una amenaza seria. Por lo menos así había sido hasta que Alexi había visto a aquella sirena nadando en la piscina del Garden.

Sus gustos eran similares: chicas jóvenes con el fulgor de la inocencia todavía en las mejillas sonrojadas. Flynn parecía llevar ventaja por la fama y el magnetismo sexual que desprendía, pero la riqueza de Alexi y ese encanto que dosificaba hábilmente eran potentes afrodisíacos. Flynn vio en Belinda un nuevo peón en el juego que enfrentaba a ambos hombres desde hacía años. Ignoraba que Alexi la veía de otra manera.

Alexi era el primer sorprendido por su reacción visceral ante Belinda Britton. Era una niña tonta con una obsesión absurda por las estrellas del cine. No había gran cosa que destacara en ella, aparte de su juventud. Y sí, era inteligente, pero la educación que había recibido era deficiente. Tampoco se podía negar que fuera una belleza, pero eso no la diferenciaba de otras mujeres al alcance de su mano. Aun así, si las comparaba con el aire de inocencia corrompida de Belinda, las sofisticadísimas acompañantes femeninas que frecuentaba parecían viejas y ajadas. Belinda era la combinación perfecta de niña y puta, por su mente inocente y su cuerpo exuberante y experimentado.

Pero su atracción hacia Belinda iba más allá del deseo sexual. Seguía siendo una niña de ojos brillantes, dispuesta a dar comienzo a la vida y llena de confianza en el futuro. Él quería ser quien la presentara al mundo, quería cobijarla y protegerla, moldearla para convertirla en la mujer ideal en que podría convertirse. A medida que pasaban los días, el cinismo acumulado durante tantos años iba disolviéndose. Volvía a sentirse como un chaval, con la vida extendiéndose ante él, llena de promesas.

Hacia finales de noviembre Flynn anunció que iba a México por una semana y le pidió a Alexi que la cuidara. Este sonrió por lo bajo a Belinda y se volvió hacia Flynn.

—Quizá deberías pensártelo antes de abandonar el campo.

Flynn se echó a reír.

—Belinda ni siquiera se pondrá los saldos que le regalaste,

¿verdad que no, cariño? No creo que tenga mucho de qué preocuparme.

Belinda rio como si se tratara de una broma desternillante, pero Alexi Savagar la hacía sentir incómoda. Nunca nadie la había tratado con tanta cortesía. Los sentimientos que despertaba en ella la confundían. Era un hombre importante, pero no se trataba de ninguna estrella del cine, no era Errol Flynn. ¿A qué respondía entonces que ella se sintiera tan turbada en su presencia?

Durante la semana siguiente, Alexi se convirtió en su compañero habitual. Iban a todas partes a gran velocidad en un Ferrari rojo que parecía una extensión del cuerpo en buena forma de Alexi. Ella observaba las manos sobre el volante y el cambio, advertía la seguridad de su toque, la firmeza de sus dedos. ¿Cómo sería disponer de semejante seguridad en uno mismo? Mientras avanzaban por las calles de Beverly Hills Belinda sentía la potencia del motor a través de los muslos. Imaginaba que todo el mundo hacía especulaciones sobre ella. ¿Quién era esa mujer rubia que había conseguido captar el interés de dos hombres importantes?

Por la noche iban al Ciro's, o a Chasen's. A veces hablaban en francés y Alexi empleaba un vocabulario sencillo para que ella pudiera seguirlo. Le describía la colección de automóviles clásicos que tenía y le detallaba las bellezas de París. Hasta que una noche, con el Ferrari aparcado en una montaña y la ciudad extendiéndose a sus pies, le habló de cosas más personales.

—Mi padre era un aristócrata ruso lo bastante inteligente como para mudarse a París antes de que estallara la Primera Guerra Mundial. Allí conoció a mi madre. Ella lo convenció de que se acortara el apellido, de Savagarin a Savagar, para encajar mejor en la sociedad parisina, ya sabes. Yo nací un año antes de que la guerra concluyera y una semana antes de la muerte de mi padre. El amor por las cosas bonitas me lo transmitió mi madre francesa. Pero no te equivoques. Debajo de todo esto sigo siendo implacablemente ruso.

La crudeza de Alexi la fascinaba y asustaba a partes iguales.

También ella le habló de sus padres y le contó sobre la soledad de sus primeros años. Él la escuchaba con una atención aduladora mientras ella compartía sus sueños de estrellato y le confiaba cosas que nunca había dicho a nadie. Luego, él le habló de Flynn.

—Te va a dejar, *ma chère*. Has de ser consciente de ello.

—Ya lo sé. De hecho, es probable que me haya dejado contigo para poder estar con otras mujeres. Hasta con la suya, quizá. —Miró a Alexi, implorante—. Por favor, no me lo digas si lo sabes. No puede evitarlo. Y yo lo entiendo.

—Vaya adoración... —La boca de Alexi se torció un poco—. Como siempre, mi amigo es un hombre afortunado. Es una pena que él no te aprecie. Quizá en la próxima ocasión tendrás más suerte a la hora de elegir compañía.

—Haces que me sienta como una cualquiera —saltó Belinda—. Y eso no me gusta.

La extraña mirada rasgada de Alexi penetró, a través de la ropa y la piel de Belinda, hasta llegar a un lugar tan secreto que solamente él sabía que existía.

—Una mujer como tú, *ma chère*, siempre necesitará un hombre. —Le tomó la mano y jugueteó con sus dedos, provocándole un pequeño estremecimiento—. No eres como esas mujeres modernas tan arrogantes. Necesitas que te ofrezcan refugio y protección, que te moldeen para convertirte en algo precioso. —Por un momento, Belinda pensó que en aquellos ojos había dolor, pero esa impresión desapareció cuando él añadió con voz severa—: Te vendes demasiado barata.

Ella le retiró la mano. Alexi no lo entendía. No había nada barato en entregarse a Flynn.

Todo concluyó precipitadamente poco después de Navidad, cuando Flynn se cansó del juego que practicaban. Un día en que todos estaban en un banquete en Romanoffs, colocó un cigarrillo en su boquilla de ámbar y dijo que se iba a Europa por unos meses. Por la manera en que evitó mirarla, Belinda entendió que no la llevaría con él.

Sintió una opresión en el pecho, los ojos arrasados en lágrimas... Justo cuando el último vestigio de autodominio la abandonaba, sintió que le apretaban el muslo: la mano de Alexi bajo la mesa le prohibía que se humillara. Aquella fuerza penetró en ella y así pudo resistir el resto de la velada. Cuando Flynn se fue el día de Año Nuevo, Alexi la tomó entre sus brazos y la dejó llorar. Más tarde leería en la prensa que la nueva acompañante de Flynn tenía quince años.

Aunque las gestiones y los negocios que Alexi tenía en California ya habían concluido hacía tiempo, no se planteaba su vuelta a París. El alquiler del bungaló estaba pagado hasta finales de enero, aunque ella sospechaba que quien lo había costeado no era Flynn, y las semanas siguientes pasaron casi todas las veladas juntos. Una noche, de forma inesperada, se inclinó sobre ella y la besó suavemente en los labios.

—¡No! —exclamó ella, poniéndose de pie. Y se fue, enfadada por la libertad que él se había tomado.

Alexi no era Flynn y ella no era una cualquiera. Cruzó la verja del patio y fue a la sala para coger un cigarrillo de la tabaquera de porcelana que había sobre la mesa baja.

Fuera, en el patio, años de férrea contención y autodisciplina estallaron en Alexi Savagar. Se levantó también y la siguió a la sala, furioso.

—¡No eres más que una furcia estúpida!

Ella se volvió para mirarlo, sorprendida por tanta animadversión. La máscara gala, tan pulida, había caído, dejando al descubierto el producto atávico de incontables generaciones de nobleza rusa.

—¿Cómo te atreves a rechazarme? —espetó con desprecio—. No eres más que una puta. Pero en lugar de follarte a un hombre por su dinero te lo follas por su fama.

Belinda soltó un grito ahogado cuando lo vio avanzar hacia ella. La cogió por los hombros y la empujó contra la pared. Con una mano le tomó la barbilla, y antes de que pudiera volver a gritar le cubrió la boca con la suya. Le mordió los labios, forzándola a abrirlos. Ella quiso cerrarle el paso a su lengua, pero los dedos de Alexi le apretaron la garganta con un mensaje muy claro. Él era el conde Alexi Nikolai Vasili Savagarin, señor omnipotente de sus siervos. Desde la cuna se le permitía tomar posesión de todo lo que deseara y ella debía rendirse a él.

Cuando le hubo violentado la boca por completo irguió la cabeza y dijo:

—Me merezco un respeto. Flynn es un idiota, un bufón. Vive de su encanto y luego gimotea cuando las cosas no le van tan bien como desearía. Pero tú eres demasiado tonta para verlo, así que tendré que enseñarte.

Belinda lanzó un quejido ahogado cuando él le levantó la falda. Le bajó las bragas y le separó las piernas con la rodilla. Ignorando sus sollozos, la poseyó con sus dedos aristocráticos, invadiendo cada uno de los lugares que, según imaginaba, Flynn había reclamado por siempre para sí. Horrorizada, sintió la caliente erección contra su muslo. Aquel asalto era un acto de posesión, una escenificación de los derechos divinos de los zares, una indeleble reafirmación del orden social correcto en que la nobleza está por encima de cualquier estrella de cine.

Ella lloraba cuando le abrió la blusa, de manera que no pudo apreciar que la tocaba con suavidad. Sus lágrimas salpicaron las manos de Alexi cuando le quitó el sujetador y le acarició los pechos y luego los besó con una ternura que Flynn nunca había mostrado, mientras le murmuraba cosas en francés, quizás incluso en ruso, palabras que ella no entendía.

Despacio, muy despacio, quiso sosegarla.

—Lo siento, pequeña. Lamento haberte asustado. —Apagó las luces, la atrajo hacia él y la acogió en su regazo—. He hecho algo terrible contigo —susurró—. Tienes que perdonarme, tanto por tu propio bien como por el mío. —Repasaba con los labios su cabello—. Soy tu única esperanza, *chérie*. Sin mí, todo lo que puedes ser como mujer nunca se concretará. Sin mí, avanzarás por la vida intentando verte reflejada en las pupilas de hombres que no te merecen.

Le acarició el pelo hasta que ella se relajó poco a poco.

Cuando Belinda cayó dormida en sus brazos, Alexi quedó despierto en la apacible oscuridad. ¿Cómo podía haberse permitido estar tan enamorado? Esa mujer, cuyos ojos azul jacinto suscitaban himnos de adoración entre los hombres, provocaba en él sentimientos que ignoraba poseer. Lo habían educado para que viviera la vida desde una posición de fuerza y, por primera vez en muchos años, no estaba seguro de qué tenía que hacer. No dudaba de su propia habilidad para ganarse el amor de Belinda, porque eso era una trivialidad: de hecho ella ya se preocupaba por él más de lo que estaba dispuesta a admitir. No, ganarse su amor no lo preocupaba. Lo que lo asustaba era el poder que ella había ido obteniendo sobre él.

Le habían enseñado a controlarse desde pequeño. Recordó cuando había pasado por una enfermedad infantil que lo tuvo en cama con mucha fiebre. Su madre había entrado en la habitación con un cuaderno de ejercicios en la mano llena de anillos y con una expresión severa. ¿Era cierto que no había acabado la traducción del latín? Él le contestó que estaba enfermo.

—¡Solo los campesinos encuentran excusas para desentenderse de sus obligaciones! —le espetó ella.

Y a continuación lo sacó de la cama y lo hizo sentar al escritorio. Con ojos febriles y la mano temblorosa, Alexi trabajó hasta que la traducción estuvo acabada, mientras ella permanecía junto a la ventana, con los brazaletes de rubíes relumbrando al sol, fumando un cigarrillo tras otro.

En Francia, los herederos de las grandes fortunas se convertían en hombres dignos del apellido familiar en internados espartanos. Allí le habían arrancado los últimos vestigios de la infancia. A los dieciocho empezó a obtener el control sobre la fortuna de los Savagar, primero porfiando con los miembros del consejo de administración, que habían medrado a expensas de su fortuna hasta convertirse en hombres obesos y perezosos, y luego con su madre. Se había convertido en uno de los hombres más poderosos de Francia, con casas en ambos continentes, una colección de valor incalculable de obras de arte europeas y una sarta de amantes adolescentes dispuestas a satisfacer cada uno de sus caprichos. Hasta que había conocido a Belinda Britton, con su optimismo intacto y su visión infantil de un mundo rutilante, no le había parecido que su vida careciera de nada.

Belinda despertó a la mañana siguiente, todavía vestida, con una manta muy fina tendida sobre ella. Localizó enseguida con los ojos una nota de papelería de hotel colocada sobre la almohada. Leyó rápidamente las breves palabras manuscritas:

Querida:
Hoy vuelo a Nueva York. Hace demasiado tiempo que descuido los negocios. Quizá vuelva, quizá no.

ALEXI

Hizo una bola con el papel y lo lanzó al suelo. ¡Maldito! Después de lo que le había hecho, se alegró de que se hubiera ido. Era un monstruo. Asomó los pies por el borde de la cama para levantarse, pero sintió una tensión desconocida en el estómago. Al volver a apoyar la cabeza en la almohada cerró los ojos y reconoció que estaba asustada. Alexi la había puesto bajo su protección y sin él no sabía qué iba a hacer.

Se cubrió los ojos con el antebrazo e intentó razonar los miedos que sentía reconstruyendo mentalmente el rostro de James Dean: pelo revuelto, ojos tristes y boca rebelde. Poco a poco se calmó. «Un hombre es su propio hombre, una mujer su propia mujer.» Había dejado a un lado las ambiciones mientras había estado con Flynn, pero ahora había llegado el momento de volver a hacerse cargo de su vida.

Pasó el resto de enero intentando contactar con las personas bien situadas que conocía. Dejaba recados telefónicos, escribía notas a los responsables de estudios cinematográficos que había conocido con Flynn y retomó las rondas de antaño. Pero no ocurrió nada. El alquiler del bungaló del Garden dejó de pagarse, de manera que tuvo que volver a su apartamento, donde inmediatamente colisionó con sus antiguas compañeras de piso, quienes le pidieron que se marchara. Ella las ignoró. Vacas estúpidas, que se resignaban con tan poco.

El desastre llegó en forma de sobre azul pálido. Una carta de su madre le informaba de que sus padres no iban a seguir financiando sus necedades. E incluían el último cheque que le enviarían.

Con poca convicción hizo un intento de conseguir un empleo, pero últimamente se había sentido enferma, importunada por dolores de cabeza misteriosos y un estómago continuamente revuelto, como una gripe que no acabara de manifestarse. Empezó a ahorrar el poco dinero que le quedaba y prescindía de las comidas que de todos modos no le apetecían y de los desplazamientos a Schwab, y no dejaba de pensar cómo podían sucederle cosas tan horribles a alguien a quien Errol Flynn había adorado una vez.

La certeza de que estaba embarazada de Flynn la asaltó una mañana en que no tenía fuerzas ni para vestirse. Se quedó dos días en aquella cama raquítica, mirando al techo manchado, intentando asimilar lo que le había ocurrido. Recordaba Indianápolis y todos los comentarios horrorizados, susurrados por lo bajo, sobre chicas que habían ido demasiado lejos y sobre bodas apresuradas o sobre ninguna boda en absoluto, lo que era mucho peor. Pero esas eran perdidas ya por su condición, no como Edna Cornelia, la hija del doctor Britton. Las chicas que eran como ella primero se casaban y luego tenían hijos. Empezar por lo segundo era simplemente inconcebible.

Pensó en ponerse en contacto con Flynn, pero no sabía cómo localizarlo. Por otro lado, tampoco podía imaginarlo ayudándola. Y entonces fue cuando pensó en Alexi Savagar.

Le llevó dos días localizarlo. Estaba en el hotel Beverly Hills. Le dejó un mensaje: «La señorita Britton estará esperando al señor Savagar en el Polo Lounge esta tarde a las cinco.»

La tarde de finales de febrero era fresca y ella cuidó la indumentaria: un vestido de terciopelo de color caramelo y una blusa de nailon blanco que revelaba el detalle de encaje de la combinación, pendientes de perla y un collar de perlas cultivadas que había recibido el día de su decimosexto cumpleaños porque sus padres no querían hacerse cargo de organizar una fiesta, una boina escocesa también de tono caramelo ladeada con despreocupación, guantes de algodón blancos y apropiados y unos no tan apropiados tacones de aguja. Así emperifollada, condujo hasta Schwab, donde dejó aparcado el abollado Studebaker y llamó a un taxi para que la dejara en la elegante puerta cochera que distinguía la entrada del hotel Beverly Hills.

Flynn la había llevado varias veces al Polo Lounge, pero ella aún se excitaba cada vez que pasaba al interior. Le indicó al *maître* el nombre de Alexi y le siguió hasta una banqueta orientada hacia la puerta, un lugar privilegiado del salón de cócteles más famoso del país. Aunque a ella no le gustaban los martinis, pidió uno porque era sofisticado y porque quería que Alexi la viera así.

Mientras lo esperaba intentó calmarse estudiando al resto de la concurrencia. Van Heflin estaba sentado con una rubita. También vio a Greer Garson y Ethel Merman, en mesas separadas. Al otro lado de la sala vio a uno de los ejecutivos de estudio que había conocido con Flynn. Un botones entró en la sala.

—¡Llamada para el señor Heflin! ¡Llamada para el señor Heflin!

Van Heflin levantó la mano y le llevaron un teléfono rosa.

Mientras giraba el largo y frío tallo de la copa, Belinda intentó no darle importancia al temblequeo de las manos. Alexi no iba a llegar a las cinco. Ella había herido su orgullo la última vez que habían estado juntos. ¿Seguro que vendría? No sabía qué iba a hacer en caso contrario.

Aparecieron Gregory Peck y su nueva mujer francesa, Veronique, una bonita ex periodista de pelo oscuro. Belinda sintió una punzada de envidia. El famoso marido de Veronique le dedicó a esta una sonrisa y le dijo algo al oído, algo que únicamente ella pudo oír. Veronique rio y le cubrió la mano con la suya, en un gesto de ternura y también de propiedad. En ese instante, Belinda odió a Veronique Peck más de lo que había odiado nunca a nadie.

Alexi entró en la Polo Lounge a las seis. Se detuvo para intercambiar unas palabras con el *maître* antes de desplazarse hasta la banqueta. Llevaba un traje gris perla, inmaculado como siempre, y en el trayecto recibió el saludo de varias personas de otras tantas mesas. Belinda había olvidado lo mucho que atraía la atención Alexi. Flynn había dicho que era porque su amigo tenía la extraña habilidad de convertir el dinero viejo en algo nuevo.

Se deslizó para sentarse en la banqueta, invadiéndolo todo con el aroma de su colonia cara. Su expresión era opaca y ella sintió un escalofrío.

—Chateau Haut-Brion, 1952 —le dijo al camarero. Y luego, señalando el martini a medio consumir—. Y llévese esto. *Mademoiselle* tomará vino conmigo.

Cuando el camarero se fue, Alexi le tomó la mano y se la llevó a los labios para besarla. Ella intentó no pensar en la última vez que habían estado juntos, cuando los besos que le había dado no habían sido en absoluto tan suaves como este.

—Pareces nerviosa, *ma chère*.

Las conexiones neuronales que se reproducían trabajosamente en su interior debían de hacerlo evidente, de manera que se encogió de hombros.

—Ha pasado mucho tiempo. Yo... te echaba de menos. —El sentido de la justicia salió por fin a la superficie—. ¿Cómo pudiste desaparecer así? Sin llamarme, sin darme noticias...

Él parecía divertido con la situación.

—Necesitabas tiempo para pensar, *chérie*. Para comprobar si te gustaba estar sola.

—No, no me gusta nada —se apresuró a aclarar.

—Ya me lo parecía. —Él la estudiaba al detalle, como si la hubiera puesto en el portaobjetos de un microscopio—. Cuéntame lo que has aprendido durante este período de introspección.

—He comprendido que dependo de ti —respondió ella, con cuidado—. Todo se desplomó a mi alrededor cuando te fuiste y ya no podías ayudarme a poner orden. Supongo que no soy tan inteligente como creía.

Apareció el camarero con el vino. Alexi tomó un sorbo, asintió distraídamente y esperó a que volvieran a estar solos antes de volver a centrar la atención en ella. Belinda le contó lo sucedido en el último mes: el fracaso a la hora de solicitar la atención de un productor y la dimisión de sus padres. Le contó sus miserias, excepto la más importante.

—Ya veo —dijo él—. Y todo en un plazo de tiempo tan corto. ¿Tienes más desastres que presentarme?

Ella tragó saliva.

—No —dijo por fin—. Nada más. Pero me he quedado sin dinero. Y necesito tu ayuda para tomar ciertas decisiones.

—¿Por qué no recurres a tu anterior amante? Seguro que te ayudaría. Seguramente acudiría a tu lado montado en su blanco corcel, con la espada desenvainada y matando a todos los malos. ¿Por qué no recurres a Flynn, Belinda?

Ella se mordió la mejilla para mantener la lengua controlada. Alexi no entendía a Flynn, nunca lo había comprendido, pero en ese momento ella no podía decir nada semejante. De algún modo tenía que suavizar esa amargura, fuera como fuese, aun mintiendo.

—Aquellos días en el Garden... no se parecieron a nada de lo que me había ocurrido nunca. Os mezclé a los dos en la cabeza. Me forcé a creer que todo lo que sentía procedía de Flynn, pero en cuanto te fuiste comprendí que procedía de ti. —Había ensayado esa declaración—. Necesito ayuda y no sé a quién más acudir.

—Entiendo.

Pero no lo entendía, no entendía nada. Ella se puso a juguetear con la servilleta para no tener que mirarlo.

—No tengo dinero y no puedo volver a Indianápolis. Me gustaría... me gustaría que me prestaras algo durante un año o así, hasta que consiga que los estudios se fijen en mí.

Tomó un sorbo de aquel vino que no le gustaba. Con el dinero de Alexi podría marcharse a algún lugar donde nadie la conociera y tener el bebé.

Él no contestó nada, lo que la hizo sentir más nerviosa todavía.

—De verdad, no sé a quién acudir —insistió—. Si tengo que volver a Indianápolis me moriré. Sí, me moriré.

—Muerte antes que Indianápolis. —En su voz se percibió un matiz divertido—. Qué poético e infantil. Como tú, Belinda, querida. Pero si te presto ese dinero, ¿qué recibiré a cambio?

El botones pasó junto a su mesa, con el tintineo de los adornos de latón del uniforme.

—¡Llamada para el señor Peck, llamada para el señor Peck!

—Lo que tú quieras —dijo Belinda, y en ese mismo momento supo que había cometido un error garrafal.

—Entiendo —susurró—. Estás volviendo a venderte. Dime, Belinda, ¿qué te hace diferente de esas mujeres emperifolladas a las que el *maître* hace volver por donde han venido en cuanto se presentan en la puerta? ¿Qué diferencia hay entre tú y una puta?

Los ojos se le nublaron por la injusticia de semejante ataque. Alexi no iba a ayudarla. ¿Qué la había hecho pensar lo contrario? Se levantó para salir de allí antes de humillarse con el imperdonable pecado de llorar ante las miradas indiscretas del Polo Lounge. Pero antes de que pudiera dar un paso, Alexi la tomó por el brazo y con suavidad la obligó a sentarse.

—Lo siento, *chérie*. Te he herido una vez más. Pero si me lanzas esos puñales tienes que entender que corres el riesgo, tarde o temprano, de mancharte con las salpicaduras de la sangre.

Ella inclinó la cabeza para ocultar las lágrimas que le corrían por las mejillas. Una de ellas formó una mancha diminuta en la falda del vestido.

—Tú quizá puedas obtener cosas de alguien sin darle nada a cambio, pero yo no puedo. —Forcejeó con el cierre del bolso para abrirlo y sacar un pañuelo—. Si eso a tus ojos me convierte en una puta, entonces ojalá nunca hubiese acudido a ti.

—No llores, *chérie*. Me haces sentir como si fuera un monstruo. —Un pañuelo, doblado en forma de preciso rectángulo, cayó frente a ella.

Belinda lo tapó con la mano, inclinó la cabeza y se secó los ojos. Hizo todos esos movimientos de la manera más disimulada posible, pues estaba aterrorizada ante la posibilidad de que Van Heflin la estuviera mirando, o la rubita que lo acompañaba, o Veronique Peck. Pero cuando levantó la cabeza, nadie parecía haber reparado en ella.

Alexi se inclinó para mirarla a los ojos.

—Para ti todo resulta muy simple, ¿verdad? —Su voz sonó más cálida—. ¿Podrás dejar a un lado tus fantasías, querida? ¿Podrás ofrecerme tu adoración?

Era él quien lo hacía parecer sencillo, pero no lo era en absoluto. La fascinaba. Incluso la excitaba, pues le gustaba cómo la miraba la gente cuando iba con él. Pero su cara nunca había aumentado hasta proyectarse en una pantalla para que todo el mundo la viera.

Él sacó un cigarrillo de una pitillera de plata. Belinda pensó que los dedos le temblaban al sostener el mechero, pero la llama se mantuvo quieta.

—Voy a ayudarte, *chérie*, por mucho que no debería hacerlo. Cuando haya acabado con las gestiones que me han traído aquí iremos a Washington y nos casaremos en la embajada francesa.

—¿Que nos casaremos? —No dio crédito—. Tú no vas a casarte conmigo.

Las facciones endurecidas de Alexi se suavizaron y los ojos brillaron por la emoción.

—¿Que no voy a casarme contigo, *chérie*? Te deseo y te quiero, no como amante sino como esposa. Parece mentira que pueda ser tan inconsciente, *non*?

—Pero acabo de decirte...

—*Ça suffit!* No vuelvas a hacerme esa oferta.

Asustada por tanta intensidad se echó un tanto atrás.

—Como hombre de negocios que soy, mis decisiones no son nunca fruto de la improvisación. Contigo no hay garantías, ¿verdad? —Acarició el tallo de la copa con el dedo—. Por desgracia también soy ruso. Tú lo que quieres no es una carrera en el mundo del cine, aunque todavía no puedas entenderlo. En París ocuparás tu lugar como mi esposa. Será una nueva vida para ti. Te resultará poco familiar, pero yo te guiaré y te convertirás en la comidilla de la ciudad: la nueva niña de Alexi Savagar. —Sonrió—. Te van a colmar de atenciones. Ya lo verás, te gustará.

Los pensamientos se le arremolinaban en la cabeza. No podía imaginarse como mujer de Alexi, siempre bajo la mirada de esos ojos extraños y rasgados. Alexi era rico e importante, famoso en su mundo. Le había dicho que iba a ser el tema de conversación de París. Pero ella no iba a abandonar sus sueños de convertirse en una estrella.

—No lo sé, Alexi. Tengo que pensarlo...

Las facciones de Alexi se marcaron con dureza. Ella vio que se retraía. Si lo rechazaba ahora, si vacilaba aunque fuera solo un instante, el orgullo no le permitiría perdonarla nunca. Belinda solo disponía de esa oportunidad.

—¡Sí! —Su risa sonó aguda y tensa. ¡El niño! Tenía que hablarle del bebé—. ¡Sí! ¡Sí, claro que sí, Alexi! Me casaré contigo. Quiero casarme contigo.

Por un momento él no se movió. Luego se llevó la mano de ella a los labios. Con una sonrisa, le volvió el puño y cubrió con un beso el pulso que allí se palpaba. Ella ignoró los latidos que retumbaban en su corazón, la atemorizada oleada de sangre que le preguntaba qué había hecho.

Él pidió una botella de Dom Perignon.

—Por el fin de las fantasías —dijo al levantar la copa.

Ella se humedeció los labios resecos con la lengua.

—Por nosotros.

En una banqueta cercana, la risa suave de Veronique Peck sonó como campanillas de plata.

5

Para sorpresa de Belinda, la noche de bodas no tuvo lugar realmente hasta la noche posterior a la boda, una semana después de su reencuentro en la Polo Lounge. Se casaron en la embajada francesa de Washington y luego de la ceremonia se fueron a pasar la luna de miel en la casa de verano del embajador.

El nerviosismo de Belinda se hizo mayor cuando salió de la bañera del embajador y se secó con una gruesa toalla del color de la nuez moscada. Aún no le había dicho nada a Alexi sobre el bebé. Si ella tenía suerte y el niño era menudo, él podría pensar que era suyo, aunque prematuro. Si no lo creía así, entonces probablemente se divorciaría de ella, pero en ese caso el niño conservaría su apellido y Belinda no tendría que vivir con el estigma de una madre soltera. Entonces podría volver a California y empezar de nuevo, pero esta vez con el dinero de Alexi.

Todos los días recibía nuevas pruebas que venían a confirmarle la seriedad de los sentimientos de Alexi, no solo por los regalos con que la obsequiaba, sino también por la paciencia que mostraba ante los tontos errores que ella cometía al entrar en su mundo. Nada de lo que ella hiciera lo ponía nervioso. Y eso suponía para ella una gran tranquilidad.

Miró la caja envuelta en papel de aluminio que había en el baño. Él le había dicho que se pusiera lo que había dentro para la noche de bodas. Belinda esperaba que fuera un batín de seda negra y encaje, algo parecido a lo que llevaría Kim Novak.

Pero cuando abrió la caja le faltó poco para llorar de disgusto. La larga prenda de algodón blanco colocada en el nido de papel de seda parecía más un camisón de niña que el batín de sus fantasías. Aunque el tejido era delicado y de buena calidad, el escote, muy alto, casi carecía de encaje, mientras que unos lazos rosa mantenían el cuerpo modestamente ceñido. Cuando sacó la prenda de la caja algo cayó a sus pies. Se inclinó a recogerlo y vio que se trataba de unos calzones a juego con pequeños adornos de encaje en las aberturas de las piernas. Recordó el orgullo de Alexi y el hecho de que no se presentaba ante él como una virgen.

Ya era más de medianoche cuando entró en la elegante habitación verde jade. Las cortinas de brocado estaban corridas y el mobiliario de teca brillaba a la cálida luz que se filtraba a través de las pantallas de seda color crema. La habitación no podía ser más diferente del rutilante y falso relumbrón que reinaba en el bungaló de estilo español del Garden. Alexi llevaba una bata dorado pálido. Con aquellos ojos pequeños y el pelo untuoso y oscuro, en pantalla solamente hubiera dado para el papel de villano. Pero un villano poderoso, eso sí. La miró hasta que el silencio de la habitación se hizo opresivo. Finalmente habló:

—¿Llevas los labios pintados, *chérie*?

—¿Está mal eso?

Él sacó un pañuelo del bolsillo de su bata.

—Acércate a la luz.

Ella avanzó descalza por la alfombra, en lugar de llevar los tacones de aguja con que había soñado. Él le tomó la barbilla y empezó a limpiarle la boca con su pañuelo de lino blanco.

—Nada de pintalabios en el dormitorio, *mon amour*. Ya eres lo bastante hermosa sin eso. —Retrocedió y repasó su cuerpo con la mirada, que se detuvo en las uñas de los pies, pintadas de escarlata—. Siéntate en la cama.

Belinda lo hizo. Alexi rebuscó en el neceser de cosméticos de ella hasta que encontró el quitaesmaltes. Se arrodilló y empezó a frotar cada uno de los dedos con su pañuelo. Cuando hubo acabado, mordisqueó levemente el empeine y luego lo rozó con la lengua.

—¿Llevas las bragas que te he dado?

Avergonzada, ella fijó sus ojos en el cuello de la bata y asintió.

—*Bon*. Entonces serás mi dulce novia y habrás venido para complacerme. Eres tímida e inexperta, incluso un tanto temerosa. Así es como tiene que ser.

Belinda estaba asustada. Esas palabras incitantes, el camisón virginal... La trataba como si fuera una inocente jovencita, pero con eso no iba a eliminar el tiempo que había pasado con Flynn. El recuerdo de la noche en que Alexi la había forzado también se abría paso entre sus pensamientos, pero lo apartó. Sí, él había sentido celos de Flynn, pero ahora ella era su esposa. Un caballero como él no iba a herirla nunca.

Alexi se levantó y le tendió la mano.

—Vamos, *chérie*. He esperado demasiado para hacerte el amor.

La condujo hasta la cama. Cuando estuvo tendida en el mullido colchón, le rozó los labios con los suyos. Ella se impuso imaginarse que Alexi era Flynn.

—Rodéame con los brazos, *chérie* —murmuró—. Ahora soy tu marido.

Lo hizo y, a medida que la cara se acercaba, siguió con sus suplantaciones, pero el caso era que Flynn apenas la había besado. Nunca, en cualquier caso, con la intensidad que mostraba Alexi.

—Besas como una niña. —Los labios de Alexi se movían sobre los suyos—. Abre la boca para mí. Libera tu lengua.

Con cuidado, separó los labios. Era Flynn quien la besaba. La boca de Flynn cubría su boca. Pero el rostro de la gran estrella se resistía a cobrar forma.

Sintió que el cuerpo se le reblandecía, se hacía más cálido. Atrajo a Alexi, con la lengua afirmándose en su boca, y gimió débilmente cuando él se apartó.

—Abre los ojos, Belinda. Tienes que mirar cómo te hago el amor. —El aire frío le recorrió la piel cuando él tiró de los lazos que mantenían cerrado el camisón—. Mira mis manos en tus pechos, *chérie*.

Ella abrió los ojos a la ardiente intensidad de su mirada, a los ojos endurecidos que podían penetrarla hasta la médula... para descubrir la más mínima semilla de engaño. El pánico se mezcló con la excitación. Intentó volver a cubrirse con el camisón.

El rio entre dientes. Ella comprendió que había tomado su temor por timidez. Antes de que pudiera evitarlo, él le abrió el camisón a la altura de las caderas. Ella estaba tendida en la cama con una única prenda: aquellos calzones de algodón ribeteados de encaje. Él le agarró las manos y las puso sobre la cama.

—Deja que te vea. —Las manos se desplazaron hasta los pechos y los sujetaron con suavidad mientras trazaban círculos, ligeros como plumas, hasta que los pezones se endurecieron. Tocó ambas puntas.

—Voy a chuparte —le susurró.

Oleadas de calor la recorrieron cuando él bajó la cabeza y atrapó el pezón entre los labios, esculpiéndolo con la lengua y luego chupándolo como si estuviera mamando. La excitación se extendió por el cuerpo de Belinda como una traición, cada vez más ardiente, cada vez más fuerte a medida que él acometía con sus caricias la cara interior de sus muslos. Los dedos se desplazaban por debajo del encaje de los calzones, como había hecho Billy Greenway tantas vidas antes, y luego se deslizaron en su interior con una maestría muy diferente de los torpes toqueteos de antaño.

—Estás tensa —le susurró, irguiéndose.

Tiró de sus calzones para que se deslizaran caderas abajo, le separó las piernas y empezó a hacerle algo con la boca que estaba tan prohibido, que era tan aterrorizante, que ella no podía creer que estuviera sucediendo. Al principio se resistió, pero aquello no era impedimento para la habilidad de Alexi, que tomó el control de su cuerpo. Ella se rindió. Gritó cuando él la llevó hasta un orgasmo tan exquisito que sintió como si estuviera esparciéndose en mil pedacitos.

Cuando acabó, él se tendió a su lado. Lo que había hecho era algo sucio. Ella no podía mirarlo en aquel momento.

—Esto no te había pasado nunca, ¿me equivoco? —Su voz rebosaba satisfacción. Ella le volvió la espalda—. Pero ¡qué mojigata eres! ¿Cómo puede escandalizarte el hecho de disfrutar de algo tan natural?

Se inclinó para besarla, pero ella volvió a un lado la cabeza. No iba a besar una boca que había estado donde había estado. De ninguna manera.

Él rio. A continuación, cogiéndole la cabeza entre las palmas, le atrajo la boca hacia sus labios.

—Comprueba lo dulce que eres.

Solo después se separó de ella el tiempo suficiente para abrirse la bata y dejarla caer al suelo. Su cuerpo era esbelto y moreno, cubierto de vello oscuro. Y su erección era completa.

—Ahora voy a explorarte para mi propio placer.

La tocó en todas y cada una de sus partes, dejando tras de sí la marca de Alexi Savagar, encendiéndole el deseo una vez más. Cuando finalmente la penetró, ella lo envolvió con sus piernas y le hundió los dedos en las nalgas. En silencio le rogaba que fuera más deprisa.

—Eres mía, Belinda, y voy a ofrecerte el mundo —le susurró al oído justo antes de su orgasmo.

Por la mañana, en las sábanas había el rastro de sangre de un arañazo largo y fino que recorría la cadera de Belinda.

París era todo lo que Belinda había imaginado, tal como le enseñó Alexi llevándola a los principales lugares turísticos. En lo alto de la torre Eiffel, exactamente una hora antes de la puesta de sol, la besó hasta que ella creyó que saldría flotando ingrávida. Hicieron navegar un barco de juguete en el *bassin* de los Jardines del Luxemburgo y pasearon por Versalles en plena tormenta. En el Louvre, Alexi encontró un rincón apartado y quiso comprobar in situ si los senos de Belinda eran tan plenos como los de las madonas del Renacimiento. Le mostró el Sena al amanecer cerca del puente de Saint-Michel, cuando el sol naciente ilumina las ventanas de los antiguos edificios y enciende la ciudad. Visitaron Montmartre de noche y los cafés de ambiente turbio de Pigalle, donde la excitó con insinuaciones procaces que la dejaron sin aliento. Cenaron trucha y trufas en el Bois de Boulogne, bajo lámparas que colgaban de los castaños, y saborearon Château Lafite en un café en cuyas ventanas florecían las tulipas. A medida que pasaban los días, el talante de Alexi se aligeraba y su risa era más franca, hasta que casi volvió a parecer un niño.

Por las noches, se encerraba con ella en el gran dormitorio de la mansión de piedra gris de la Rue de la Bienfaisance y la tomaba una y otra vez, hasta que sus cuerpos se fusionaban en uno solo. Belinda empezó a detestar las exigencias del trabajo que lo alejaban de ella cada mañana. Esa soledad le permitía pensar demasiado sobre el bebé que llevaba en su seno. El hijo de Flynn. El niño cuya existencia Alexi desconocía todavía.

La vida en la Rue de la Bienfaisance sin Alexi pronto se convirtió en algo casi insoportable. Nadie la había preparado para la grandiosidad de aquella mansión de piedra gris con sus salones y habitaciones y con un comedor con cabida para treinta comensales. En un principio la idea de vivir entre tanto esplendor le había parecido atractiva, pero aquella casa enorme le transmitía una sensación opresiva. Se sentía pequeña e indefensa en el vestíbulo oval con mármol de vetas rojas y verdes, vigilada por horribles tapices con escenas de martirio y crucifixión en las paredes. En el techo del salón principal, unas figuras alegóricas ataviadas con capas y armaduras luchaban contra gigantescas serpientes. Las cenefas se extendían sobre las ventanas, enmarcadas por pilastras y ante las que colgaban pesadas cortinas. Y sobre todo aquel conjunto reinaba la madre de Alexi, Solange Savagar.

Solange era alta y delgada, con un pelo de escaso volumen teñido de negro, una larga nariz y arrugas apergaminadas. Cada mañana a las diez en punto se ponía uno de los infinitos vestidos de lana blanca diseñados para ella por Norell antes de la guerra, se ponía sus alhajas y tomaba posesión de su lugar en una silla Luis XV, en el centro del salón principal, donde empezaba su rutina diaria de dominio sobre la casa y sus habitantes. La posibilidad de que Belinda, la imperdonablemente joven americana que de algún modo se las había arreglado para hechizar a su hijo, ocupara el lugar de Solange era inconcebible. La mansión de la Rue de la Bienfaisance era su dominio único y exclusivo.

Alexi había dejado claro que su madre debía ser respetada, pero Solange hacía imposible la convivencia. Rehusaba hablar en inglés si no era para criticar y se complacía en chivarse a su hijo de todas las *gaucheries* que Belinda cometía. Cada tarde a las siete se reunían en el salón, donde Solange solía beber vermut blanco y fumar un Gauloise tras otro mientras parloteaba con su hijo en un francés que a Belinda le sonaba a repiqueteo.

Alexi borraba con besos las quejas de Belinda.

—Mi madre es una mujer mayor y amargada que ha perdido mucho. Esta casa es todo el reino que le queda. —Los besos bajaban hacia los pechos—. Complácela, *chérie*. Hazlo por mí.

Y luego, de pronto, todo cambió.

Una noche de mediados de abril, cuando habían pasado seis semanas desde la boda, ella había decidido sorprender a Alexi poniéndose un *négligé* negro que había comprado esa misma tarde. Cuando ella se acercó a la cama, el rostro de su esposo palideció. Acto seguido, se levantó y abandonó la habitación. Ella esperó en la oscuridad, furiosa consigo misma por no haber caído en la cuenta de que odiaba verla con otra ropa íntima que no fueran los sencillos camisones blancos que escogía para ella. Las horas pasaban y él no volvía. Cuando salió el sol estaba agotada de tanto llorar.

A la noche siguiente acudió a su suegra.

—Alexi ha desaparecido. Quiero saber dónde está.

En los retorcidos dedos de Solange un rubí lanzó un destello que bien podía ser un mal de ojo.

—Mi hijo solo me dice lo que desea que yo sepa.

Volvió dos semanas después. Belinda, con un vestido de Balmain que le apretaba en la cintura, lo vio entrar desde las escaleras de mármol y observó cómo le entregaba el maletín al mayordomo. Parecía haber envejecido diez años. Cuando la vio, la boca se le torció en una mueca cínica que ella no le conocía.

—Mi querida esposa. Estás bellísima, como siempre.

Lo que ocurrió durante los días siguientes la sumió en la confusión. La trataba con deferencia en público, pero en privado la atormentaba con su manera de hacer el amor. Dejó a un lado la ternura y se comportaba como un libertino, sin permitirle alcanzar el orgasmo, a tal punto que el placer que sentía Belinda cruzó la frontera para convertirse en dolor. Durante la última semana de abril le anunció que iban a salir de viaje, pero sin decirle nada sobre el destino.

Conducía muy concentrado su Hispano-Suiza de 1933, perteneciente a su colección de coches antiguos. Ella le agradecía que la dispensara del esfuerzo de buscar conversación. A través de la ventanilla lateral, el paisaje parisino poco a poco cedió su lugar a las colinas cretáceas y desnudas de la Champaña. Ella intentaba relajarse, pero le era muy difícil. Ya estaba de casi cuatro meses y el esfuerzo de engañarlo la estaba consumiendo. Fingía tener reglas que en realidad nunca venían, ajustaba en secreto los botones en la cintura de sus faldas nuevas y se las apañaba para mantener su cuerpo desnudo apartado de la luz. Hacía todo lo humanamente posible para posponer el momento en que se vería forzada a hablarle del bebé.

Llegaron a Burgundy cuando los viñedos se volvían morados en las sombras alargadas del atardecer. La casa donde se alojaban tenía un tejado rojo y encantadoras macetas de geranios en las ventanas, pero ella estaba demasiado cansada como para disfrutar del sencillo y bien cocinado menú con que les obsequiaron.

Al día siguiente Alexi la llevó a pasear por el campo burgundino. Comieron *potée* en lo alto de una colina cubierta de flores silvestres, con perifollo, estragón y cebolletas que Alexi había comprado en el pueblo vecino. Lo acompañaron con pan amasado con semillas de amapola, queso blando de Saint-Nectaire y vino joven del país. Belinda apenas probó bocado, luego se puso la chaqueta de punto sobre los hombros y caminó por la ladera para escapar del silencio opresivo de Alexi.

—¿Disfrutas de la vista, corazón?

No lo había oído acercarse por detrás y dio un respingo cuando sintió sus manos en los hombros.

—Es bonito.

—¿Lo pasas bien con tu marido?

Ella apretó el nudo que había hecho con las mangas del jersey.

—Siempre lo paso bien cuando estoy contigo.

—Sobre todo en la cama, *n'est-ce pas?*

No esperó a su respuesta, sino que señaló hacia un viñedo y le explicó qué clase de uva producía. Empezaba a parecerse al Alexi que le había enseñado París, de modo que ella se fue relajando.

—Y más allá, *chérie*, ¿ves ese grupo de edificios de piedra? Es el convento de la Anunciación. Las monjas que hay allí regentan uno de los mejores colegios de Francia.

Belinda estaba más interesada en los viñedos.

—Algunas de las mejores familias de Europa envían a sus hijos a las monjas para que los eduquen —continuó él—. Las hermanas incluso aceptan bebés, aunque a los varones los envían a los hermanos que hay cerca de Langres en cuanto cumplen cinco años.

Belinda se sorprendió.

—¿Y por qué una familia rica iba a querer desentenderse de sus hijos?

—Es algo necesario cuando la hija no se ha casado y no se le encuentra un marido adecuado. Las hermanas crían a los bebés hasta que puede tener lugar una adopción discreta.

La conversación sobre bebés la estaba poniendo nerviosa, de manera que intentó cambiar de tema, pero Alexi no parecía dispuesto a desviarse.

—Las hermanas se encargan de todo —dijo—. No los abandonan, ni dejan que haraganeen. Les dan la mejor alimentación y se ocupan de todas sus necesidades.

—No puedo imaginarme a una madre que abandone a su hijo para que otras lo cuiden. —Se quitó el jersey del cuello y se lo puso—. Vámonos. Me está entrando frío.

—No te lo puedes imaginar porque sigues pensando como los burgueses —dijo él sin moverse—. Tendrás que pensar de otro modo ahora que eres mi mujer. Una Savagar.

Las manos de Belinda se tocaron de forma involuntaria su abdomen y se volvió lentamente.

—No te entiendo. ¿Por qué me hablas de todo esto?

—Para que sepas lo que va a suceder con tu hijo bastardo. Tan pronto nazca, irá a las hermanas del convento de la Anunciación para que se encarguen de criarlo.

—Lo sabes todo —susurró ella.

—¡Claro que lo sé todo!

El sol iniciaba su caída justo cuando todas sus pesadillas cobraban vida.

—Tienes la barriga hinchada —añadió él con desprecio—. Las venas de tus pechos se marcan debajo de la piel. La noche que te vi en pie en nuestro dormitorio, con aquel camisón negro... fue como si alguien me quitara la venda de los ojos. ¿Hasta cuándo pensabas que podrías engañarme?

—¡No! —De pronto todo aquello le resultó insoportable, de modo que intentó maniobrar tal como se había jurado que no haría—. ¡No! ¡El niño no es ningún bastardo! ¡Es hijo tuyo! Es tu...

Él la abofeteó.

—¡No te humilles con mentiras que sabes muy bien que nunca creeré! —Ella intentó apartarse, pero él la sujetó con fuerza—. ¡Cómo debiste de reírte de mí después de nuestra entrevista en la Polo Lounge! ¡Me atrapaste en una promesa de matrimonio como si fuera un colegial! ¡Me tomaste el pelo!

Ella rompió a llorar.

—Ya sé que tenía que habértelo dicho. Pero entonces no me habrías ayudado. No sabía qué otra cosa hacer. Me iré, me iré. Después de nuestro divorcio. Nunca más tendrás que verme.

—¿Nuestro divorcio? Oh, no, no, *ma petite*. No habrá tal

divorcio. ¿Acaso no has entendido lo que te estaba diciendo sobre el convento de la Anunciación? ¿Acaso no entiendes que quien está atrapada eres tú?

El miedo la atenazó cuando recordó lo que le había dicho.

—¡No! ¡No dejaré que te lleves a mi hijo!

Su hijo. ¡El hijo de Flynn! Tenía que conseguir que sus sueños se hicieran realidad. Su vida en California tendría que volver a empezar. Ella y su pequeño, tan guapo como su padre, o con su pequeña, más bonita que ningún otro bebé.

La expresión de Alexi se tornó orgullosa. Todos los tontos sueños que había acariciado Belinda se desplomaron como un castillo de naipes.

—No habrá divorcio —le dijo—. Y si se te ocurre huir, nunca verás un céntimo de mi bolsillo. No sabes sobrevivir sin el dinero de otros, ¿no es así, cariño?

—¡No puedes llevarte a mi bebé!

—Puedo hacer lo que quiera. —La voz sonó calma como la muerte—. No conoces la ley francesa, *chérie*. Tu hijo bastardo será legalmente mío. En este país, el padre tiene una autoridad completa sobre su hijo. Y te lo advierto: si se te ocurre contarle a alguien tus andanzas, te arruinaré. ¿Lo entiendes? Te dejaré sin nada.

—Alexi, ¡no me hagas esto! —imploró ella.

Pero él ya había echado a andar.

La vuelta a París la hicieron en silencio. Cuando Alexi metía el Hispano-Suiza por la puerta cochera hacia el garaje, Belinda miró hacia arriba, hacia la casa que detestaba cada vez más. Se cernía sobre ella como una lápida enorme y gris. Tras buscar con nerviosismo la manilla y abrir la portezuela, quiso salir corriendo.

Alexi se plantó junto a ella casi en el mismo instante.

—Entra en casa con dignidad, Belinda. Lo digo por tu bien.

Los ojos se le llenaron de lágrimas.

—¿Por qué te casaste conmigo?

Él la contempló en silencio y dejó que los segundos pasaran como promesas perdidas. La boca se le contrajo en una mueca amarga.

—Porque te amaba.

Ella lo miró y un rizo de cabellos le fustigó el rostro.

—Te odiaré siempre por esto.

Se volvió y echó a correr por el camino de entrada hacia la calle, hacia la Rue de la Bienfaisance, con la desesperación contrastando con la belleza soleada de la tarde primaveral.

Corrió hasta introducirse en las sombras de los viejos castaños que había cerca de la entrada, en plena floración. Los pétalos caídos alfombraban el pavimento de blanco. Cuando giró hacia la calle, la estela de un coche que pasaba hizo que los pétalos volaran y la envolvieran en una nube blanca. Alexi, inmóvil, contemplaba la escena. Belinda, capturada durante una fracción de segundo en una nube arremolinada de flores de castaño.

Recordaría ese momento el resto de su vida. Belinda entre las flores: tonta y superficial, desesperadamente joven. Con el corazón destrozado.

La niña de Belinda

6

El hombre hizo restallar un horrible látigo negro por encima de su cabeza. Las más pequeñas gritaron asustadas, e incluso las mayores, a pesar de que la noche anterior habían decidido que eran demasiado sofisticadas para que el *fouettard* las intimidara, sintieron la boca seca. Era feo, de aspecto feroz, con la barba enmarañada y un guardapolvo largo y sucio. Cada 4 de diciembre el *fouettard* designaba a la chica que peor se había portado en el convento de la Anunciación entregándole el haz de varas de abedul.

Por una vez, en el comedor del convento no reinaba la habitual algarabía matutina, articulada en hasta cinco idiomas. Las chicas se apretujaron todavía más y sintieron un delicioso tembleo producido por el miedo que les subía del estómago.

«Por favor, te lo ruego, Virgen mía, no permitas que sea yo.» Las plegarias procedían más de la costumbre que de cualquier miedo real, puesto que todas sabían perfectamente a quién iba a escoger.

Ella permanecía algo apartada de las demás, al lado de una guirnalda navideña que colgaba junto a copos de nieve de papel y un póster de Mick Jagger que las hermanas todavía no habían localizado. Llevaba la misma blusa blanca y la falda plisada azul que las demás y los mismos calcetines oscuros hasta las rodillas, pero parecía diferente de las demás. Aunque solamente tuviera catorce, las sobrepasaba a todas en altura. Tenía manos enormes, unos pies como remos y una cara demasiado grande para aquel cuerpo. Una coleta ingobernable contenía el pelo rubio y veteado que le caía mucho más abajo de los hombros. El pelo claro contrastaba con un par de cejas espesas y oscuras que casi se unían encima de la nariz y parecían pintadas con un lápiz despuntado. La boca, con su aparato de ortodoncia completa, recorría la zona inferior de la cara. Los largos brazos y piernas se movían con desgarbo, todo codos picudos y rodillas abultadas, en una de las cuales lucía una costra enmarcada por el contorno sucio dejado por un esparadrapo. Mientras las demás chicas llevaban discretos relojes de pulsera suizos, el suyo era uno de hombre cuya correa de cuero le venía tan holgada que la esfera se ladeaba en su muñeca huesuda de adolescente.

No era solamente el tamaño lo que la distinguía, sino su postura, con la barbilla adelantada y sus extraños ojos verdes mirando desafiantes todo lo que no la complacía... Como el *fouettard*, por ejemplo. Con expresión altiva lo desafiaba a tocarla con el látigo. Solamente Fleur Savagar podía dirigir una mirada semejante.

A esas alturas de 1970 las zonas más progresistas de Francia ya habían prohibido la actuación del *fouettard*, el malvado «fustigador» que por Navidad amenazaba a los niños franceses que se habían portado mal con darles varas de abedul en lugar de regalos. Pero en el convento de la Anunciación los cambios no se producían tan deprisa. Las hermanas esperaban que la vergonzosa notoriedad de ser distinguida como la chica más mala del *couvent* despertara en Fleur las ansias de reformarse. Lamentablemente, no había funcionado así.

Por segunda vez el *fouettard* hizo restallar su látigo y por segunda vez Fleur Savagar rehusó moverse, por muchos motivos que hubiera para ello. En enero había robado las llaves del viejo Citroën de la madre superiora; después de alardear ante todo el mundo de que sabía conducir, había empotrado el automóvil directamente contra el cobertizo de las herramientas. En marzo se había roto un brazo haciendo acrobacias sobre la decrépita jaca del convento, y luego se había negado obstinadamente a decírselo a nadie, hasta que las monjas repararon en su brazo hinchado. Un desgraciado incidente con fuegos artificiales había provocado la destrucción del techo del garaje, pero eso no fue nada comparado con el inolvidable día en que todas las niñas de seis años del convento desaparecieron.

El *fouettard* sacó del saco de arpillera que llevaba el temible hatillo de varas y dejó que sus ojos vagaran sobre las chicas antes de detenerse finalmente en Fleur. Con expresión siniestra, depositó las varas a los pies de sus gastados zapatos ingleses marrones. La hermana Margarita, que pensaba que aquella era una costumbre bárbara, miró hacia otro lado, pero las otras monjas chasquearon sus lenguas y sacudieron la cabeza, reprobándola. ¡Habían puesto todo su empeño en reformar a Fleur, pero ella afrontaba todas esas jornadas tan disciplinadas con su humor cambiante, impulsiva, ansiosa por que su vida empezara de una vez! En secreto era a quien más querían, puesto que llevaba con ellas más tiempo que ninguna y porque simplemente se hacía querer. Pero las preocupaba pensar qué iba a ser de ella cuando ya no estuviera bajo su firme control.

Buscaron algún signo de arrepentimiento cuando ella se agachó para recoger el haz. *Hélas!* En cuanto se incorporó, les dedicó una sonrisa pícara antes de acoger las ramas en su regazo como si se tratara de un ramo de rosas de tallo largo. Todas las chicas rieron cuando empezó a enviarles besos y hacer cómicas reverencias.

En cuanto Fleur estuvo segura de que todas entendían lo poco que le importaba ese estúpido *fouettard* y sus estúpidas varas, salió por la puerta lateral, tomó su viejo abrigo de lana de la fila de colgadores de la entrada y corrió al exterior. La mañana era fría y su respiración formaba una nube mientras corría alejándose de los edificios de piedra. Recuperó del bolsillo del abrigo su querida gorra de los New York Yankees. Le tiraba de la goma de su coleta, pero no le importaba. Belinda había comprado el gorro durante el último verano.

Fleur podía ver a su madre únicamente dos veces al año: durante las vacaciones de Navidad y luego en agosto, todo el mes. Faltaban exactamente quince días para que se reunieran en Antibes, donde solían pasar las Navidades. Fleur había estado marcando el paso de los días en el calendario desde agosto. Lo que más le gustaba era estar con Belinda. Su madre nunca la reñía por hablar demasiado alto, ni por derramar un vaso de leche, ni siquiera por soltar improperios. Belinda la quería más que a nada en el mundo.

Fleur no conocía personalmente a su padre. Él la había llevado al *couvent* cuando no tenía más que una semana y nunca más había vuelto. Fleur nunca había visto la casa de la Rue de la Bienfaisance donde todos vivían excepto ella: su madre, su padre, su abuela... y su hermano Michel. No era por culpa de Fleur, decía su madre.

Fleur lanzó un silbido cuando llegó a la valla que limitaba la propiedad del convento. Antes de que le pusieran el aparato de ortodoncia silbaba mucho mejor. Antes de que le pusieran aquel aparato, creía que nada podría hacerla más fea. Ahora sabía que se equivocaba.

Cuando llegó junto a la valla, el caballo zaino relinchó y asomó la cabeza por encima del cercado para rozar el hombro de Fleur. Era un *selle français*, un caballo de silla propiedad del vecino, que se dedicaba a la viña, y Fleur pensaba que era la criatura más bonita del mundo. Lo hubiera dado todo por montarlo, pero las monjas no se lo permitían, ni siquiera si el dueño hubiera dado su permiso. Quería desobedecerlas y cabalgar hasta muy lejos, pero temía que la castigaran diciéndole a Belinda que no viniera a buscarla.

Fleur tenía planeado convertirse en una gran amazona algún día, a pesar de su estatus actual de chica más mala del convento. Con esos pies tan grandes, tropezaba una docena de veces al día, los platos caían al suelo, los jarrones de flores se volcaban sobre los tapetes y las monjas corrían a la *nurserie* para controlar que no se hubiese llevado a un bebé cualquiera al que se le ocurriera cuidar. Solo cuando se trataba de deportes olvidaba esa preocupación que incumbía a sus grandes pies, a su estatura exagerada y sus manos desproporcionadas. Podía correr más, nadar más y marcar más puntos en el hockey sobre hierba que cualquiera. Era tan buena como un chico, lo cual era muy importante para ella. A los padres les gustaban los chicos. Quizá si ella fuera la más valiente, la más rápida y la más fuerte, como un chico, su padre la dejaría volver a casa.

Los días previos a la Navidad parecían no acabarse nunca, hasta que por fin llegó la tarde en que su madre acudió a buscarla. Fleur había preparado el equipaje con horas de antelación y mientras esperaba en la fría entrada las monjas no dejaban de pasar por allí.

—No olvides llevar una chaquetilla, Fleur. Incluso en el sur hace frío en diciembre.

—Sí, hermana Dominique.

—Recuerda que allá no estarás en Châtillon sur Seine y que no conocerás a todo el mundo. No hables con extraños.

—No lo haré, hermana Marguerite.

—Prométeme que irás a misa todos los días.

Ella cruzó los dedos en los pliegues de la falda y respondió:

—Lo prometo, hermana Thérèse.

El corazón de Fleur se henchía de orgullo cuando su bella madre entraba por fin y destacaba entre las monjas. Parecía un ave del paraíso caída entre una bandada de oscuros vencejos. Bajo un abrigo de visón blanquísimo, Belinda llevaba una blusa de seda amarilla sobre unos pantalones azul índigo abrochados con un cinturón de vinilo naranja. Pulseras de platino y lucite cliqueaban en sus muñecas, y discos a juego le colgaban de las orejas. Todo en ella era colorido, elegante, estiloso y caro.

A sus treinta y tres años, Belinda se había convertido en una alhaja costosa, cortada a la perfección por Alexi Savagar y pulida por los lujos del Faubourg Saint-Honoré. Estaba más delgada y hacía gestos más precisos y rápidos, pero los ojos sonrientes con que miraba a su hija no habían cambiado en absoluto. Eran del mismo azul jacinto que el día en que había conocido a Errol Flynn.

Fleur cruzó todo el vestíbulo como un cachorro de San Bernardo y se lanzó a los brazos de su madre. Belinda retrocedió un pasito para afianzar la estabilidad.

—¡Y ahora vámonos de aquí! —le susurró a su hija al oído.

Fleur se despidió apresuradamente de las monjas, agarró la mano de su madre y tiró de ella hacia la puerta antes de que las hermanas pudieran bombardearla con un inventario de las últimas barrabasadas de Fleur, a las que Belinda por cierto no prestaba ninguna atención.

—¡Menudas urracas! —le había dicho a Fleur la última vez—. Lo que pasa es que tienes un carácter indómito e independiente. Y yo no quiero que te cambien en absoluto.

A Fleur le encantaba cuando su madre hablaba así. Belinda decía que en Fleur hasta la misma sangre era asilvestrada.

Un Lamborghini plateado esperaba al pie de la escalinata de entrada. Cuando Fleur se dejó caer por fin en el asiento del acompañante, se sumergió en el dulce y familiar aroma a Shalimar de su madre.

—Hola, mi niña.

Ella se deslizó en los brazos de Belinda con un leve gemido y se abrazó al visón, a la fragancia de Shalimar y a todo lo que significaba su madre. Era demasiado mayor para llorar, pero no podía evitarlo. ¡Era tan bonito volver a ser la niña de los ojos de su madre!

A Belinda y Fleur les encantaba la Côte d'Azur. El día después de su llegada condujeron desde el hotel con estuco rosa y cercano a Antibes hasta Mónaco, recorriendo la famosa *Corniche* del litoral, la carretera que serpenteaba por las colinas de la costa.

—No te marearías si miraras al frente en lugar de distraerte con lo que pasa a los lados —aconsejó Belinda.

Eso mismo le había dicho el año anterior y el otro también.

—Pero es que entonces me perdería tantas cosas...

Hicieron una primera parada en el mercado al pie de la colina del palacio de Montecarlo. El estómago de Fleur se recuperó muy pronto, e iba saltando de uno a otro establecimiento, señalando todo lo que le llamaba la atención. El día era cálido y llevaba unos pantalones cortos, su camiseta preferida, con la leyenda pacifista, y un par de sandalias que su madre le había comprado el día anterior. Con la ropa, Belinda no era como las monjas.

—Lleva lo que te haga feliz, mi niña —decía—. Desarrolla tu propio estilo. Para la moda ya tendrás tiempo más tarde. Todo el tiempo del mundo. —Ella iba vestida de Pucci.

Después de escoger lo que quería para comer, Fleur acompañó a su madre por el camino que llevaba del mercado al palacio mientras daba cuenta de un bocadillo de jamón y pan con semillas de amapola. Fleur hablaba cuatro idiomas, pero del que estaba más orgullosa era del inglés, un inglés que era perfectamente americano. Lo había aprendido de las estudiantes estadounidenses que iban al *couvent*: hijas de diplomáticos, banqueros y corresponsales de prensa americanos. A medida que adoptaba aquella jerga y aquellas actitudes se iba sintiendo cada vez menos francesa.

Algún día ella y Belinda irían a vivir a California. Le hubiera gustado emigrar inmediatamente, pero Belinda se habría quedado sin blanca si se divorciaba de Alexi. Además, Alexi no le habría concedido el divorcio. Sin embargo, ir a América era lo que Fleur más quería en el mundo.

—Me gustaría tener un nombre americano —comentó. Se rascó una picadura que tenía en el muslo y le dio otro mordisco al bocadillo—. No me gusta nada mi nombre. Lo detesto de verdad. Fleur es un nombre estúpido para una chica grandullona como yo. Ojalá me hubieras puesto Frankie.

—Frankie sí que es horrible —dijo Belinda, y se dejó caer en un banco para recuperar el aliento—. Fleur fue lo más cercano que se me ocurrió a la versión femenina de un hombre al que apreciaba mucho. Fleur Deanna. Es un nombre bonito para una chica bonita.

Belinda siempre le decía a Fleur que era bonita, aunque esto no fuera cierto. Pero los pensamientos de la adolescente ya iban por otro lado.

—Odio tener la regla. Es asqueroso.

Belinda revolvió su bolso en busca de un cigarrillo.

—Forma parte de ser mujer, cariño.

Fleur hizo una mueca para hacerle saber su opinión sobre eso y su madre se echó a reír. La muchacha señaló entonces el camino que subía hacia el palacio.

—Me pregunto si será feliz.

—Pues claro que es feliz. Es una princesa. Una princesa y también una de las mujeres más famosas del mundo. —Belinda encendió el cigarrillo y se subió las gafas de sol a lo alto de la cabeza—. Tendrías que haberla visto en *El cisne*, con Alec Guinness y Louis Jourdan. ¡Dios mío, qué guapa estaba!

Fleur estiró las piernas. Estaban cubiertas por una pelusilla fina y clara. El sol empezaba a sonrosarlas.

—Él es bastante viejo, ¿no crees?

—Los hombres como Rainiero no tienen edad —dijo Belinda—. Es muy distinguido, ¿sabes? Y encantador.

—¿Lo conoces?

—El último otoño. Vino a comer a casa. —Volvió a bajarse las gafas.

Fleur hundió el tacón de la sandalia en la tierra.

—¿Y él estaba también?

—Pásame esas aceitunas, cariño —pidió Belinda, señalándole uno de los cucuruchos de papel con una uña pintada de tono frambuesa.

Fleur lo hizo.

—¿Estaba o no estaba?

—Alexi tiene propiedades en Mónaco. Claro que estaba.

—No me refiero a él. —El bocadillo había perdido el sabor, de manera que arrancó un trozo para echárselo a los patos que anadeaban al otro lado del sendero—. No me refiero a Alexi sino a Michel.

Pronunció en francés el nombre de su hermano de trece

años, lo que en Estados Unidos equivalía a un nombre de chica.

—Sí, Michel también estaba. Tenía descanso en la escuela.

—Lo odio. De verdad que lo odio.

Belinda dejó a un lado el paquete de las aceitunas sin abrirlo y dio otra calada al cigarrillo.

—No me importa que sea pecado —dijo Fleur—. Lo odio incluso más que a Alexi. Michel lo tiene todo. No es justo.

—A mí no me tiene, cariño. No lo olvides.

—Y yo no tengo padre. Pero aun así no es justo. Michel vive en casa cuando no está en la escuela. Así consigue estar contigo.

—Estamos aquí para pasarlo bien, cariño. No nos pongamos tan serias.

Pero a Fleur no se la distraía tan fácilmente.

—No entiendo a Alexi. ¿Cómo es posible que alguien odie tanto a un bebé? Quizás ahora que he crecido... Pero ¿cuando apenas tenía una semana...?

Belinda suspiró.

—Ya hemos hablado de esto muchas veces. Demasiadas. No se trata de ti. Es su manera de ser. Uf, me gustaría tener algo que beber.

Aunque Belinda se lo había explicado un millón de veces, Fleur seguía sin entenderlo. ¿Cómo podía un padre desear niños varones tan obsesivamente como para enviar a su única hija lejos y no volver a verla? Belinda le explicaba que Fleur le recordaba su fracaso y que Alexi no podía soportar los fracasos. Pero incluso cuando Michel había nacido, un año después que Fleur, no había cambiado. Belinda aducía que era porque ella ya no podía tener más hijos.

Fleur había recortado fotografías de su padre y las guardaba en un sobre marrón, en el fondo de su armario. Le gustaba imaginarse que la madre superiora la llamaba a su despacho, donde Alexi la esperaba para decirle que había cometido un terrible error y que ahora se la llevaría a casa. Luego él la abrazaría y la llamaría «mi niña», como mamá.

Volvió a lanzar otro trozo de pan a los patos.

—Lo odio. Los odio a los dos. —Y, ya puestos, añadió—:

También odio este aparato que llevo en la boca. Josie y Céline Sicard me odian porque soy fea.

—Estás autocompadeciéndote. Recuerda lo que ya te he dicho: en unos pocos años, todas las chicas del *couvent* querrán parecerse a ti. Necesitas crecer un poco más, nada más.

El mal humor de Fleur desapareció. Le gustaba su madre. La quería.

El palacio de la familia Grimaldi era un extenso edificio de piedra y estuco con horribles torretas cuadradas y garitas de cuento de hadas. Cuando Belinda contempló a su hija abrirse paso a través de la multitud de turistas para subirse a lo alto de un cañón que dominaba la bahía, se le hizo un nudo en la garganta. Fleur tenía la tosquedad de Flynn, la misma ansia desbordante por vivir.

Muchas veces había querido confesarle la verdad, decirle que un hombre como Alexi Savagar no podría haber sido nunca su padre, que en realidad era la hija de Errol Flynn. Pero el miedo se lo impedía. Ya hacía mucho que había aprendido a no contrariar a Alexi. Únicamente le había pegado una vez. Y únicamente una vez él había sido el indefenso, cuando Michel había nacido.

Por la noche, después de cenar, Belinda y Fleur fueron a ver una película de vaqueros con subtítulos en francés. La película ya iba por la mitad cuando Belinda lo vio por primera vez. Debió de hacer algún sonido, porque Fleur la miró y preguntó:

—¿Qué pasa?

—Nada —logró contestar su madre—. Es... ese hombre.

Belinda estudió al vaquero que acababa de entrar en el *saloon* en que Paul Newman jugaba al póquer. Era muy joven y totalmente ajeno a los patrones de belleza de Hollywood. La cámara se le acercó y Belinda se olvidó de respirar. Parecía imposible, y sin embargo...

Los años perdidos quedaron atrás. James Dean había vuelto.

Aquel hombre era alto y esbelto y tenía piernas largas. Aquella cara delgada y estrecha parecía labrada en piedra por una mano rebelde. Sus rasgos irregulares proyectaban una confianza ajena a la arrogancia. Tenía el pelo castaño, una nariz larga y fina con un bultito en el puente y una boca triste. La paleta frontal de su dentadura estaba ligerísimamente rota en una de las esquinas. Y en cuanto a los ojos, eran inquietos y de un azul profundo.

En realidad no se parecía a Jimmie, ahora podía verlo. Era más alto y no tan guapo. Pero era también otro rebelde (Belinda lo sentía en lo más hondo), otro hombre que vivía la vida según sus propias reglas.

La película concluyó, pero ella se quedó en el asiento sin soltar la mano de Fleur, esperando los créditos. Su nombre apareció en la pantalla y a ella la emoción la invadió.

Jake Koranda.

Después de tantos años, Jimmie le enviaba una señal clara: no tenía que perder la esperanza. «Uno es su propio hombre. Una mujer es su propia mujer.» Jake Koranda, aquel joven de rasgos asimétricos, le había dado renovadas esperanzas. De algún modo todavía podría convertir en realidad sus sueños.

Los chicos de Châtillon-sur-Seine descubrieron a Fleur durante el verano anterior a su decimosexto cumpleaños.

—*Salut, poupée!* —la llamaron cuando la vieron salir de la *boulangerie.*

Con la barbilla manchada de chocolate, ella miró y vio a tres chicos que pasaban el rato frente a la farmacia del pueblo, fumando y escuchando *Crocodile Rock* en una radio portátil. Uno de ellos lanzó la colilla a un lado y, asintiendo con la cabeza, le dijo:

—*Hé, poupée, viens voir par ici.*

Fleur miró alrededor para ver a cuál de sus compañeras de clase se dirigía aquel chico.

Los tres rieron. Uno le dio un codazo a otro y, señalando a las piernas de Fleur, dijo:

—*Regardez-moi ces jambes!*

Fleur miró hacia abajo para comprobar qué podía fallar allí abajo, y otra gota de chocolate procedente del *éclair* que se estaba comiendo fue a parar a la correa de cuero azul de sus sandalias Dr. Scholl. El más alto de los tres le guiñó el ojo y ella comprendió por fin que se referían a sus piernas. ¡A sus piernas!

—¿Quedamos para un *rendez-vous*?

¡Una cita! ¡Quería salir con ella! Dejó caer el *éclair* y corrió calle arriba, en dirección al puente, donde el resto de chicas se estaban reuniendo. Su cabello rubio mechado ondeaba a su espalda como la crin de un caballo. Los chicos rieron y silbaron.

De vuelta en el *couvent*, corrió a la habitación para mirarse en el espejo. No hacía mucho esos mismos chicos solían llamarla *l'épouvantail*, «el espantapájaros». ¿Qué había ocurrido? Su rostro seguía siendo el mismo: cejas espesas, como marcadas a lápiz, ojos verdes demasiado separados, boca amplia. Por fin había dejado de crecer, ya cerca de los dos metros. Y ya no llevaba aparato de ortodoncia. Quizás era eso.

Para cuando llegó agosto, Fleur ya casi se sentía enferma de ansia. ¡Todo un mes para estar con su madre! Y en Mikonos, su isla griega favorita.

La primera mañana que pasearon por la playa, a pleno sol, ella le contaba sobre todo lo que le había ocurrido durante el curso.

—Es horrible que esos chicos no paren de llamarme. ¿Por qué tienen que comportarse así? Supongo que porque me he librado del aparato de la boca. —Fleur tiraba de la holgada camiseta que se había puesto sobre el biquini verde manzana que su madre le había comprado para sorprenderla. Le gustaba el color, pero su corte tan mínimo le daba apuro.

Belinda llevaba una túnica a rayas y un brazalete de cromo Galanos. Las dos iban descalzas, pero las uñas de los pies de su madre estaban pintadas de color oscuro.

Esta bebió un sorbo del bloody mary que había comprado

por el camino. Belinda bebía más de lo que debía, pero Fleur no sabía cómo impedirlo.

—Pobrecita —dijo Belinda—. Es difícil dejar de ser el patito feo. Especialmente cuando llevas tanto tiempo con esa idea en la cabeza. —Deslizó el brazo por la espalda de Fleur para rodearle la fina cintura—. Llevo años diciéndote que el único problema con tu cara es que resulta maravillosamente juvenil, pero siempre te has mostrado tan tozuda...

Por la manera en que lo dijo, Fleur sintió que era algo de lo que tenía que sentirse orgullosa. Le dio un abrazo a su madre y luego se dejó caer en la arena.

—Quizá nunca mantenga relaciones sexuales. Lo digo en serio, mamá. No voy a casarme nunca. ¡Ni siquiera me gustan los hombres!

—Todavía no has conocido a ningún hombre —repuso secamente Belinda—. Cuando te libres de ese convento verás todo de otra manera.

—Qué va. ¿Puedo fumar un cigarrillo?

—No. Y los hombres son maravillosos, cariño. Los hombres de verdad, claro está. Los poderosos. Cuando entras en un restaurante del brazo de un hombre importante, todo el mundo te mira y ves la admiración en sus ojos. Saben que eres especial.

Fleur puso cara de extrañeza y se quitó la tirita del dedo del pie.

—¿Por eso no te divorcias de Alexi? ¿Por lo importante que es?

Belinda suspiró y orientó la cara hacia el sol.

—Ya te lo he explicado muchas veces, cariño. Es el dinero. No tengo recursos para mantenernos a las dos.

Pero Fleur sí que iba a disponer de esos recursos. Ya destacaba, especialmente en matemáticas. Hablaba francés, inglés, italiano y alemán, e incluso algo de español. Sabía historia y literatura, y mecanografía. Y cuando fuera a la universidad aprendería más cosas. No tardaría en poder mantener a su madre y a sí misma. Entonces podrían vivir juntas para siempre, nadie volvería a separarlas nunca más.

Dos días después llegó a Mikonos una conocida de Belinda. Esta presentó a Fleur como su sobrina: lo hacía en las raras ocasiones en que topaba con alguien conocido. Siempre que eso ocurría, Fleur se sentía enferma, pero Belinda insistía en que tenía que hacerlo, pues de otro modo Alexi no la dejaría viajar más.

La mujer era madame Phillipe Jacques Duverge, pero Belinda decía que en otro tiempo había sido Bunny Groben, de White Plains, Nueva York, una modelo famosa en los años sesenta. Y se puso a fotografiar a Fleur con su cámara.

—Me divierte sacar fotos —dijo sonriendo.

A Fleur no le gustaba nada que le tomaran fotografías, así que continuó caminando hacia el agua.

Madame Duverge la siguió sin dejar de disparar.

A medida que los días calurosos y blancos de Mikonos se sucedían, Fleur iba descubriendo que los chicos que rondaban por las playas griegas no eran diferentes de los de Châtillon-sur-Seine. Le dijo a su madre que la ponían tan nerviosa que ni siquiera se lo pasaba bien con sus nuevas gafas de bucear.

—¿Por qué tienen que hacer esas tonterías?

Belinda tomó un sorbo de su gin-tonic.

—Ignóralos. No son importantes.

Cuando Fleur volvió al *couvent* para iniciar su último curso no podía saber que su vida estaba a punto de cambiar para siempre. En octubre, justo después de su decimosexto cumpleaños, se produjo un fuego en el dormitorio y las chicas tuvieron que evacuar el edificio. Un fotógrafo del periódico local corrió a cubrir la noticia y sorprendió a las hijas de distinguidas familias de Francia en pijama frente al edificio en llamas. Aunque el dormitorio sufrió graves daños, nadie resultó herido, pero, dada la notoriedad de las familias involucradas, algunas fotografías se abrieron camino hasta *Le Monde*, entre ellas un primer plano de la casi olvidada hija de Alexi Savagar.

Alexi era demasiado inteligente como para mantener la existencia de Fleur en secreto. En lugar de eso siempre adoptaba un aire pensativo cuando se la mencionaba y la gente creía que la muchacha tendría alguna discapacidad, tal vez algún retraso mental. Pero aquella joven tan bella, con una boca tan amplia y ojos sorprendidos, no podía ser el secreto en el armario de nadie.

A Alexi lo enfureció que el diario la hubiera identificado, pero era demasiado tarde. La gente empezó a hacerse preguntas. Para peor, Solange Savagar escogió precisamente esos días para morirse. Alexi no podía tolerar que circularan descabelladas y vulgares especulaciones que, desde luego, empeorarían si la obviamente saludable hija mayor a la que se había fotografiado días atrás no asistiera al funeral de su abuela.

Alexi ordenó a Belinda que trajera a su bastarda.

7

«Hoy voy a conocer a mi padre.» Las palabras resonaban en su cabeza mientras seguía a una doncella por el imponente y silencioso pasillo de la casa de piedra gris de la Rue de la Bienfaisance. Cuando llegaron a un pequeño salón de entrada enmarcada por pilastras, la criada abrió la puerta y se retiró.

—¡Mi niña!

El licor salpicó de la copa de Belinda cuando se levantó como un resorte del sofá de damasco. Dejó a un lado la copa y tendió los brazos hacia su hija.

Fleur corrió a su encuentro, pero de camino tropezó con la alfombra persa y estuvo a punto de acabar en el suelo. Se abrazaron. En cuanto inhaló el aroma a Shalimar de su madre, la muchacha se sintió algo mejor.

Belinda parecía pálida y elegante en un traje negro de Dior y con escarpines de tacón bajo con abertura en los dedos. Fleur no soportaba la idea de que su padre pensara que intentaba impresionarlo, así que se había puesto sus pantalones de lanilla negros, jersey con capucha y un viejo blazer de *tweed* con cuello de terciopelo negro. Sus amigas Jean y Hélène le habían dicho que se recogiera el pelo para así parecer más sofisticada, pero ella había descartado la idea. Los pasadores a ambos lados de su cabeza no hacían juego exactamente, pero se acercaban lo suficiente. Finalmente se había prendido su broche en forma de herradura en la solapa para darse confianza, aunque de momento no funcionaba.

Belinda le acarició la mejilla.

—Cuánto me alegro de que estés aquí...

Fleur vio las ojeras de su madre y la bebida en la mesa. La abrazó más fuerte todavía.

—Te he echado mucho de menos.

Belinda la tomó por los hombros.

—No va a ser fácil, mi niña. No incomodes en nada a Alexi, y esperemos que todo salga bien.

—No me da ningún miedo.

Belinda rechazó la bravata de su hija con una mano temblorosa.

—Ha estado intratable desde que Solange enfermó. Menos mal que esa vieja comadreja ha muerto, ya empezaba a resultar una carga incluso para él. Michel fue el único que sintió pena por verla morir.

Michel. Su hermano tenía ahora quince años, un año menos que ella. Fleur sabía que iba a encontrarlo allí, pero había preferido no pensar en eso.

La puerta que había a sus espaldas se abrió con un suave chasquido.

—Belinda, ¿has llamado al barón de Cambrai, tal como te pedí? Apreciaba particularmente a mamá.

La voz sonó baja y profunda, llena de autoridad. Era de esas voces que no tienen que subir el volumen para que se las obedezca.

«No puede hacerme nada más de lo que ya me ha hecho —se dijo Fleur para animarse—. Nada.»

Lenta, muy lentamente, se volvió hacia él.

Tenía un aspecto muy cuidado, con manos y uñas inmaculadas, el pelo gris impecable. Llevaba una corbata ámbar oscuro y un terno igualmente oscuro. Por su cercanía al presidente Pompidou se comentaba que era el hombre más poderoso de Francia. Le dedicó un breve y educado gesto a Fleur en cuanto la vio.

—Así que esta es tu hija, Belinda. Va vestida como una campesina.

Fleur tuvo ganas de llorar, pero consiguió levantar la barbilla y mirarlo altiva. Habló en inglés deliberadamente, inglés americano, fuerte y claro.

—Las monjas me han enseñado que los buenos modales son más importantes que los vestidos. ¿Quizás en París no se sigue esta máxima?

Belinda contuvo la respiración, pero la única reacción de Alexi a la impertinencia de Fleur se registró en sus ojos. Se pasearon despacio por la muchacha, en busca de defectos que, según ella sabía, iba a encontrar en abundancia. Nunca se había sentido más grandullona, ni más fea y patosa, pero no bajó los ojos mientras él la examinaba.

Belinda, a un lado, contemplaba el duelo entablado entre Alexi y Fleur. Sintió una oleada de orgullo. Esa era su hija: fuerte, con carácter, singularmente bella. Que Alexi comparara a Fleur con su hijo, tan falto de personalidad... Belinda captó el momento preciso en que él registraba el parecido y por primera vez en mucho tiempo se sintió serena en su presencia. Y así, cuando Alexi la miró por fin, pudo responderle con una pequeña sonrisa triunfal.

Él acababa de ver a Flynn en la cara de Fleur, el Flynn joven, el Flynn inmaculado, con sus rasgos suavizados, hechos bellos para su hija. Fleur poseía la misma nariz fuerte, la misma boca amplia y elegante, la misma frente despejada. Incluso los ojos llevaban su impronta en la forma y el generoso espacio entre ellos. Solamente el verde dorado del iris era propio de Fleur.

Alexi giró sobre los talones y abandonó la sala.

Fleur miró desde la ventana del dormitorio de su madre mientras esta dormía la siesta. Vio que Alexi se marchaba en un Rolls conducido por un chófer. El coche plateado bajó por el sendero de entrada y dejó atrás el portón de hierro para enfilar la Rue de la Bienfaisance. La calle de la Beneficencia. ¡Vaya nombrecito!

En esa casa no había caridad ninguna, sino un hombre horrible que odiaba a su propia sangre. Tal vez si hubiera sido pequeña y bonita... Pero ¿no se suponía que los padres tenían que amar a sus hijas con independencia del aspecto que tuvieran?

Era demasiado mayor para las lágrimas de niña que quería derramar, así que se puso los mocasines y salió a explorar. Encontró una escalera trasera que llevaba a un jardín donde rectos senderos trazaban parterres geométricos de horribles e impenetrables arbustos. Se dijo que había tenido suerte de que la enviaran lejos de ese lugar tan feo. En el *couvent* las petunias, desbordantes, lo cubrían todo y los gatos podían dormir sobre los parterres floridos.

Se enjugó los ojos con la manga del jersey. Una parte ingenua de su persona había querido creer que su padre iba a cambiar de opinión respecto a ella en cuanto la viese, que comprendería cuán equivocado había estado al abandonarla. ¡Tonta, tonta y más que tonta!

Acabó frente a un edificio de una sola planta con forma de L en el patio trasero de la casa. Lo mismo que esta, era de piedra gris, pero no tenía ventanas. Encontró una puerta lateral y la abrió.

Al entrar tuvo la sensación de introducirse en un joyero. Las paredes estaban cubiertas de seda negra y el suelo era de mármol blanco, con brillos marfileños. Pequeños puntos de luz ocultos brillaban desde el techo en grupos estrellados como una noche de Van Gogh. Cada grupo iluminaba un automóvil antiguo. Aquellos acabados tan pulidos le recordaron a piedras preciosas: rubíes, esmeraldas, amatistas y zafiros. Algunos modelos descansaban sobre el suelo de mármol, pero otros estaban colocados sobre plataformas, de manera que parecían suspendidos en el aire, como un puñado de joyas lanzado en la noche.

Junto a cada coche había pequeños soportes con placas. Los tacones de sus mocasines restallaban sobre el duro suelo mientras recorría el recinto. «Isotta-Fraschini Type 8, 1932», «Stutz Bearcat, 1917», «Rolls-Royce Phantom I, 1925», «Bugatti Brescia, 1921», «Bugatti Type 13, 1912», «Bugatti Type 59, 1935», «Bugatti Type 35».

Los automóviles agrupados en el ala más corta de la L llevaban el óvalo rojo distintivo de Bugatti. En el centro exacto, una plataforma muy bien iluminada, mayor que las demás, se encontraba vacía. El letrero en una esquina de la plataforma rezaba: «Bugatti Type 41 Royale.»

—¿Él sabe que estás aquí?

Al volverse sobresaltada se encontró ante el chico más guapo que había visto nunca. De pelo sedoso y rubio, de rasgos sutiles y delicados. Llevaba un jersey verde gastado y pantalones de algodón arrugados con un ancho cinturón de vaquero. Era más bajo que ella y tenía complexión femenina. Sus dedos largos y finos tenían las uñas comidas. La barbilla era afilada y las cejas claras se arqueaban sobre unos ojos del mismo azul que los primeros jacintos de la primavera.

La cara de Belinda la estaba mirando encarnada en un muchacho. La amargura acumulada remontó como la bilis por su garganta. No aparentaba quince años sino menos, sobre todo si se mordisqueaba, como en ese momento, lo que le quedaba de la uña de un pulgar.

—Soy Michel. No era mi intención espiar. —Le sonrió con una expresión triste y dulce que de pronto le hizo parecer mayor—. ¿Estás enfadada?

—No me gusta que la gente me espíe.

—No, de verdad que no lo estaba haciendo. Pero es igual. La cuestión es que ninguno de los dos podemos estar aquí. Se armaría una buena si llegara a enterarse.

El inglés de Michel era tan americano como el suyo propio, lo que hizo que lo detestara todavía más.

—A mí no me asusta —le contestó, beligerante.

—Será porque no lo conoces.

—Será, supongo, porque algunos tienen suerte —repuso con intención.

—Ya, supongo que sí. —Fue hacia la puerta y empezó a apagar las luces del techo accionando los interruptores de un panel—. Ahora será mejor que te marches. Tengo que cerrar antes de que nos descubran.

Odiaba que fuese tan delicado, tan modosito. Bastaba con soplar para quitarlo de en medio.

—Seguro que haces todo lo que te manda. Como un conejo asustado.

Él se encogió de hombros. Y ella ya no pudo soportarlo ni un minuto más. Salió corriendo por la puerta y se adentró en el jardín. Todos esos años había trabajado duro para ganarse el amor de su padre a fuerza de ser la más valiente, la más rápida y la más fuerte. Era ella quien había cargado con todas las consecuencias de su abandono.

Michel miró hacia la puerta por la que su hermana había desaparecido. Sabía que no había motivo para que pudieran ser amigos, pero ¡lo había deseado tanto! Necesitaba algo, a alguien, para ayudarle a superar la depresión en que había caído tras la muerte de su abuela. Ella lo había criado. Según Solange le había dicho, para ella era una oportunidad de compensar errores pasados.

Su abuela había oído a Belinda gritarle a su padre que estaba embarazada de Michel y que no iba a darle a su hijo más amor del que él le había dado al bebé abandonado en el convento de la Anunciación. Su abuela le había contado que Alexi se había echado a reír al oír estas amenazas. Había dicho que Belinda no podría resistirse a amar su propia carne y su propia sangre. Había dicho que con ese bebé se olvidaría del otro.

Pero su padre se equivocaba. Solange había sido quien se había encargado de su crianza, quien había jugado con él y lo había confortado. Michel tenía que alegrarse de que su abuela se hubiera librado por fin del sufrimiento, pero quería que volviera, que fumara sus Gauloises manchados de carmín, que le revolviera el pelo como cuando se arrodillaba ante ella, que volviera a ofrecerle el cariño que nadie le daba en la casa de la Rue de la Bienfaisance.

Ella había sido quien había negociado la difícil tregua entre sus padres. Belinda había consentido en mostrarse en público con Michel a cambio de dos visitas al año a su hija. Pero la tregua no había cambiado el hecho de que su madre no lo quisiera. Decía que ya lo mimaba bastante su padre. Pero Alexi tampoco lo quería. Había dejado de hacerlo cuando se había dado cuenta de que Michel nunca sería como él.

Todos los problemas de la familia provenían de su hermana, la misteriosa Fleur. Ni siquiera su abuela sabía por qué la habían enviado tan lejos.

Salió del garaje y se encaminó hacia su habitación en la buhardilla. Había ido transportando sus pertenencias allí poco a poco, de modo que nadie tenía demasiado claro en qué momento el heredero de los Savagar había acabado viviendo en las antiguas habitaciones de la servidumbre.

Se echó en la cama y puso las manos detrás de la cabeza. Un paracaídas blanco colgaba como dosel sobre su pequeña cama de hierro. Lo había comprado en un establecimiento de material militar descatalogado, cerca de la escuela de Boston donde cursaba sus estudios. Le gustaba verlo agitarse con las corrientes de aire. Se sentía protegido bajo él, como en el interior de una gran vagina de seda.

En las paredes encaladas había colgado su preciosa colección de fotografías. Lauren Bacall con el clásico vestido de tubo rojo de Helen Rose que había lucido en *Mi desconfiada esposa*. Carroll Baker columpiándose en un candelero en *Los insaciables*, con el chillón despliegue de perlas y plumas de avestruz de Edith Head. Sobre su mesa, Rita Hayworth lucía el famoso vestido que Jean Louis había diseñado para *Gilda*. A su lado, Shirley Jones posaba en la fabulosa combinación rosa que había llevado en *El fuego y la palabra*. Las mujeres y sus maravillosos trajes le encantaban.

Tomó su cuaderno de esbozos y empezó a dibujar una chica alta y delgada, con gruesas cejas y una gran boca. Sonó el teléfono. Era André. Los dedos de Michel temblaron alrededor del auricular.

—Acabo de enterarme de lo de tu abuela —dijo André—. Lo siento mucho. Sé que debe de ser muy difícil para ti...

Ante aquella muestra de afecto, Michel sintió que se le formaba un nudo en la garganta.

—¿Podríamos vernos esta noche? Quiero... Me gustaría verte. Quiero consolarte, *chéri*.

—Eso me gustaría —dijo Michel suavemente—. Te he echado de menos.

—Y yo también a ti. En Inglaterra hacía un tiempo horrible, pero Danielle insistió en que nos quedáramos todo el fin de semana.

A Michel no le gustaba que le recordaran la existencia de la esposa de André, pero este iba a dejarla pronto y los dos se irían a vivir al sur de España, a una casa de pescadores. Por las mañanas Michel barrería los suelos de terracota, sacudiría los cojines y dispondría los jarrones rebosantes de flores y los cestos de mimbre llenos de fruta fresca. Por las tardes, André le leería poesía y Michel confeccionaría bonitos vestidos con una máquina de coser, pues había aprendido su manejo a hurtadillas. Por la noche se amarían con el rumor de las olas del golfo de Cádiz rompiendo en la arena al lado de la ventana. Así era como lo soñaba Michel.

—Dentro de una hora, si quieres —dijo suavemente.

—Estupendo. —La voz de André bajó de tono—. *Je t'adore, Michel.*

Michel contuvo las lágrimas.

—*Je t'adore, André.*

Fleur nunca había llevado un vestido tan elegante como ese; negro, recto y entallado, de manga larga, con hojas superpuestas sobre un hombro y resaltadas por pequeñas cuentas negras. Belinda le recogió el pelo en un moño suelto y le puso unos pendientes de lágrimas de ónice pulido.

—Así —le dijo retrocediendo un poco para comprobar el efecto de su trabajo—. Ahora no se le ocurrirá llamarte campesina, ya verás.

Fleur parecía mayor y más sofisticada que una chica de dieciséis años, pero se sentía extraña, como si se hubiera puesto un vestido de su madre.

Ocupó su sitio en el centro de la larga mesa con Belinda sentada a un extremo y Alexi al otro. Todo era blanco. Manteles blancos, velas blancas, pesados jarrones de alabastro con docenas de esplendorosas rosas blancas. Incluso la comida era blanca: una crema, espárragos blancos y pálidas escalopas cuyo aroma se mezclaba con la fragancia empalagosa de las rosas. Los tres comensales vestidos de negro parecían cuervos, con la única nota de color de las uñas rojas de Belinda. Ni siquiera la ausencia de Michel hizo que esa comida fuera más soportable.

A Fleur le hubiera gustado que su madre dejara de beber, pero Belinda engullía una copa de vino tras otra y con la comida solo jugueteaba. Cuando su madre apagó un cigarrillo en el plato de la cena, un sirviente lo retiró. La voz de Alexi rompió el silencio.

—Te voy a llevar a que veas a tu abuela.

Belinda dio un respingo y derramó un poco de vino.

—¡Alexi, por Dios! Pero ¡si ni siquiera la conocía! No hay ninguna necesidad de esto.

A Fleur la asustó la expresión descompuesta de su madre.

—Está bien, no importa —la tranquilizó.

Un sirviente retiró la silla de Fleur mientras Belinda seguía sentada, tan pálida como las rosas blancas que tenía delante.

Fleur siguió a Alexi hasta el vestíbulo de entrada. El eco de los pasos resonaba en el techo abovedado, decorado con frescos de mujeres ataviadas con armadura y hombres que se apuñalaban. Llegaron a las puertas doradas que marcaban la entrada del salón principal. Alexi abrió una y le indicó que entrara.

En la estancia no había más que un relumbrante ataúd negro enmarcado por rosas blancas y una pequeña silla de ébano. Fleur intentaba actuar como si ver cadáveres le resultara lo más normal del mundo, pero solo había visto el de la hermana Madeleine, y eso únicamente en un abrir y cerrar de ojos. La cara arrugada de Solange Savagar parecía moldeada con la cera de un viejo cirio.

—Besa los labios de tu abuela en señal de respeto.

—No lo dirá en serio —repuso ella casi echándose a reír.

Pero entonces lo miró y su expresión la dejó atónita. No le importaba que Fleur mostrara o dejara de mostrar respeto. Lo que estaba poniendo a prueba era su coraje. Era una apuesta, un *défi*. Y él creía que ella no podría afrontar ese desafío.

—Oh, pues sí, lo digo muy en serio —dijo Alexi.

Fleur tensó las rodillas para que no le temblaran.

—Me he enfrentado a matones toda mi vida —repuso.

Alexi hizo una mueca desagradable.

—¿Eso piensas que soy? ¿Un matón?

—No. —Forzó la boca para esbozar una mueca tan desagradable como la de su supuesto padre—. Lo que creo es que usted es un monstruo.

—¡Menuda maleducada es la niña!

Fleur nunca había pensado que pudiera odiar tanto a alguien. Despacio, avanzó paso a paso hacia el ataúd, conteniendo el impulso de escapar de esa casa, de dejar atrás la Rue de la Bienfaisance, de huir de Alexi Savagar y volver al confort seguro aunque agobiante de las monjas. Pero no podía hacerlo, no hasta que le hubiera demostrado a aquel hombre infame quién era ella.

Llegó al ataúd y contuvo la respiración. Se inclinó y alcanzó con sus labios los fríos y rígidos labios de su abuela.

Oyó un súbito siseo. Durante un instante horroroso pensó que provenía del ataúd, pero entonces Alexi la tomó por los hombros y la apartó.

—*Sale Garce!* —Soltó una terrible maldición y la sacudió—. ¡Eres igual que él! ¡Harías cualquier cosa con tal de preservar tu orgullo! —El pelo de Fleur se soltó y le cayó por la espalda. Alexi la empujó a la silla negra cercana al ataúd—. ¡No existe la vileza cuando lo que está en juego es el orgullo, ¿eh?!

Y entonces intentó borrarle el beso con la mano, esparciéndole el carmín por la mejilla.

—¡No me toque! —chilló ella, debatiéndose para apartarle la mano—. ¡Le odio! ¡No se le ocurra tocarme!

—*Pur sang!* —masculló él tan quedamente que ella apenas lo entendió, y a continuación le recorrió los labios con los dedos, esta vez con delicadeza. Y luego, de pronto, el dedo se deslizó al interior de la boca y se desplazó suavemente a lo largo de los dientes—. *Enfant. Pauvre enfant.*

Ella se quedó perpleja, sin poder articular palabra, como hechizada. Él siguió susurrando, como si le estuviera cantando una nana.

—Te has quedado atrapada en algo que no entiendes. *Pauvre enfant.*

¡Se mostraba tan delicado al tocarla! ¿Era así como trataban los padres a las hijas que querían?

—Eres extraordinaria —murmuró—. La fotografía de aquel diario no me había preparado para esto. —Enredó con suavidad sus dedos entre un mechón que le había caído sobre la mejilla—. Siempre me han gustado las cosas bonitas. Ropa. Mujeres. Automóviles. —Recorrió el contorno inferior del rostro con el pulgar. Ella percibió el perfume de su colonia, con un toque especiado—. Al principio amaba indiscriminadamente, pero he aprendido a hacerlo mejor.

Ella no tenía idea de qué estaba hablando.

Le tocó la barbilla.

—Ahora solo tengo una obsesión. Los Bugatti. ¿Sabes qué son los Bugatti?

¿Por qué le hablaba de un coche? Recordaba los que había visto en el garaje, pero negó con la cabeza.

—Ettore Bugatti llamaba a sus coches *pur sang*, purasangre, como si de un caballo se tratara. —Le acarició las lágrimas de ónice en los lóbulos de las orejas y tiró de ellas suavemente—. Yo poseo la mejor colección de Bugattis purasangre del mundo, los tengo todos menos la joya de la corona: el Bugatti Royale. —Aquella voz era suave, cariñosa... hipnótica. Ella se sentía como hechizada—. Solo fabricó seis. Durante la guerra, un Royale se quedó en París. Nosotros lo escondimos de los alemanes en las alcantarillas de la ciudad. Ese coche se ha convertido en una leyenda y yo tengo la determinación de poseerlo. Tiene que ser mío porque es el mejor. *Pur sang*, ¿entiendes, chiquilla? No poseer lo mejor es algo impensable. —Le acarició la mejilla.

Ella asintió, aunque de hecho no entendía nada. ¿Por qué le hablaba de eso en ese momento? Pero aquella voz tan agradable hacía que viejas fantasías renacieran en su interior. Sus ojos por fin se cerraron. Su padre la había visto y, tras todos esos años, finalmente la quería.

—Tú me recuerdas a ese coche —susurró—. Pero claro, de *pur sang* nada, ¿verdad?

Fleur pensó que sentía su dedo en la boca, pero luego se dio cuenta de que eran los labios. Su padre la estaba besando.

—¡¡Alexi!! —Una especie de aullido visceral resonó en la sala.

Fleur abrió los ojos de par en par y vio a su madre en la puerta, con el rostro demudado por la angustia.

—¡Quítale las manos de encima! ¡Te mataré si vuelves a tocarla! Apártate de él, Fleur. No debes consentir que te toque, ¡nunca!

La muchacha se levantó torpemente de la silla y balbuceó entrecortadamente:

—Pero él... él es... mi padre.

Belinda torció el gesto como si la hubieran abofeteado. Fleur se sentía mareada y corrió hacia su madre.

—No pasa nada... ¡Lo siento!

—¿Cómo has podido? —graznó Belinda—. ¿Un solo encuentro con él y ya lo olvidas todo?

—No, no —respondió Fleur negando con la cabeza—. No he olvidado nada.

—Vamos arriba ahora mismo —ordenó Belinda—. Sígueme.

—Ve con tu madre, *chérie*. —La sedosa voz se deslizó entre las dos—. Mañana ya tendremos tiempo de conversar y hacer planes para tu futuro, después del funeral.

Aquellas palabras causaron en ella una dulce sensación, un pálpito que, sin saber por qué, intuía como una traición.

Belinda permanecía junto a la ventana de su dormitorio y miraba a través de los árboles hacia las luces de la Rue de la Bienfaisance. Las lágrimas habían marcado surcos en sus mejillas maquilladas y bajado hasta las solapas de su bata azul. En la habitación contigua Fleur dormía. Flynn había muerto sin siquiera saber de su existencia.

Belinda solo tenía treinta y cinco años, pero se sentía como una anciana. No iba a permitir que Alexi le robara a su preciosa niña. No importaba lo que tuviera que hacer. Fue hacia el equipo de música. Una hora antes había hecho una llamada. No se le ocurría nada mejor que hacer. Mientras miraba alrededor en busca de su bebida sabía que, tras esa noche, no podría haber más.

El vaso reposaba en el suelo, cerca del montón de discos de vinilo. Se agachó y cogió el álbum de más arriba. Era la banda sonora del western *La trampa del mal*. Miró la portada.

Jake Koranda, actor y guionista. *La trampa del mal* era la segunda película en que encarnaba a Bird Dog Caliber. A ella le gustaban las dos, por mucho que los críticos no fueran de esa opinión. Decían que Jake estaba prostituyendo su talento al participar en esa basura, pero a ella no le parecía que fuera así.

La foto de la portada mostraba la escena inicial de la película. Jake, en su papel de Bird Dog Caliber, miraba a la cámara, con la cara sucia y cansado. Los labios sensuales y desencajados casi en una mueca. Los revólveres de culata de nácar relumbraban a ambos lados de sus caderas. Belinda se echó hacia atrás, cerró los ojos y se puso a evocar las fantasías que la hacían sentir mejor. Gradualmente el rumor de los coches distantes desapareció, hasta que solamente oyó la respiración de Jake y sintió sus manos en los pechos.

«Sí, Jake. Oh, sí. Oh, sí, querido Jimmy.»

La funda del disco se le escurrió entre los dedos, lo que la hizo volver a la realidad. Alcanzó el paquete arrugado de cigarrillos, pero estaba vacío. Había pensado en enviar a alguien por tabaco después de la comida, pero al final lo había olvidado. Todo se le iba de las manos. Todo, excepto la hija a la que nunca dejaría marchar.

Oyó el sonido que estaba esperando: el de los pasos de Alexi subiendo la escalera. Se sirvió más whisky y se llevó el vaso al pasillo. Alexi no traía muy buena cara. Su última amante adolescente tal vez le había dado calabazas. Belinda fue hacia él y la bata le resbaló sobre un hombro desnudo.

—Estás borracha —le dijo él.

—Solo un poco. —Un cubito de hielo tintineó en el vaso—. Lo suficiente para poder hablar contigo.

—Vete a la cama, Belinda. Esta noche estoy demasiado cansado para satisfacerte.

—Solo quiero un cigarrillo.

Sin dejar de mirarla, sacó su pitillera de plata y la abrió. Ella se tomó su tiempo para extraer un cigarrillo y luego, adelantándosele, se introdujo en la habitación de él, que la siguió.

—No recuerdo haberte invitado a pasar.

—Perdón si invado tu parvulario —respondió ella.

—Vete, Belinda. A diferencia de mis amantes, tú eres vieja y fea. Te has convertido en una mujer desesperada y consciente de que no tiene nada fresco que ofrecer.

No podía dejar que esas palabras la hirieran. Tenía que concentrarse en la horrible obscenidad de la boca de ese hombre cubriendo los labios de Fleur.

—No voy a permitir que mancilles a mi hija.

—¿Tu hija? —Se quitó la chaqueta y la dejó sobre una silla—. ¿Querrás decir nuestra hija?

—Te mataré si la tocas.

—*Bon Dieu, chérie*. Tanto beber y al final, claro, no se te puede tomar en serio. —Los gemelos restallaron sobre la mesilla sucesivamente—. Durante años no has hecho más que rogarme que la incluya en nuestra familia.

Sabía que él ignoraba la conversación telefónica que había mantenido, pero tuvo que esforzarse para mostrarse calmada.

—Yo no estaría tan segura. Ahora que Fleur ha crecido, no me tienes tan a tu merced.

Los dedos de Alexi se detuvieron en los botones de la camisa.

Ella se obligó a seguir:

—Tengo planes para ella y ya no me preocupa que se sepa que has costeado la crianza de la hija de otro.

No era cierto: sí que le importaba. No soportaba la idea de que el amor de su hija se convirtiera en odio. Si Fleur descubría que Alexi no era su padre, seguramente no entendería por qué Belinda le había mentido. O todavía peor, por qué Belinda había permanecido con Alexi.

Aquella situación parecía divertir a Alexi.

—¿Qué es esto, un chantaje, *chérie*? ¿Has olvidado lo mucho que te gustan los lujos? Si alguien descubre la verdad sobre Fleur, inmediatamente te dejaré sin un centavo y sabes muy bien que sin dinero ajeno no puedes sobrevivir. ¿Cómo te las arreglarías para abastecerte de alcohol, por ejemplo?

Belinda avanzó lentamente hasta él.

—Quizá no me conozcas tan bien como crees.

—Vamos, vamos, sí que te conozco, *chérie*. —Con los dedos trazó una línea descendente por el brazo de Belinda—. Te conozco mejor que tú misma.

Ella buscó en su rostro algún rastro de ternura, pero solamente veía la boca que había mancillado los labios de su hija.

La mañana siguiente al funeral de Solange, Fleur despertó antes de amanecer por el ruido de alguien en su habitación. En cuanto abrió los ojos vio a Belinda, que estaba arrojando ropa en su maleta.

—Levántate, mi niña —susurró—. Ya he empaquetado todas tus cosas. No hagas ruido.

No le explicó adónde iban hasta que alcanzaron las afueras de París.

—Estaremos unos días en la mansión de Bunny Duverge en Fontainebleau. —Los ojos miraban cada poco el espejo retrovisor y los labios se le tensaban—. La conociste en Mikonos el verano pasado, ¿recuerdas? Era aquella mujer que insistía en fotografiarte.

—Sí, y yo le pedí que no lo hiciera. No me gusta que me hagan fotografías.

Fleur no percibía ningún olor a licor, pero pensaba que su madre había estado bebiendo. Ni siquiera eran las siete de la mañana. Esa idea la perturbaba casi tanto como que la hubiera despertado al amanecer para llevársela de aquella casa sin ninguna explicación.

—Afortunadamente, Bunny no te hizo caso. —Una vez más, los ojos de Belinda se dirigieron al retrovisor—. Me llamó un par de veces cuando volví a París. Pensaba que eras mi sobrina, ¿recuerdas? No paraba de hablarme de lo impactante que eras y de que tenías que ser modelo. Quería tu número de teléfono.

—¡Modelo! —Fleur se inclinó en su asiento y miró a Belinda—. ¿Qué locura es esa?

—Por lo que ella me asegura, tienes exactamente la cara y el cuerpo que los creadores de moda desean.

—Pero ¡si paso del metro ochenta!

—Bunny fue una modelo muy famosa, así que debería saberlo. —Metió una mano en su bolso y sacó una cajetilla de cigarrillos—. Cuando vio esa foto tuya en *Le Monde* después del fuego se dio cuenta de que no eras mi sobrina. Primero se enfadó, pero hace dos días llamó y me dijo que envió las fotografías de Mikonos a Gretchen Casimir, la dueña de una de las agencias de modelos más exclusivas de Nueva York.

—¡Una agencia de modelos! ¿Y por qué?

—A Gretchen le gustaron y quiere que Bunny te prepare y te haga una sesión fotográfica como es debido.

—No me lo creo. Te está tomando el pelo.

—Le dije la verdad. Que Alexi nunca permitirá que seas modelo. —Sacó el encendedor del salpicadero—. Pero después de lo que ha sucedido... —Dio una calada profunda—. Mira, tenemos que arreglárnoslas solas. Y alejarnos de él lo más posible, lo que significa Nueva York. Será tu despegue, mi niña. Lo presiento.

—Pero ¡yo no puedo ser modelo! No me parezco en nada a ninguna. —Plantó los zapatos contra el salpicadero y se llevó las rodillas al pecho con la esperanza de que la presión aliviara el nudo que sentía en el estómago—. No... no entiendo por qué tenemos que irnos precisamente ahora. Tengo que acabar la escuela. —Sujetó con más fuerza las rodillas—. Y Alexi... Alexi no... Parece que ya no me odia tanto...

Los nudillos de Belinda se pusieron blancos por la fuerza con la que agarraba el volante. Fleur supo que no había dicho lo correcto.

—Lo único que quiero decir es que...

—Es una víbora. Me has estado rogando durante años que lo dejara. Ahora que por fin lo he hecho, no quiero oír una palabra más. Si esto sale bien, tendremos más que suficiente para vivir.

Fleur siempre había tenido la intención de ganar el sustento para las dos, pero no así. Deseaba utilizar su facilidad por las matemáticas y los idiomas en los negocios, o quizá para ser traductora en la OTAN. El plan de Belinda era una fantasía. Las modelos eran mujeres preciosas, no quinceañeras patosas y larguiruchas como ella.

Se quedó con la barbilla pegada a las rodillas. ¿Por qué tenían que marcharse precisamente ahora? ¿Por qué irse justo cuando su padre empezaba a gustarle?

Bunny Duverge dio lecciones a Fleur sobre maquillaje, sobre la manera de caminar y sobre el mundo de la moda en Nueva York, como si a Fleur todo aquello le importara mucho. Le reprochaba las uñas comidas, la falta de interés por la ropa y su costumbre de tropezar con todos los elementos del mobiliario.

—No puedo evitarlo —dijo Fleur al final de su primera semana en la mansión Duverge de Fontainebleau—. Soy más habilidosa cuando voy a caballo.

Bunny puso los ojos en blanco y se quejó a Belinda del acento americano de Fleur.

—Un acento francés es más atractivo en este mundillo —le dijo.

No obstante, Bunny le aseguró que su hija tenía lo que hacía falta tener. Cuando Fleur preguntó qué era eso que había que tener, Bunny respondió con una evasiva:

—Es algo que simplemente sabes. Algo innato.

Por muchos defectos que tuviera, Bunny sabía cómo mantener un secreto. Estaba tan decidida como Belinda a evitar que Alexi pudiera encontrarlas. En lugar de escoger a un peluquero parisino, Bunny hizo venir a un famoso peluquero de Londres que empezó a trabajar con sus tijeras el pelo de Fleur, medio centímetro por aquí, dos centímetros por allá. Cuando el peinado estuvo listo, Fleur pensó que parecía el mismo de antes, pero Bunny tenía lágrimas en los ojos y llamó al peluquero «maestro».

Por lo demás, se produjo un pequeño milagro: Belinda dejó de beber. Fleur estaba contenta, por mucho que eso hacía que su madre se mostrara mucho más activa.

—Si Alexi averigua algo sobre Casimir, lo frustrará todo. No lo conoces como yo, mi niña. Tenemos que establecernos en Nueva York antes de que pueda dar con nosotros. Si esto sale mal, seguro que encuentra la manera de separarnos para siempre.

La conciencia de que Belinda había depositado todas sus esperanzas en ese asunto le provocaba retortijones a Fleur. Intentaba poner atención a todo lo que le enseñaba Bunny. Practicaba la forma de caminar: por los pasillos, por las escaleras arriba y abajo, por el césped. A veces Bunny la hacía caminar con las caderas adelantadas. Otras con lo que Bunny llamaba «contoneo neoyorquino». Fleur trabajaba sus conocimientos sobre maquillaje y actitud. Adoptaba poses y practicaba diferentes expresiones faciales.

Finalmente, Bunny llamó a su fotógrafo de moda favorito.

Los dedos de los pies de Gretche Casimir, pedicurados y mimados, se retrajeron en los zapatos cuando sacó del sobre las últimas fotografías que Bunny había enviado. Realmente, Bunny se había apuntado un tanto. Uno importante. Esa chica cortaba la respiración. Una cara como esa solamente aparecía de año en año, como había pasado con Suzy Parker, Jean Shrimpton y Twiggy. A Gretchen le recordaba tanto a Shrimpton como a la gran Verushka. La cara de esa chica marcaría el *look* de toda la década.

Miraba a la cámara con sus rasgos gruesos, casi masculinos, rodeados por una gran melena jaspeada y rubia. Todas y cada una de las mujeres del mundo iban a desear tener ese aspecto. En la fotografía que Gretchen prefería Fleur estaba descalza, con el pelo recogido en una trenza, como si de una tirolesa se tratara, y con sus grandes manos sueltas a ambos lados. Llevaba un vestido camisero de algodón mojado. El dobladillo colgaba, pesado y desigual, alrededor de las rodillas. Los pezones estaban erectos y el tejido mojado definía la larga línea de la cadera y la pierna con mayor claridad que si hubiera estado desnuda. En *Vogue* seguro que se entusiasmarían.

Gretchen Casimir había construido Casimir Models a partir de una oficina de una sola habitación y la había convertido en una agencia casi tan prestigiosa como la poderosa agencia Ford. Pero «casi» no era suficiente. Ya era hora de que Eileen Ford mordiera el polvo.

Fleur Savagar se encargaría de eso.

Fleur miraba por la ventanilla mientras el taxi avanzaba por el tráfico de Manhattan. Era una tarde fría y vivificante de principios de diciembre. Todo era sucio y bonito y maravilloso. Si no hubiera estado tan asustada, Nueva York le hubiera parecido lo más indicado para ella.

Belinda apagó el tercer cigarrillo que había consumido desde que subieran al taxi.

—No me lo puedo creer, mi niña. No me puedo creer que hayamos conseguido escapar. Alexi va a echar chispas. ¡Su hija, convertida en modelo! Pero como no vamos a necesitar su dinero, no podrá detenernos. ¡Ay! Ten cuidado, mi niña.

—Lo siento. —Fleur metió hacia dentro el codo.

Comprobar una vez más que Belinda vinculaba el futuro de ambas a su carrera como modelo la ponía enferma.

Se suponía que Gretchen había alquilado para ellas un modesto apartamento, pero el taxi se detuvo frente a un lujoso rascacielos con la dirección tallada en el cristal encima de la entrada. El portero cargó sus maletas en un ascensor cuyo anterior usuario se perfumaba con Joy.

El corazón de Fleur dio un vuelco cuando el ascensor salió disparado hacia arriba. No iba a poder hacerlo. Había visto las pruebas y le habían parecido horribles. En cuanto salieron al descansillo, los pies se le hundieron en una tupida moqueta verde apio. Siguió a Belinda y al portero por un corto pasillo hasta una puerta con entrepaños. El hombre la abrió y dejó las maletas en el interior. Belinda fue la primera en entrar al apartamento. Fleur la siguió y reparó en un extraño olor. Le resultaba familiar, pero no podía identificarlo. Era como...

Miró alrededor y entonces las vio. Estaban por todos lados. Un jarrón, y otro, y otro... llenos de rosas blancas. Aspiró mientras avanzaba. Belinda soltó un gritito ahogado. Alexi Savagar salió de entre las sombras.

—Bienvenidas a Nueva York, queridas.

La niña deslumbrante

8

—¿Qué estás haciendo aquí? —La voz de Belinda sonó apenas por encima de un suspiro.

—*Quelle question!* Si mi esposa y mi hija deciden mudarse al Nuevo Mundo, ¿no era mi obligación por lo menos estar aquí para recibirlas? —Y dirigió a Fleur una sonrisa desarmante que la invitaba a compartir la broma.

Instintivamente, Fleur empezó a sonreír, pero logró contenerse al comprobar hasta qué punto había palidecido su madre. Se acercó más a Belinda y dijo:

—No volveré. No puede obligarme.

Por el tono, se hubiera dicho que era la reivindicación de una niña. Al parecer, aquella situación divertía a Alexi.

—¿Qué te hace pensar que pueda tener la intención de obligarte? Mis abogados han examinado el contrato que Gretchen Casimir te ha ofrecido y lo consideran bastante justo.

Todo el secretismo impuesto por Belinda no había servido para nada. Fleur aspiró el aroma a rosas.

—¿Así que ya sabes lo de Casimir?

—No querría pecar de inmodestia, pero cuando el bienestar de mi única hija está en liza, son pocas las cosas que se me escapan.

De pronto, Belinda pareció salir de su trance:

—¡No lo creas, Fleur! ¡No es más que un truco!

Alexi suspiró.

—Por favor, querida, no inflijas tu propia paranoia a tu hija. —Hizo un gesto elegante—. Permitidme que os muestre el piso. Si no os gusta, ya me ocuparé de encontraros otro.

—¿Ha encontrado este piso para nosotras? —preguntó Fleur.

—Es el regalo de un padre a su hija. —Volvió a sonreírle y Fleur sintió que algo se ablandaba en su interior—. Ya es hora de que empiece a compensarte. Esto no es más que una pequeña muestra de mis mejores deseos para tu futura carrera.

Belinda emitió un sonido débil e inarticulado e hizo un gesto para acercar a Fleur más hacia ella, pero se encontró con que era demasiado tarde. Fleur ya había salido de la estancia acompañando a Alexi.

Alexi alquiló una suite para residir en el Carlyle durante todo diciembre. Por el día, Fleur pasaba incontables horas puliéndose y perfeccionándose bajo la dirección del equipo de Gretchen Casimir. Tenía profesores que le enseñaban a moverse, a bailar y muchas cosas más, y todos los días corría por Central Park y estudiaba con los tutores que Alexi contrató para que completara su educación.

A última hora de la tarde aparecía por la suite con entradas para el teatro, o para el ballet, a veces con una invitación para un restaurante donde la comida era demasiado maravillosa como para perdérsela. Alexi se la llevó a Connecticut para comprobar si era cierto el rumor de que en una mansión de Fairfield habían escondido un Bugatti de 1939. Belinda fue en el asiento de atrás y fumaba sin parar. Nunca permitía que Fleur fuera sola con él. Si Fleur le reía alguna de sus bromas, o aceptaba el bocado que él le ofrecía prendido en un tenedor, Belinda la miraba con expresión de traicionada y Fleur se ponía enferma. No había olvidado lo que él le había hecho, pero ahora parecía tan arrepentido...

—No fueron más que celos irracionales —le había explicado él en un restaurante, aprovechando que Belinda había ido al servicio—. Fue por culpa de la patética inseguridad de un marido de mediana edad profundamente enamorado de su mujer, veinte años menor que él. Temía que tú fueras a suplantarme en sus preferencias afectivas, de manera que después de que nacieras me limité a hacerte desaparecer de mi mundo. Es el poder del dinero, *chérie*. Nunca lo subestimes.

Ella tuvo que tragarse las lágrimas.

—Pero yo... no era más que un bebé.

—Sí, mi reacción fue completamente desmedida. Siempre lo supe. También resultó irónico, ¿no crees? Lo que hice alejó de mí a tu madre mucho más de lo que podría haber conseguido una niñita. Para cuando nació Michel, con ella tan distante, ya todo daba lo mismo.

Aquella explicación la confundió, pero él le besó la palma de la mano.

—No te pido que me perdones, *chérie*. Hay cosas que son imposibles. Lo único que te pido es que me permitas ocupar un lugar en tu vida antes de que ya sea demasiado tarde para los dos.

—Yo... yo quiero perdonarle.

—Pero no puedes. Tu madre no lo permitiría nunca. Y yo lo entiendo.

En enero Alexi volvió a París y Fleur tuvo la primera sesión fotográfica, para un anuncio en prensa de un champú. Belinda permaneció a su lado todo el tiempo. Fleur estaba petrificada, pero todo el mundo se mostró encantador, incluso cuando tropezó con un trípode y volcó el café del director artístico. El fotógrafo ponía música de los Rolling Stones y una estilista simpatiquísima hizo que Fleur bailara con ella. Al cabo de un rato, Fleur se había olvidado de su estatura, de sus manos como palas, de sus pies como remolcadores y de su cara enorme.

Gretchen dijo que las fotos eran «históricas». Fleur estaba simplemente contenta de haber superado la primera prueba de verdad.

Dos días después se sometía a una segunda sesión y a una tercera la semana siguiente.

—Nunca creí que pudiera ir tan rápido —le dijo a Alexi en una de sus frecuentes conversaciones telefónicas.

—Ahora el mundo entero podrá comprobar lo bonita que eres y caerá rendido bajo tu hechizo, del mismo modo que me pasó a mí.

Fleur sonrió. Lo echaba en falta, pero no era tan tonta como para decírselo a Belinda. Con Alexi ya en París, Belinda volvía a reír de nuevo y no probaba el alcohol.

Los rumores empezaron a tomar cuerpo. En marzo, Fleur hizo su primer *fashion spread*, y el agente de prensa de Gretchen empezó a referirse a ella como «el rostro de la década». Nadie ponía objeciones... excepto la propia Fleur.

De pronto, parecía como si todo el mundo la solicitara. En abril firmó un contrato para Revlon. En mayo hizo un *fashion spread* de seis páginas para *Glamour*. *Vogue* la envió a Estambul para una sesión de fotos, y luego a Abu Dabi para una *resort wear*. El día que cumplió los diecisiete estaba en las Bahamas posando para una colección de bañadores mientras Belinda flirteaba con un antiguo divo de la ópera que pasaba allí las vacaciones.

Diversos profesores seguían dándole clase, pero no era lo mismo que ir a la escuela. Echaba de menos a sus compañeras de colegio. Afortunadamente, Belinda la acompañaba siempre. Eran más que madre e hija. Eran amigas inseparables.

Fleur empezó a ganar mucho dinero que convenía invertir, pero Belinda no entendía de finanzas, así que Fleur empezó a plantearle preguntas a Alexi durante sus conversaciones telefónicas. Las respuestas eran tan prácticas que tanto ella como Belinda dependían cada vez más de él, hasta que finalmente acabaron por dejar el asunto en aquellas manos tan competentes.

Apareció la primera portada de Fleur. Belinda compró dos docenas de ejemplares y los esparció por todo el apartamento. Ese número fue el más vendido de la historia de la revista y la carrera de Fleur se disparó. Agradecía que el éxito le hubiese llegado tan fácilmente, pero eso también la hacía sentir incómoda. Cada vez que se miraba en el espejo se preguntaba a cuento de qué venía todo aquello.

La revista *People* le solicitó una entrevista.

—No es que mi hija brille —le dijo Belinda al periodista—. Es que deslumbra.

Eso era todo lo que *People* necesitaba para su titular: «Fleur Savagar, la Niña Brillante. Casi dos metros hechos de oro.»

Cuando Fleur vio aquella portada le dijo a su madre que no iba a aparecer en público nunca más.

—Lo siento, es demasiado tarde —le contestó Belinda, entre risas—. El agente de prensa de Gretchen está ocupándose de que ese apodo tenga éxito.

Fleur llevaba un año en Nueva York cuando le propusieron el primer papel en una película. El guión era basura y Gretchen le aconsejó a Belinda que lo rechazara. Ella así lo hizo, pero luego estuvo días y días deprimida.

—Irnos a Hollywood es mi sueño, pero Gretchen tiene razón. Tu primera película tiene que ser especial.

¿Hollywood? Todo estaba sucediendo demasiado rápido. Fleur respiró hondo e intentó asimilarlo.

El *New York Times* le dedicó un reportaje titulado «La Chic Brillante: grande, bella y rica».

—Esta vez lo digo muy en serio. No voy a salir a la calle nunca, nunca más.

Su madre rio y se sirvió un Tab.

Belinda se hartó de las antiguallas que había en el piso y lo decoró con un estilo marcadamente contemporáneo, lo más opuesto al de la casa en la Rue de la Bienfaisance. La gamuza amarilla cubría las paredes de la sala. Frente al enorme sofá con cojines de motivos geométricos negros y marrones, una mesa de cromados y cristales de Mies van der Rohe. Fleur no le dijo que le gustaban más las antiguallas. Lo que más la fastidiaba era la larga pared de la sala decorada con ampliaciones del tamaño de una ventana de su propio rostro. Mirándolas se sentía horrible. Era como si otra persona hubiese fijado residencia en su propio cuerpo, como si el maquillaje y la ropa formaran un grueso caparazón que escondía a la persona real que había debajo. Lo peor era que no sabía quién era esa persona.

Alexi le prometió que estaría en Nueva York en febrero. Antes había cancelado dos viajes a la ciudad, pero esta vez juraba y perjuraba que nada frustraría su visita. A medida que el día se acercaba, Fleur luchaba por ocultarle a su madre la emoción que sentía, pero cuando solo faltaban unas horas para la llegada del vuelo, sonó el teléfono en el piso.

—*Chérie* —dijo Alexi, provocando que Fleur se sobresaltara por el presentimiento—, me ha surgido una emergencia. Me resulta imposible irme de París en este momento.

—Pero ¡me lo prometiste! ¡Ya ha pasado más de un año!

—Y yo una vez más te vuelvo a fallar. Si pudieras... —Ella ya sabía lo que iba a decirle a continuación—: Si tu madre te dejara venir a París... pero ambos sabemos que se opondría a tal cosa y tú no vas a ir en contra de sus deseos. *Hélas*, ella te utiliza para hacerme daño.

Fleur no podía traicionar a Belinda mostrándose de acuerdo. Pensaba que iba a tener que asumir esa pena cuando oyó los tacones altos de su madre alejarse por el pasillo. Un momento después se cerraba la puerta del dormitorio de Belinda.

Se sentó en el borde de la cama y cerró los ojos. Alexi volvía a cargar sobre Fleur una vez más, como había hecho en otras dos ocasiones. Su hija iba a mostrarse disgustada y resentida, y no con Alexi, sino con ella. La estrategia de su marido era brillante. Culparla a ella de que padre e hija no pudieran verse.

Fleur se había resistido a los encantos de Alexi durante más tiempo del que Belinda había esperado. Incluso ahora mantenía cierta reserva hacia él. Eso a Alexi no le gustaba, de manera que procuraba corregirlo telefoneándole varias veces a lo largo de la semana. De ahí también los regalos, calculados para hacerle sentir su presencia. Y de ahí también su ausencia durante todo un año. En cualquier momento, Fleur llamaría a la puerta de su dormitorio y le pediría permiso para volar a París. Belinda se negaría. El resentimiento de la muchacha se avivaría y se encerraría más en ella misma. Aunque no lo expresara en voz alta, veía en su madre a una neurótica y una celosa. Pero Belinda tenía que mantener a Fleur en Nueva York para poder protegerla. Si solo pudiera explicarle por qué era tan necesario, sin poner al descubierto la verdad... «Tu padre, quien por cierto no es tu padre, te está seduciendo.»

Fleur no lo creería nunca.

—Más hacia la derecha, cielo.

Fleur inclinó la cabeza y sonrió a la cámara. Le dolía el cuello y tenía calambres, pero Cenicienta no había lloriqueado en el baile solo porque le hicieran dolor los zapatos de cristal.

—Eso es, así, fantástico, encanto. Perfecto. Un poco más de dientes. Perfecto.

Estaba sentada en una banqueta frente a una mesita con una superficie espejada que se elevaba como un caballete para reflejar la luz. El cuello abierto de su blusa de seda ámbar claro revelaba un magnífico collar de esmeraldas talladas en diminutos cubos. Había llegado el verano y la tarde en Nueva York era extremadamente calurosa. Fuera del objetivo llevaba unos pantalones cortados por encima de la rodilla y unas chancletas rosa de ducha.

—Arregladle las cejas —pidió el fotógrafo.

El maquillador entregó a Fleur un pequeño cepillo y luego le pasó una esponjita por la nariz. Ella se inclinó sobre el espejo y se cepilló las espesas cejas. Hasta no hacía mucho, artículos como el cepillo para cejas le resultaban extraños e insólitos, pero ya no le llamaban la atención.

Con el rabillo del ojo veía a Chris Malino, el ayudante del

fotógrafo. Con su pelo rojizo tan largo y enredado, con aquella cara tan expresiva y amigable, no era tan guapo, ni mucho menos, como los diversos modelos con que Fleur trabajaba, pero a ella le gustaba mil veces más. Estaba siguiendo unos cursos de filmación en la Universidad de Nueva York. La última vez que habían trabajado juntos le había hablado de películas rusas. A ella le hubiera gustado que le pidiera para salir, pero ninguno de los chicos que le gustaban se atrevía a hacerlo. Únicamente quedaba con hombres mayores que ella, celebridades veinteañeras que Belinda y Gretchen querían que constaran como acompañantes suyos en ocasiones importantes. Tenía dieciocho años y todavía no había salido de verdad con nadie.

Nancy, la estilista de esa sesión, le ajustó una de las pinzas en la espalda de la blusa para que se adaptara mejor a sus pechos, no tan opulentos como la prenda requería. Luego comprobó el trozo de cinta adhesiva que le había puesto en la nuca para ayudar a levantar el collar de esmeraldas. Al final, Fleur había acabado por pensar que los bonitos vestidos en las páginas de las revistas eran como las casas de los decorados de una película: una fachada y nada más.

—Ya llevo tres rollos con las dichosas esmeraldas —refunfuñó el fotógrafo no mucho después—. Tomémonos un descanso.

Fleur se desplazó junto a la tabla de planchar de Nancy y fue a ponerse su camisa de gasa con el cuello abierto. Chris estaba cambiando el decorado. Se sirvió una taza de café y después se dirigió hacia Belinda, que estaba estudiando el anuncio de una revista.

Su madre había cambiado mucho desde su llegada a Nueva York hacía dos años y medio. Los gestos nerviosos habían desaparecido. Tenía mayor confianza en sí misma. También estaba más guapa, morena y saludable tras las semanas que habían pasado en una casa alquilada en Long Island. Aquel día llevaba una camisetita blanca y una falda a juego con sandalias moradas y un delgado brazalete dorado en el tobillo.

—Pero ¡mira qué piel! —Belinda golpeó la página con el dedo—. No tiene poros. Las fotos como esta me deprimen.

Fleur miró la fotografía para ver qué modelo había trabajado para aquella línea de cosméticos tan cara.

—Es Annie Holman. ¿Recuerdas la presentación que Annie y yo hicimos con Bill Blass hace un par de meses?

Belinda tenía problemas para recordar a cualquiera que no fuera famoso, de modo que negó con la cabeza.

—Pues mamá, ¡piensa que Annie solo tiene trece años!

Belinda soltó una risotada.

—¡No me extraña que todas las mujeres de más de treinta estén deprimidas! Estamos compitiendo con niñas.

Fleur tenía la esperanza de que las mujeres no se sintieran de aquel modo cuando veían sus fotografías. No le gustaba la idea de estar ganando ochocientos dólares por hora a cambio de hacer que la gente se sintiera mal.

Belinda se levantó para ir al baño. Fleur se armó de valor y se acercó a Chris, que acababa de colocar el decorado.

—¿Qué tal te va la universidad? —«Sonríe, tonta, no seas tan secota.»

—Pues igual que siempre.

Él intentaba hacerse el despreocupado, como si ella no fuera más que una compañera de estudios, no la Niña Brillante. Eso le gustaba a Fleur.

—Pero ahora estoy dándole vueltas a una nueva película, eso sí —añadió.

—¿De verdad? Cuéntame. —Se sentó en una silla plegable que encontró por allí. La silla crujió.

Él empezó a hablar y al cabo de muy poco tiempo estaba tan absorto en lo que decía que se olvidó de sentirse intimidado por ella.

—¡Qué interesante! —dijo Fleur.

Él metió el pulgar en el bolsillo de los tejanos y luego volvió a sacarlo. Tragó saliva.

—¿Quieres que...? Vaya, sé que estás muy ocupada con otras cosas. Supongo que muchos chicos te piden que salgas con ellos y...

—Pues no. —Se levantó de la silla—. Sí, todo el mundo lo

piensa... O sea, todo el mundo piensa que todos me piden para salir. Pero no es cierto.

Él tomó un medidor de luz y empezó a manipularlo ociosamente.

—Es que como vi aquellas fotografías tuyas en el diario, con las estrellas de cine y los Kennedy y todo eso...

—Pero eso no es gente con la que salgo, son más bien... son como publicidad.

—Entonces ¿salimos? Podríamos quedar el sábado por la noche e ir al Village.

—¡Me encantaría!

Él le sonrió.

—¿Qué es lo que te encantaría, mi niña? —Belinda apareció a su espalda.

—Le he pedido a Fleur que me acompañe al Village el sábado por la noche, señora Savagar —dijo Chris, que volvía a parecer nervioso—. A cenar en ese restaurante en el que sirven comida del Medio Oeste.

Fleur apretó los dedos de los pies con cierto nerviosismo sobre las chancletas.

—Y yo le he dicho que sí.

—¿Le has dicho que sí, mi niña? —La frente de Belinda se arrugó—. Pues lo siento, pero creo que no va a poder ser. Ya tienes planes para ese día, ¿recuerdas? Está el estreno de la nueva película de Altman. Irás con Shawn Howell.

Fleur había olvidado ese estreno, y seguro que también quería olvidar todo lo concerniente a Shawn Howell, un actor de veintidós años con un coeficiente intelecual penoso. En su primera cita se había pasado la tarde quejándose de que todo el mundo quería «cepillárselo», y también le había dicho que había dejado el instituto porque todos los profesores eran pelotas y maricones. Le había rogado a Gretchen que no le concertara más citas con él, pero ella le había respondido que Shawn estaba en el candelero en esos momentos, que el negocio era el negocio. Cuando había intentado hablar del asunto con Belinda, esta se había mostrado incrédula.

—Pero Shawn Howell es una estrella, mi niña. Si te ven con él, eso te hace dos veces más importante.

Entonces Fleur se había quejado de que no perdía ocasión para meterle mano por debajo de la falda, y Belinda le había pellizcado la mejilla.

—Los famosos no son como la gente normal. No siguen las mismas reglas. Y yo sé muy bien que tú puedes controlarlo.

Chris, con el disgusto pintado en la cara, dijo:

—No pasa nada. Lo entiendo. Tal vez otro día.

Pero Fleur sabía que ese otro día no llegaría nunca. Para Chris había sido un gran esfuerzo pedírselo una vez, y no iba a volver a hacerlo.

Fleur intentó hablar de Chris con su madre en el taxi que las llevaba a casa, pero Belinda no quería ni oír hablar del asunto.

—Chris es un don nadie. ¿Por qué podrías tener algún interés en salir con él?

—Porque me gusta. No hubieras tenido que... No deberías haberlo apartado de ese modo. Me has hecho sentir como si tuviera doce años.

—Ajá. —La voz de Belinda se hizo glacial—. Me estás diciendo que te has avergonzado de mí, ¿correcto?

—¡No, claro que no! —se apresuró a contestar Fleur, pues esa sospecha le había dado pánico—. ¿Cómo iba a avergonzarme de mi madre? —Belinda se había apartado de ella y Fleur le tocó un brazo—. Olvida lo que he dicho, no es importante.

Aunque sí era importante, pero no quería herir los sentimientos de Belinda. Cuando eso ocurría, Fleur sentía como si estuviera en el convento de la Anunciación viendo cómo el coche de su madre se alejaba hasta desaparecer.

Durante un buen rato, Belinda guardó silencio. La tristeza de Fleur se acentuó.

—Tienes que confiar en mí, mi niña —dijo al cabo—. Yo sé lo que es mejor para ti.

Belinda le cogió la muñeca y Fleur sintió como si hubiera

estado a punto de caer por un precipicio, aunque al final la habían sujetado para devolverla a tierra firme.

Esa noche, después de que Fleur se hubiera ido a la cama, Belinda estuvo mirando las fotografías de su hija en la pared. Su determinación se hizo más fuerte que nunca. De algún modo tenía que protegerla de todos ellos: de Alexi, de los don nadie como Chris, de cualquiera que se interpusiera en su camino. Iba a ser lo más difícil de todo cuanto había hecho hasta entonces. En días como ese no estaba segura de poder conseguirlo.

La nube de la depresión se cernía sobre ella. Quiso difuminarla descolgando el teléfono y marcando rápidamente un número.

Contestó una voz soñolienta.

—¿Sí?

—Soy yo. ¿Te he despertado?

—Sí. ¿Qué quieres?

—Me gustaría verte esta noche.

Él bostezó.

—¿Cuándo vendrás?

—Estaré ahí dentro de veinte minutos.

Empezaba a apartar el auricular de la oreja cuando oyó:

—¡Oye, Belinda! Mejor deja las bragas en casa, para no perder tiempo.

—¡Shawn Howell, eres incorregible!

Colgó, recogió el bolso y salió a la calle.

9

Hollywood quería que Jake Koranda fuera un sobrado y un malísimo. Lo querían mirando a una escoria callejera por encima del tambor de un Magnum 44. Querían que vaciara sus Colt con cachas de nácar sobre una banda de *desperados* y que antes de salir del *saloon* besara a alguna actriz con un buen par de tetas. Koranda quizá no tuviera más de veintiocho años, pero era un hombre de verdad, no uno de esos flojos que llevaban un secador de pelo en el bolsillo de atrás.

Jack había acertado desde el principio con su papel del vagabundo Bird Dog Caliber en un western de bajo presupuesto que había recaudado seis veces su coste. A pesar de su juventud, poseía la imagen dura y de marginado que gustaba tanto a hombres como a mujeres, igual que había ocurrido con Eastwood. Dos películas más de la saga Caliber siguieron a la primera, cada una más truculenta que la anterior. Tras lo cual había trabajado en un par de películas de acción y aventura modernas. El ascenso del actor había sido meteórico. Y entonces Koranda se había puesto tozudo. Decía que necesitaba tiempo «para escribir mis obras de teatro».

¿Cómo se suponía que tenía que reaccionar Hollywood ante eso? El mejor actor de acción surgido después de Eastwood, y resultaba que escribía material de ese que acaba representándose en teatros universitarios, en lugar de ponerse en su sitio:

frente a la cámara. La mierda del premio Pulitzer lo había echado a perder.

Y la cosa no había quedado ahí. Koranda había decidido intentarlo con el cine, en lugar del teatro. Llamaba a su guión *Eclipse de domingo por la mañana*. Y en toda la maldita historia no había ni una sola persecución en coche.

—Este material tan intelectual queda muy bien en los escenarios, muchacho —le dijo el pez gordo de Hollywood tras tirar lazos para vender el guión—. Pero el público americano quiere tetas y pistolas en la pantalla.

Al final Koranda había acabado con Dick Spano, un productor de poca monta que consintió en llevar adelante *Eclipse de domingo por la mañana* con dos condiciones: Jake haría el papel principal y después le proporcionaría a Spano una de gran presupuesto con policías y ladrones.

Un martes por la noche, a principios de marzo, tres hombres estaban sentados en una sala de proyección llena de humo.

—Vuelve a poner la prueba de pantalla de Savagar —ordenó Dick Spano desde detrás de uno de sus habituales habanos.

Johnny Guy Kelly, el legendario director, levantó la anilla de una lata de Orange Crush y habló por encima del hombro, hacia la solitaria figura sentada atrás, en las sombras:

—Jako, muchacho, no queremos disgustarte, pero creo que tu nueva amiguita solo está bien para compañera de cama, no para una película.

Jake Koranda quitó sus largas piernas del respaldo del asiento que tenía delante.

—Savagar no da la talla para Lizzie. Lo siento en los huevos.

—Tú mira a esta preciosidad de ahí con intensidad, y luego dime si no sientes algo en algún lugar que no sean los huevos. —Johnny Guy apuntó con la lata hacia la pantalla—. ¡La cámara está enamorada de ella, Jako! Y también ha estado tomando lecciones para convertirse en una actriz, así que va muy en serio.

Koranda se hundió más en su asiento.

—Es una modelo. Una chica glamurosa de tres al cuarto que quiere lanzarse al cine. Ya pasé por todo esto el año pasado con aquella otra... ¿cómo se llamaba...? Y me prometí que no volvería a hacerlo. Sobre todo en una película como esta. ¿Has vuelto a comprobar si Amy Irving estaría disponible?

—Irving está comprometida —dijo Spano—. Y aunque no lo estuviera, te digo que prefiero a Savagar. Está de moda. Si es que resulta imposible pillar una revista en que su cara no aparezca en la portada. Todo el mundo está pendiente de qué película escogerá para debutar en el cine. Lleva la publicidad incorporada.

—Al carajo la publicidad —dijo Koranda.

Dick Spano y Johnny Guy Kelly intercambiaron miradas. Jake les gustaba, pero era de convicciones intransigentes y podía resultar un cabrón muy pesado cuando se empeñaba en creer en algo.

—No es tan fácil —dijo Johnny Guy—. Detrás tiene a gente muy lista. Han estado esperando mucho tiempo antes de encontrar exactamente la película que deseaban.

—¡Qué va! —saltó Jake—. Lo único que quieren es un protagonista masculino lo bastante alto para su chica jirafa. Nada más les interesa.

—Pues creo que los subestimas.

Un frío silencio fue la contestación de las filas del fondo.

—Lo siento, Jake —dijo por fin Spano con cierta acritud—, pero vamos a prescindir de tu opinión en este asunto. Mañana le haremos una oferta.

Detrás de ellos, Koranda se incorporó.

—Haced lo que tengáis que hacer, pero no esperéis que la reciba bajo palio.

Johnny Guy negó con la cabeza mientras Jake desaparecía y luego miró a la pantalla una vez más.

—Espero que esa preciosidad sepa cómo encajar alguna que otra decepción.

Belinda había arrastrado a Fleur a ver todas y cada una de las películas de Jake Koranda. Fleur las había odiado, a todas y cada una. Siempre estaba disparando a alguien en la cabeza o despanzurrándolo con una navaja, o aterrorizando a alguna mujer. ¡Y por lo visto le encantaba! Ahora iba a tener que trabajar con él y sabía por su agente hasta qué punto se había opuesto a que la contrataran. Siendo sincera, ella lo comprendía. No importaba lo que Belinda creyera, Fleur no era una actriz.

—Deja de preocuparte —le decía Belinda cada vez que Fleur intentaba hablarle del asunto—. En cuanto te vea, se enamorará de ti.

Fleur no podía ni imaginar que eso fuera a suceder.

La limusina blanca que el estudio envió para recogerla en el aeropuerto de Los Ángeles la llevó a la casa de Beverly Hills que Belinda había alquilado para ellas, una vivienda de dos pisos de estilo español. Estaban a principios de mayo y el día irrazonablemente frío de Nueva York se había convertido en cálido y soleado al arribar a la California meridional. Cuando había llegado de Francia —de eso hacía tres años— nunca se habría imaginado que su vida iba a tomar una orientación tan extraña. Intentaba mostrarse agradecida, pero últimamente se le hacía difícil.

Un ama de llaves que aparentaba tener cien años la hizo pasar a un recibidor de paredes blancas, vigas oscuras, candelero de fundición y suelo de terracota. Fleur le arrebató las maletas cuando empezó a transportarlas al piso de arriba. Escogió una habitación trasera cuya ventana daba sobre la piscina y dejó la habitación principal para Belinda. La casa parecía incluso más grande que en las fotos. Con seis dormitorios, cuatro baños y un par de jacuzzis, disponía de más espacio del necesario para dos personas. De hecho, había cometido la torpeza de comentarle eso mismo a Alexi durante una de aquellas conversaciones telefónicas que sustituían a sus visitas.

—En el sur de California la falta de ostentación es una vulgaridad —le había dicho—. Tú sigue las orientaciones de tu madre y te aseguro que tendrás un éxito fantástico.

No había hecho ningún comentario a esa recomendación.

Para ella los problemas entre sus padres eran demasiado complicados de resolver, especialmente porque nunca había sido capaz de entender por qué dos personas que se odiaban tanto no pedían el divorcio. Se quitó los zapatos y miró aquel cuarto, con sus cálidas piezas de madera y sus telas de colores terrosos. Una colección de cruces mexicanas que colgaban en una pared le produjeron un acceso de añoranza: echaba en falta el colegio de monjas. En ningún momento había previsto hacer ese viaje sola.

Se sentó en un lado de la cama y llamó a Nueva York.

—¿Te encuentras mejor? —le preguntó a su madre en cuanto se puso al teléfono.

—Estoy fatal. Estoy tristísima, me siento humillada. ¿Cómo es posible que una mujer de mi edad tenga la varicela? —Y se sonó—. Mi niña va a ser le estrella de la película más comentada del año y aquí me tienes a mí, ¡en Nueva York, sin poder salir de casa con esta enfermedad ridícula! Si me quedan marcas te juro que...

—En una semana o así te pondrás bien, ya lo verás.

—No iré hasta que no esté en condiciones óptimas. Quiero que comprueben con sus propios ojos lo que se perdieron todos esos años. —Se sonó otra vez—. Llámame cuando lo conozcas. No te preocupes por la diferencia horaria.

No hacía falta que Fleur le preguntara a quién se refería.

—¡Mi hija va a rodar escenas de amor con Jake Koranda!

—Si lo dices una vez más, vomito.

Belinda se las arregló para soltar una carcajada a pesar de su lamentable estado.

—¡Qué suerte, qué suerte tiene mi niña!

—Bueno, voy a colgar, ¿vale?

Pero Belinda ya lo había hecho.

Fleur fue hasta la ventana y contempló la piscina, allí abajo. Había empezado a odiar su carrera como modelo, otra cosa que su madre nunca podría entender. Y desde luego no quería ser actriz. Pero como no tenía idea de lo que sí quería hacer, no podía quejarse. Tenía montones de dinero, una carrera fabulosa y un gran papel en una película de prestigio. Era la chica con mayor suerte del mundo, de modo que tenía que dejar de comportarse como una majadera. ¿Qué más daba que nunca se sintiera completamente cómoda ante una cámara? Había hecho un buen trabajo fingiéndolo y eso era precisamente lo que iba a tener que hacer con esa película. Iba a fingirlo.

Se puso unos pantalones cortos, se recogió la melena en lo alto de la cabeza y se llevó el guión de *Eclipse de domingo por la mañana* al patio. Se instaló en una de las sillas de jardín acolchadas junto con un vaso de zumo de naranja recién exprimido y se puso a estudiar el guión.

Jake Koranda haría de Matt, el protagonista, un soldado que vuelve a Iowa desde Vietnam. Matt se siente atormentado por recuerdos de una masacre tipo My Lay de la que fue testigo. Cuando vuelve a casa, comprueba que su mujer está embarazada de otro hombre y que su hermano está implicado en un escándalo local. Matt se ve atraído por Lizzie, la hermana pequeña de su mujer, que ha crecido en su ausencia. Fleur iba a hacer de Lizzie. Pasó las páginas hasta encontrar las notas:

> Inmaculada respecto al olor del napalm y la corrupción en la familia de Matt, Lizzie hace que Matt vuelva a sentirse inocente.
>
> Los dos se enzarzan en una discusión sobre el mejor lugar para comer una buena hamburguesa, y tras una traumática escena con su mujer, Matt se lleva a Lizzie en una odisea de una semana a través de Iowa en busca de un establecimiento a la vieja usanza en el que se venda *root beer*, una cerveza artesanal sin alcohol. Dicha cervecería servía de símbolo tragicómico de la inocencia perdida del país. Al final del viaje, Matt descubre que Lizzie no es ni tan cándida ni tan virginal como aparenta.

A pesar de la visión tan cínica de las mujeres, a Fleur ese guión le gustaba infinitamente más que las películas de Bird

Dog Caliber. Lo que ocurría era que ni siquiera tras dos meses de clase de interpretación tenía idea de cómo ponerse en la piel de un personaje tan complejo como Lizzie. Hubiera preferido empezar con algo más parecido a una comedia romántica.

Por lo menos no iba a tener que hacer la escena de desnudo de la película. Esa había sido la única batalla con Belinda que Fleur había ganado. Su madre la llamaba mojigata y decía que era una actitud hipócrita después de tantos anuncios en bañador, pero los bañadores eran bañadores y los desnudos, desnudos. Fleur no iba a ceder ni un ápice.

Siempre había rechazado posar desnuda, por mucho que se tratara de los fotógrafos más respetados del mundo. Belinda decía que se debía a que todavía era virgen, pero no se trataba de eso. Fleur tenía que defender la privacidad de alguna parte de sí misma.

En ese momento entró el ama de llaves y le dijo que tenía que echar un vistazo fuera. Fleur fue a la puerta principal y se asomó. En el centro del camino de entrada vio aparcado un flamante Porsche rojo descapotable.

Corrió al teléfono y encontró a Alexi a punto de irse a dormir.

—¡Es precioso! —le dijo emocionada—. Me voy a morir de miedo al conducirlo.

—Tranquila. Eres tú quien controlará el coche, no el coche a ti.

—Creo que me he equivocado de número. Yo quería hablar con el hombre que ha invertido una fortuna para intentar encontrar un Bugatti Royale que pasó la guerra en las alcantarillas de París.

—Eso, cariño, es muy diferente.

Fleur sonrió. Siguieron hablando unos minutos y luego, nada más colgar, corrió fuera para conducir su nuevo coche. Deseaba poder agradecérselo en persona a Alexi, pero él postergaba indefinidamente su viaje.

El placer por el regalo se diluyó en parte. Se había convertido en un peón en la batalla entre sus padres y odiaba ese papel.

Pero por muy importante que fuera su nueva relación con su padre, por mucho que apreciara ese precioso coche, su primera lealtad sería siempre con Belinda.

A la mañana siguiente, pasó con el Porsche por las puertas del estudio hacia el *soundstage* en el que se estaba rodando *Eclipse de domingo por la mañana*. Fleur Savagar estaba demasiado asustada para presentarse en el plató, de manera que envió a la Niña Brillante en su nombre. Al vestirse había puesto un cuidado especial en el maquillaje y se había echado atrás la melena para dejar despejada la cara con unos pasadores esmaltados, de manera que le caía por la espalda. El suéter Sonya Rykiel de color peonía hacía conjunto con unas sandalias de lagarto con correas y tacones de ocho centímetros. Jake Koranda era muy alto, pero con tacones así la cosa iba a quedar equilibrada.

Encontró el aparcamiento que le había indicado el guardia. Notaba la tostada del desayuno atravesada en el estómago. Aunque el rodaje de *Eclipse de domingo por la mañana* ya había empezado hacía unas semanas y ella no tenía que intervenir hasta unos días después, había decidido que visitar el estudio antes de enfrentarse a la cámara le daría confianza. De momento, el efecto era el contrario.

Sí, estar allí era una tontería. Ella hacía anuncios para la televisión, así que ya entendía el proceso. Pero su ansiedad no disminuía. La que tenía que haber sido una estrella cinematográfica era Belinda, no ella.

El guardia había anunciado su llegada y Dick Spano, el productor, fue a su encuentro en cuanto entró en el recinto.

—¡Fleur, cariño, qué gusto verte!

Le dio la bienvenida con un beso en la mejilla y una mirada de admiración hacia toda la extensión de pierna que el suéter dejaba al descubierto. Spano le había caído bien cuando se habían conocido en Nueva York, especialmente desde que supo que amaba los caballos. La condujo hacia un par de gruesas puertas.

—Están preparándose para rodar. Te llevaré adentro.

Fleur reconoció el decorado en el interior del *soundstage* como la cocina de la casa de Matt en Iowa. De pie en medio reconoció a Johnny Guy Kelly enfrascado en una conversación con Lynn David, la actriz pequeñita y flacucha de cabello rojizo que hacía el papel de mujer de Matt, DeeDee. Dick Spano le indicó que se sentara en una silla de lona típica de los rodajes. Logró resistirse a la tentación de mirar si tenía su nombre estarcido en el respaldo.

—¿Estás listo, Jako?

Jake Koranda salió de las sombras.

En lo primero que reparó Fleur fue en aquella boca imposible, blanda y protuberante como la de un bebé. Pero no era esa la única cosa propia de la infancia que había en él. También sus andares descoyuntados y sus movimientos contoneantes, más propios de un vaquero corriente que de un actor y autor teatral. Le habían cortado el pelo liso y castaño más corto que en las películas de Caliber, lo que lo hacía más alto y delgado que en su imagen en pantalla. Fleur pensó que fuera de ella no parecía más amigable que en sus películas.

Gracias a Belinda, Fleur sabía de él más de lo que hubiera deseado. Por muy reservada que fuera con la prensa y por muy reticente que se mostrara a ofrecer entrevistas, algunos hechos habían salido a la luz. Su verdadero nombre era John Joseph Koranda y se había criado en el peor barrio de Cleveland, Ohio, con una madre que limpiaba casas durante el día y oficinas por la noche. Estaba fichado por la policía desde pequeño: hurtos, robos en tiendas y el puenteo de un coche a los trece años. Cuando algún periodista se había interesado por cómo había salido del atolladero, él siempre hablaba de una beca deportiva universitaria. «No soy más que un gamberro que tuvo suerte con una pelota de baloncesto», decía. No quería hablar sobre cómo había dejado la universidad durante el segundo curso, ni sobre su corto matrimonio, ni sobre el servicio militar en Vietnam. Decía que su vida era suya.

Johnny Guy reclamó silencio y en el estudio no se oyó ni el

vuelo de una mosca. Lynn David permaneció en pie, con la cabeza gacha, sin mirar a Jake, que tenía expresión de enfado y acusadores ojos azules.

—¡Acción! —dijo Johnny Guy.

Jake apoyó un hombro en el marco de la puerta.

—No puedes evitar ser una puta, ¿verdad?

Fleur recogió las manos en su regazo. Estaban filmando una de las escenas más horribles de la película, en la que el personaje interpretado por Jake, Matt, acaba de descubrir la infidelidad de DeeDee. En la sala de montaje esta escena se intercalaría con cortes rápidos de la matanza del poblado vietnamita que Matt había presenciado, imágenes que le hacían perder el control a tal punto que pegaba a DeeDee como un violento eco de aquellos hechos macabros.

Matt cruzaba la cocina, el cuerpo en tensión, amenazante. En un gesto nimio y desesperado, DeeDee aferraba un collar que él le había regalado. ¡Era tan pequeñita a su lado! Una muñeca a punto de romperse.

—No era así, Matt. Antes no era así.

Sin previo aviso, él le arrancaba el collar de un manotazo. Ella gritaba e intentaba huir, pero él la zarandeaba y ella rompía a llorar. Fleur sintió que la boca se le secaba. Odiaba esa escena. Odiaba todo lo que concernía a esa escena.

—¡Corten! —gritó Johnny Guy—. Se ha visto una sombra en la ventana.

La voz furiosa de Jake resonó en el decorado.

—¡Pensaba que íbamos a hacerlo en una sola toma!

Fleur no podía haber elegido un día peor para presentarse. No estaba preparada para hacer una película. Sobre todo, para hacer una película con Jake Koranda. ¿Por qué no había podido ser con Robert Redford o Burt Reynolds? Con alguien simpático. Por lo menos no había escenas en las que Jake le pegara. Pero eso no era ningún consuelo cuando pensaba en las demás escenas que compartía con él.

Johnny pidió silencio. Alguien de vestuario sustituyó el collar de Lynn. A Fleur le empezaron a sudar las manos.

—No puedes evitar ser una puta, ¿verdad? —volvió a decir Matt con la misma voz terrible.

Fue hasta DeeDee y le arrancó el collar. DeeDee gritó y se revolvió contra él. Él la sacudió más fuerte, con una expresión tan violenta que Fleur tuvo que recordarse que solo era una actuación. ¡Ay, Dios, esperaba que realmente lo fuera!

Él empujó a DeeDee contra la pared y le pegó. Fleur no pudo seguir mirando. Cerró los ojos y deseó estar en cualquier lugar, menos allí.

—¡Corten!

El llanto de Lynn no se detuvo con la interrupción del rodaje. Jake atrajo a Lynn a sus brazos y le apoyó la cabeza bajo la barbilla.

—¿Todo bien, Lynnie? —preguntó Johnny Guy.

—¡Déjanos en paz! —espetó Jake volviéndose hacia él.

Johnny Guy se apartó y entonces reparó en Fleur. Ella le sobrepasaba en más de media cabeza, pero eso no impidió que le diera un abrazo de oso.

—¿No serás por casualidad justo lo que el médico me recetó? Bonita como una puesta de sol en Texas tras una lluvia de primavera.

Johnny Guy era uno de los mejores directores del ramo, a pesar de esas maneras tan campechanas. Cuando se habían conocido en Nueva York se había mostrado comprensivo con respecto a la inexperiencia de Fleur y le había prometido ayudarla en todo lo posible para hacerla sentir cómoda.

—Ven por aquí, que voy a presentarte a todo el mundo.

Comenzó por los miembros del equipo, diciendo algo personal de cada uno de ellos. Los nombres y caras pasaron con demasiada rapidez como para recordarlos luego, pero ella sonreía a todos.

—¿Y dónde está esa madre tan guapa que tienes? —preguntó—. Creía que iba a venir contigo hoy mismo.

—Tiene asuntos que atender. —Fleur no mencionó que tales asuntos incluían algodones y loción de calamina—. Estará aquí dentro de una semana, más o menos.

—La recuerdo de los años cincuenta —dijo él—. Entonces yo trabajaba como maquinista. La vi una vez en el Garden of Allah, cuando estaba con Errol Flynn.

Fleur tropezó con un cable que no había visto, pero Johnny Guy la agarró a tiempo por el brazo. Belinda le había mencionado y detallado todas las estrellas de cine con que había coincidido, pero nunca a Errol Flynn. Seguro que Johnny se confundía.

El director parecía incómodo de repente.

—Ven conmigo, querida. Deja que te presente a Jake.

Eso era exactamente lo último que deseaba en aquel momento, pero Johnny Guy ya se estaba dirigiendo hacia él. La sensación de incomodidad de Fleur aumentó cuando vio a una lacrimosa Lynn David todavía agarrada a Jake.

—¿Por qué no esperamos a...? —susurró a Johnny Guy.

—Jako, Lynnie, por aquí tengo a alguien que quiero presentaros.

La acercó a la pareja e hizo las presentaciones.

Lynn se las arregló para ofrecerle una débil sonrisa. Jake la miraba con ojos de Bird Dog Caliber y le dedicó un brusco asentimiento con la cabeza. Las sandalias de piel de lagarto con tacón de ocho centímetros permitían a Fleur responderle con una mirada casi a su misma altura. Y además logró no pestañear.

Siguió un silencio incómodo, que al final rompió un joven de barba incipiente:

—Tenemos que volver a repetir la toma, Johnny Guy. Hemos pillado algo de ruido.

Koranda pasó como una exhalación junto a Fleur rumbo al centro del decorado.

—¿Qué demonios os pasa a todos? —Se produjo un súbito silencio—. ¿Vais a poneros de acuerdo? ¿Cuántas veces tendremos que repetir esto por vuestra culpa?

Siguió un silencio. Finalmente una voz anónima dio salida a la tensa calma.

—Lo siento, Jake. No hemos podido evitarlo.

—¡Y un cuerno no habéis podido! —Fleur pensó que en

cualquier momento desenfundaría sus Colt de cachas de nácar—. ¡Concentraos de una puta vez! ¡Lo vamos a repetir solamente una vez más!

—Oye, oye, tranquilízate, Jako —terció Johnny Guy—. Que yo sepa, el director sigo siendo yo.

—¡Pues entonces haz tu trabajo! —le espetó Jake.

Johnny Guy se rascó la cabeza.

—Voy a fingir que no te he oído, Jako. La próxima vez ten más cuidado, en beneficio de todos. Y ahora venga, a trabajar.

Los arrebatos dramáticos como esos no eran ninguna novedad para Fleur: había asistido a algunos antológicos en los últimos años, pero en este caso los nervios que le recorrían el estómago no cesaban. Consultó su reloj, una técnica que había desarrollado para cuando se sentía incómoda: miraba el reloj y bostezaba. Eso hacía que la gente pensara que era inaccesible, por mucho que no fuera verdad.

Imaginaba lo que habría dicho Belinda de haber sido testigo del comportamiento odioso de su adorado actor: «La gente famosa es distinta de las personas normales, cariño. No siguen las mismas reglas.»

Eso no era así en el manual de Fleur. Los bestias eran bestias, por famosos que fueran.

Le escena volvió a empezar. Fleur se ocultó entre las sombras, en una zona donde no alcanzaba a ver nada de lo que ocurría, pero no podía bloquear y dejar fuera los sonidos de la violencia. Pasó lo que parecía una eternidad sin que la toma concluyera.

Una mujer a la que Johnny Guy le había presentado como asistenta de producción apareció al lado de Fleur para preguntarle si quería ir a vestuario. Fleur la hubiera besado. Cuando volvieron al plató, el equipo se estaba tomando un descanso para comer. Lynn y Jake comían sentados a un lado. Lynn enseguida reparó en ella:

—Ven con nosotros.

Todo lo que Fleur quería hacer era salir corriendo, pero no se le ocurría ninguna forma adecuada de rechazar la invitación.

Los tacones de las sandalias de piel de lagarto repicaron en el suelo de cemento del estudio. Todos llevaban tejanos, lo que la hacía sentir como una forastera demasiado elegante. Levantó la barbilla y echó atrás los hombros.

—Siéntate —dijo Lynn señalándole una silla plegable—. Lamento que no hayamos tenido la oportunidad de hablar antes.

—No pasa nada. Estabais ocupados.

Jake se levantó mientras volvía a envolver el emparedado. Fleur estaba acostumbrada a mirar hacia abajo a los hombres, no hacia arriba, y además le resultó tan intimidante que tuvo que forzarse para no retroceder. Miraba esa boca imposible y vio la legendaria paleta casi imperceptiblemente mellada. Jake la saludó con otra inclinación de la cabeza y luego se volvió hacia Lynn.

—Voy afuera a encestar unas cuantas canastas. Nos vemos luego.

En cuanto desapareció, Lynn le tendió la mitad del bocadillo.

—Cómetelo, que así no ganaré más peso. Es salmón con mayonesa baja en calorías.

Fleur lo aceptó y se sentó. Lynn era una veinteañera delicada, de manos pequeñas y pelo encrespado y rojizo. Ni un millón de portadas de revista cambiaría esa sensación de Fleur: la de sentirse como una giganta verde y torpe junto a una mujer tan menuda y experimentada.

Lynn también se había dedicado a inspeccionarla.

—No parece que tengas que preocuparte por el peso.

Fleur tragó un trozo del emparedado.

—Pues tengo que hacerlo. Al trabajar ante la cámara, no puedo sobrepasar los sesenta y un kilos. Eso es muy difícil para alguien de mi estatura, especialmente si a ese alguien le gusta el pan y el helado.

—¡Dios mío, entonces podemos ser amigas! —La sonrisa de Lynn mostró una fila de dientes pequeños y derechos—. Detesto a las mujeres que pueden comer de todo.

—Yo también —contestó Fleur, sonriente.

Y estuvieron hablando de las injusticias que incluía ser mujer. Al final el tema cambió a *Eclipse de domingo por la mañana*.

—El papel de DeeDee es la ruptura que había esperado después de todos los culebrones. —Lynn se sacó una brizna de salmón del tejano—. Los críticos dicen que las mujeres de Jake no están tan bien escritas como los hombres, pero yo creo que DeeDee es una excepción. Es tonta pero vulnerable. Todos tenemos dentro una pequeña DeeDee.

—Es cierto, es un buen papel —dijo Fleur—. Más directa que Lizzie. La verdad es que a mí... me pone nerviosa interpretarla. Me parece... No estoy demasiado segura de mí misma.

Se sonrojó. No era la manera más óptima de inspirar confianza en una compañera de trabajo.

Pero Lynn asintió.

—Una vez que te metas en el papel, todo irá sobre ruedas. Habla con Jake sobre Lizzie. Es muy bueno con esas cosas.

Fleur se quitó un hilillo del suéter.

—No creo que Jake tenga demasiado interés en hablarme sobre nada. No es ningún secreto que no quiere verme ni en pintura.

Lynn la miró con una sonrisa de complicidad.

—Cuando vea que te implicas, se pondrá de tu lado. Dale tiempo.

—Y espacio. Cuanto más, mejor.

—Jake es un buen chico, Fleur —dijo Lynn reclinándose en la silla.

—Ya —repuso Fleur, replegándose.

—Oye, que te lo digo muy en serio.

—Bueno... será que lo conoces mejor que yo.

—Tú estás pensando en lo que has visto hoy.

—Se ha mostrado un poco... un poco duro con el equipo.

Lynn cogió su bolso y empezó a rebuscar en su interior.

—Jake y yo éramos pareja hace un par de años. No fue nada serio, pero llegamos a conocernos bastante bien. Una vez que dejamos de dormir juntos nos convertimos en buenos amigos. —Sacó un paquete de chicles—. Confiaba en él ciegamente y aprovechó algo que me había pasado para escribir esa escena. Como sabía que eso me traería malos recuerdos, quería acabar cuanto antes para no hacerme sufrir.

Fleur se abrazó con más fuerza las piernas, levantando las rodillas.

—No estoy... demasiado cómoda con hombres como él.

Lynn torció la boca.

—Eso es precisamente lo que hace irresistibles a los hombres como él.

Fleur no hubiera elegido ese calificativo, «irresistible». Pero como ya había hablado más de la cuenta, calló.

Durante los siguientes días, Fleur permaneció apartada del camino de Jake Koranda. Pero al mismo tiempo se sorprendía a ella misma observándolo. Él y Johnny Guy se picaban continuamente y a menudo se obcecaban en sus desacuerdos. Tantas discusiones se le hicieron desagradables hasta que comprendió cuánto disfrutaban con ellas. También comprobó que Jake era muy popular entre el equipo, a pesar de la impresión negativa que se había llevado por sus salidas de tono el primer día. A decir verdad, parecía a gusto con todo el mundo, excepto con ella. Aparte de algún breve asentimiento matutino, pasaba el resto del día ignorándola.

Por fortuna, la primera escena que tenía que rodar Fleur la compartía con Lynn. Era el viernes, de manera que el jueves por la noche estudió sus frases hasta aprendérselas a la perfección y luego se preparó para irse a la cama. Quería presentarse fresca a la sesión de maquillaje de las siete de la mañana. Pero justo cuando apagaba la luz sonó el teléfono. Esperaba escuchar la voz de Belinda, pero se trataba de Barri, el ayudante de dirección.

—Fleur, tenemos que cambiar el horario para mañana. La primera escena que rodaremos será con Matt y Lizzie.

Se le revolvió el estómago. No soportaba la idea de trabajar con Jake. No en su primer día.

Después de eso, dormir se le hizo imposible. No paraba de encender una y otra vez la luz para repasar los diálogos, y no se durmió hasta el alba, para despertarse sobresaltada una hora más tarde. La maquilladora estuvo rezongando sobre las ojeras que tenía. Fleur se disculpó y le prometió que no volvería a suceder. Para cuando Johnny Guy apareció en el tráiler de maquillaje con la intención de hablar sobre la escena inicial, Fleur ya tenía los nervios a flor de piel.

—Hoy trabajaremos en el estudio trasero. Tú estarás sentada en el columpio del porche de la granja.

Fleur había visto el exterior de la granja de Iowa que habían construido, y se alegró de trabajar al aire libre.

—Tú miras y ves a Matt de pie junto a la carretera. Lo llamas por su nombre, saltas del columpio y corres por el jardín hasta él. Te lanzas a sus brazos. Una escena facilita, vaya.

Y Fleur la iba a echar a perder. Unos meses de clase de interpretación no podían convertirla en actriz. Ya había podido comprobar lo perfeccionista que era Jake. Él ya la aborrecía. Ahora solamente faltaba comprobar cómo reaccionaría ante su incompetencia.

Todavía se desanimó más cuando fue a vestuario. La película se ambientaba en agosto. Ella llevaba un sucinto biquini estampado con corazoncitos y muy subido en la cadera para hacer que las piernas parecieran todavía más largas. Una camisa de trabajo de hombre ceñida a la cintura con un nudo le dejaba el estómago al descubierto, y le habían arreglado el pelo en una trenza suelta que le caía sobre la espalda. El estilista había querido atarle un lazo rojo en el extremo para enfatizar la falsa inocencia de Lizzie, pero Fleur le dijo que lo olvidara. Ella no usaba lazos en el pelo y Lizzie tampoco iba a hacerlo.

Llevaba ya cuatro visitas al baño cuando el ayudante de dirección mandó llamarla. Fleur ocupó su lugar en el columpio del porche y repasó lo que tenía que hacer. Lizzie estaba esperando ver a Matt, pero no podía demostrarlo. Lizzie no podía mostrar un montón de cosas: ni lo mucho que la enfurecía su hermana, ni lo mucho que le gustaba su cuñado. Jake estaba junto a uno de los tráileres. Llevaba el uniforme de soldado que le tocaba en el inicio de la película. ¿Cómo iba a apañárselas para esperarlo con impaciencia, cuando ni siquiera le gustaba? Bostezó y se miró el reloj, pero no llevaba ninguno.

Él se metió una mano en el bolsillo. Al apoyarse contra el tráiler, plantó la suela de su zapato contra el neumático en una postura de lo más despreocupada. Fleur recordó las fotografías de promoción que había visto. Todo lo que necesitaba era achicar los ojos y un cigarrillo colgando del labio para conjurar a Bird Dog.

—¡Chicas! ¡Y chicos! ¡Es la hora del *show*! —bromeó Johnny Guy—. ¿Estás lista, Fleur, cariño? Vamos a repasarlo.

Ella siguió las indicaciones y se fijó con atención en el camino que el director quería que recorriera. Por fin volvió al columpio y esperó con nerviosismo mientras el equipo hacía los últimos ajustes. Emoción... Tenía que pensar en una gran emoción, pero sin precipitarse. «No te anticipes. Espera hasta que lo veas y solamente entonces muéstralo en la expresión de la cara. No pienses en nada que no sea Matt. Matt, no Jake.»

Johnny Guy indicó que empezara la acción. Ella levantó la cabeza y vio a Matt. «¡Matt!» ¡Estaba de vuelta! Se levantaba, corría por el porche. Salvaba los escalones de madera de un salto y seguía corriendo. La trenza le rebotaba en la nuca. Tenía que conseguirlo. Tenía que tocarlo. Era suyo, no de DeeDee. Corría por el jardín. Ahí estaba, justo delante de ella.

—¡Matt!

Y se lanzó impetuosamente a sus brazos.

Él vaciló y se inclinó hacia atrás, pero ya era demasiado tarde: ambos cayeron estrepitosamente al suelo.

El equipo estalló en una carcajada colectiva. Fleur se había quedado tendida cuan larga era sobre Jake Koranda y lo aplastaba con su cuerpo medio desnudo. Lo único que deseaba era arrastrarse hasta un rincón y morirse. Era un elefante. Uno grande y patoso. Ese era el momento más humillante de su vida.

—¿Alguien se ha hecho daño? —preguntó Johnny Guy mientras se acercaba para ayudarla a levantarse.

—No, no. Estoy... estoy bien.

Mantuvo la cabeza gacha y se concentró en quitarse la suciedad de las piernas. Uno de los de maquillaje llegó corriendo con un trapo mojado y ella se limpió sin mirar a Jake. Si deseaba alguna prueba adicional de que ella no era la persona adecuada para el papel, acababa de dársela. Quería volver a Nueva York. ¡Al cobijo de mamá!

—¿Y tú cómo estás, Jako?

—Bien. No hay problema.

Johnny Guy le dio unos toquecitos en el brazo a Fleur.

—Lástima —dijo— que este chico sea tan enclenque, incapaz de aguantar a una mujer de verdad.

Johnny Guy intentaba hacerla sentir mejor, pero en realidad lo estaba empeorando. Ella se sentía enorme, torpe y horrible. Todo el mundo la miraba. ¡Si hubiera podido aislarse herméticamente en ese mismo momento!

—Lo siento —dijo por fin, tensa—. Me parece que he arruinado este bañador. La suciedad no se va.

—Para eso tenemos repuestos. Ve y cámbiate.

Al poco ya se hallaba de vuelta en el columpio del porche y todos estaban preparados para empezar de nuevo. Cuando las cámaras se pusieron en marcha, intentó recrear la alegría que había experimentado durante la primera toma. Vio a Matt, brincó del columpio y corrió saltándose los escalones por el patio. «Dios mío, no permitas que vuelva a derribarlo.» Frenó un tanto la carrera y por fin se echó en brazos de Jake.

A Johnny Guy le pareció horrible.

Volvieron a repetirlo y ella tropezó al bajar los escalones. La cuarta vez el columpio le golpeó los muslos por detrás. La quinta vez hizo todo el camino hasta Jake sin incidencias, pero una vez más se contuvo en el último momento. Se sentía cada vez peor.

—No te relacionas con él, cariño —dijo Johnny Guy cuando Jake la soltaba—. No conectas. No tienes que preocuparte tanto de dónde pones los pies. Hazlo como lo hiciste la primera vez.

—Lo intentaré.

Tuvo que pasar por una humillación adicional cuando los de vestuario repararon en las manchas que el sudor abundante había ocasionado en la camisa de trabajo y le trajeron una que no tuviera medialunas en los sobacos. Al dirigirse de nuevo al columpio, sabía que nada en el mundo podría hacer que se lanzara en brazos de Jake Koranda con toda la fuerza de su cuerpo. El pecho se le hacía estrecho, le costaba tragar...

—¡Oye, espera un momento!

Era la voz de Jake. Lentamente se volvió y vio que caminaba hacia ella.

—La primera vez me has pillado a contrapié —dijo bruscamente—. Ha sido culpa mía, no tuya. Esta vez saldrá bien, ya lo verás.

Sí, claro. Fleur asintió y reinició su marcha hacia el columpio.

—No me crees, ¿verdad?

Ella se volvió de nuevo.

—Bueno, no soy exactamente un peso mosca, ¿verdad?

Jake esbozó una sonrisa franca que quedaba extraña en el rostro de Bird Dog Caliber.

—¡Oye, Johnny Guy! —gritó—. Danos un par de minutos, ¿de acuerdo? La Flower Power esta se cree que no puedo con ella.

«¿Flower Power?»

La agarró por el brazo y se la llevó de no muy buenas maneras a un lado de la casa, alejados de todo el equipo. Cuando ya se habían adentrado casi entre los matojos la soltó.

—Mira, te apuesto diez dólares a que no puedes hacerme caer otra vez.

Ella se puso una mano sobre la cadera desnuda e intentó fingir que no tenía diecinueve años y que no estaba muerta de miedo.

—¿Un combate de lucha libre? ¿Eso es lo que quieres? ¡Ni hablar!

—¡Vaya! ¿A la Niña Brillante le preocupa despeinarse? ¿O más bien temes volver a tirarme y ganar la apuesta?

—Sé perfectamente que ganaría esa apuesta.

—Eso habría que verlo. Diez dólares, Flower. Supera la apuesta o cállate.

La estaba provocando a propósito, pero a ella no le importaba. Todo lo que quería era borrar esa estúpida sonrisa de esa estúpida boca.

—Que sean veinte.

—¡Huy, qué miedo, Flower! Estoy asustado de verdad. —Retrocedió y se preparó.

—Espero que tengas un buen seguro médico —dijo ella mirándolo fijamente.

—Hasta ahora, lo único que has hecho es hablar.

Bien, se lo había buscado. Así aprendería.

—Oye, ¿no crees que todo esto es un poco infantil?

—¡Oh, vamos! ¡La Niña Brillante se apaga! ¡Le da miedo hacerse daño!

—¡Ahora verás!

Afianzó los pies en el suelo arenoso, apretó los puños y seguidamente cargó.

Fue como si topara contra un muro de piedra.

El impacto la habría tirado al suelo si él no lo hubiera evitado. La mantuvo agarrada fuertemente contra él. Pasaron unos segundos durante los cuales Fleur intentó recuperar el aliento y luego se apartó a un lado. Le dolía la barbilla, pues había topado contra el hombro de él, y su propio hombro le palpitaba.

—Esto es una tontería —dijo por fin, iniciando a trompicones la vuelta a la casa.

—¡Oye, Flower! —dijo él, siguiéndola con sus andares de vaquero hasta que estuvo a su altura—. ¿De veras no puedes hacerlo mejor? ¿O es que te preocupa volver a ensuciar este bikini tan blanco?

Ella lo miró, incrédula. Le dolían las costillas, la barbilla todavía le dolía más y no sabía si podría recuperar el aliento alguna vez...

—¡Estás loco!

—Doble o nada. Y esta vez con más carrerilla.

Ella se acarició el hombro.

—Creo que paso.

Él se echó a reír. Fue casi un sonido agradable.

—Bueno, vale, dejémoslo. Pero me debes veinte pavos.

Parecía tan pagado de sí mismo que ella incluso abrió la boca para aceptar el desafío, pero finalmente prevaleció el sentido común. Estuviera o no dispuesta a admitirlo, él había hecho algo muy bueno para ella. Empezaron a andar juntos al tiempo que rodeaban la casa.

—Te crees muy listo, ¿verdad?

—¡Oye, que soy un genio precoz! Lee lo que ponen las críticas, cualquiera de ellas. Ya verás, ya...

Ella lo miró desde abajo, hizo una mueca burlona y le contestó:

—Las chicas glamurosas no sabemos leer. Solamente miramos las fotografías.

Él rio y siguieron caminando.

La escena quedó completada en la siguiente toma y Johnny Guy dijo que era exactamente lo que buscaba, pero el breve momento de satisfacción de Fleur se desvaneció cuando el director les preparaba para la siguiente escena. Mientras Lizzie seguía en brazos de Matt, se suponía que ella le daba un beso como de hermana. Intercambiaban unas frases y luego Lizzie volvía a besarlo, pero esta vez sin matices fraternales. Matt tendría que retirarse, confundido, y la cámara lo mostraría intentando asumir los cambios operados en aquella chica desde la última vez que la había visto, cuando todavía era una niña.

Jake continuaba bromeando con ella y decía que no volvería a trabajar hasta que no le pagara los veinte dólares. La hacía reír, y a la hora de darle el beso familiar no hubo ningún problema. Pero los diálogos eran complicados y requirieron varias tomas. De todos modos, por muy cómoda que hubiera estado no habría podido hacerlo a la primera, así que no era un desastre, ni mucho menos. Cuando hicieron una pausa para comer,

Jake le tiró de la trenza, como si fuera una niña de diez años, y le dijo que no derribara a nadie mientras él se ausentaba.

Tras la comida filmaron algunos primeros planos. Para cuando acabaron, el sudor de Fleur había traspasado su tercera camisa. Los de vestuario empezaron a coser protectores en las camisas y vestidos.

Tocaba ya el segundo beso y ella sabía que iba a tener problemas. Había besado a hombres ante la cámara y también a unos pocos sin cámara delante, pero no quería besar a Jake Koranda, no porque fuera un engreído —de hecho estaba consiguiendo mostrarse amigable—, sino porque empezaba a sentir algo extraño cuando se acercaba demasiado a él.

El ayudante de dirección la llamó. Jake ya se encontraba en su sitio, hablando con Johnny Guy. Mientras este explicaba la secuencia, ella miraba la boca de Jake, esa boca de niño, tan blanda y de expresión tan enfurruñada. Él la sorprendió mientras lo hacía y la miró con extrañeza. Ella bostezó y se miró la muñeca desnuda.

—¿La Niña Brillante tiene alguna cita importante en espera? —preguntó él.

—Eso siempre —respondió ella.

Johnny Guy se volvió hacia Fleur.

—Lo que necesitamos ahora, cariño, es un beso de lengua bien real, hasta la campanilla. Lizzie tiene que despertar a Matt de golpe.

Ella respondió con una mueca y levantando los pulgares.

—Lo he captado.

Las mariposas de su estómago iniciaron una danza de guerra. No era la mejor besadora del mundo. Pero ¿cómo podía serlo si apenas había salido nunca con alguien que le gustara de verdad?

Jake la rodeó con sus brazos y posó las manos justo por encima de la parte inferior del biquini. Ella reparó en que había pasado la mayor parte del día arrastrándose encima de su cuerpo de una u otra forma.

—El pie, cariño —dijo Johnny Guy.

Ella miró hacia abajo. Era tan grande como solía.

—Un poco más cerca, dulzura.

Entonces comprendió lo que le estaba indicando. Aunque apretaba el pecho contra el de Jake, había tirado el trasero casi tan atrás como podía. Rápidamente ajustó su posición. Con los zapatos que llevaba él y con ella descalza, la superaba en casi diez centímetros. Era algo extraño para ella, y no le gustaba.

«Este es Matt —se dijo mientras Johnny Guy volvía tras las cámaras—. Has estado con otros hombres, pero este es el que quieres.»

Johnny Guy dijo «¡Acción!» y ella recorrió con sus dedos la pechera del uniforme de Matt. Cerró los ojos y tocó con su boca esos blandos y cálidos labios. La mantuvo ahí, mientras intentaba pensar en Matt y Lizzie.

Johnny Guy no parecía muy impresionado.

—No te has esforzado demasiado. Venga, a ver si esta vez vas más en serio.

En la siguiente toma, movió las manos por las mangas del uniforme de Matt. Jake bostezó cuando la escena acabó y se miró el reloj, que él sí tenía. Algo le dijo a Fleur que no era porque estuviera nervioso.

Johnny Guy se la llevó a un lado.

—Olvídate de la gente que te está mirando. Esos solamente están pensando en llegar a casa para cenar. Relájate. Apriétate contra él un poco más.

Habló consigo misma durante el trayecto de vuelta a su marca. No se trataba más que de una pieza específica en el negocio. No se trataba más que de un trabajo, algo semejante a abrir una puerta. Tenía que relajarse. «¡Relájate, por lo que más quieras!», se ordenó.

Creyó que el siguiente beso había sido mejor, pero aparentemente fue la única en creerlo.

—¿Crees que podrías abrir un poco la boca si te lo propones, cariño? —pidió Johnny Guy.

Maldiciéndose por lo bajo, volvió a los brazos de Jake y luego miró hacia arriba para comprobar si la había oído.

—Lo siento, guapa, pero no puedo ayudarte —dijo él—. En esto solo soy la parte pasiva.

—No necesito que me ayudes.

—Perdona.

—¡Como si yo necesitara ayuda!

—Lo que tú digas.

Johnny Guy volvió a dar la orden de rodar. Ella lo hizo lo mejor que supo, pero cuando el beso acabó Jake se rascó la nuca.

—Me está entrando sueño, Flower Power. ¿Quieres que le pregunte a Johnny Guy si podemos practicar un poco al otro lado de la casa?

—Estoy un poco nerviosa, eso es todo. Es mi primer día. Y no voy a hacer ninguna sesión práctica contigo sin un casco y sin rodilleras.

Él le respondió con una mueca y luego, de pronto, se inclinó hacia ella para susurrarle al oído:

—Te apuesto veinte pavos a que no puedes despertarme, Flower.

Fue el susurro más incitante y erótico, más propio de una alcoba, que había oído nunca.

La siguiente toma fue mejor y Johnny Guy dijo: «¡Buena!». Jake le recordó que le debía otros veinte dólares.

10

Belinda estaba esperando en el patio cuando Fleur llegó a casa procedente del estudio. No la había visto en casi dos semanas. Belinda tenía un aspecto descansado y fresco con un top de batik rojo y amarillo sin mangas y unos pantalones de lino con cinturón. Fleur le dio un gran abrazo y luego le examinó la cara de cerca.

—La varicela no te ha dejado marcas.

—¿Tengo suficiente buen aspecto para hacerles lamentar que no se fijaran en mí cuando tenía dieciocho años?

—Les vas a romper el corazón.

Belinda se encogió de hombros.

—La varicela ha sido una experiencia horrible. No se la recomiendo a nadie. —Volvió a besar a Fleur—. Te he echado muchísimo de menos, mi niña.

—Y yo también.

Comieron junto a la piscina en platos de barro con raciones generosas de la ensalada favorita de Fleur, una mezcla potente de gambas, piña y berros frescos. La muchacha puso a su madre al corriente de los acontecimientos de la semana anterior. No obstante, aunque solía contárselo todo, se contuvo cuando el tema pasó a ser Jake. Al acabar el segundo día de rodaje, un lunes, ella había decidido que lo había juzgado mal. Se burlaba de ella y la llamaba Flower Power, sí, pero también parecía tratarla con sumo cuidado. El martes había decidido que de alguna manera él le gustaba. El miércoles había tenido la seguridad de que le gustaba y ese mismo mediodía se había dado cuenta de que estaba prendada de él, algo que Belinda no tenía que descubrir por nada del mundo, o las consecuencias serían imprevisibles. Así que cuando su madre la presionó con preguntas, Fleur le contó la anécdota de cuando lo había tumbado en su primer día y de lo fantástica que había sido la reacción del actor.

En cuanto a la reacción de Belinda, era previsible.

—Ya me lo imaginaba —dijo—. Ahora mismo es uno de los actores más importantes. Sin embargo, estaba pendiente de ti y entendió lo apurada que te encontrabas. Es como Jimmy, rudo por fuera pero tierno y sensible por dentro.

La convicción de Belinda de que Jake encarnaba todas las cualidades de su queridísimo James Dean irritaba a Fleur.

—Es mucho más alto. Y no se parecen en absoluto.

—Son personas de la misma clase, mi niña. Jake Koranda también es un rebelde.

—Pero ¡si ni siquiera lo conoces! No se parece a nadie. O por lo menos a nadie que yo conozca.

Belinda la miró de una manera extraña y algo suspicaz, de modo que optó por callarse.

La señora Jurado, la asistenta, que resultó que tenía sesenta años y le encantaba enseñar su pulgar de doble articulación, salió al patio y conectó el teléfono que llevaba.

—Es el señor Savagar. —Fleur hizo ademán de coger el auricular, pero la señora Jurado negó con la cabeza—. Es para la señora Savagar.

Belinda miró a su hija y se encogió de hombros con expresión confundida. Después se quitó el pendiente y tomó el auricular.

—¿Qué hay, Alexi? —Tamborileó con las uñas en la mesa de vidrio—. ¿Y qué esperas que haga yo al respecto? No, claro que no me ha llamado. Sí. Sí, de acuerdo. Sí, ya te lo diré si me llega alguna noticia.

—¿Ocurre algo malo? —preguntó Fleur una vez que Belinda hubo colgado.

—Michel ha desaparecido de la clínica. Alexi quería saber si se había puesto en contacto conmigo. —Volvió a ponerse el pendiente—. Tiene que resultar obvio, incluso para tu padre, que abandonó al hijo equivocado. Mi hija es preciosa y tiene éxito. Su hijo es homosexual y soso.

Michel era también el hijo de Belinda y, dándole vueltas a esa evidencia, a Fleur se le fue el apetito. Por mucho que siguiera resentida con su hermano, la actitud de su madre le parecía errónea.

Unos meses atrás había corrido el rumor de una relación amorosa que ya llevaba varios años entre Michel y un hombre casado de la buena sociedad parisina. Este había muerto de un ataque al corazón cuando se descubrió el asunto y Michel había intentado suicidarse. Fleur, tan acostumbrada a la homosexualidad abierta del mundo de la moda, no entendía a qué venía tanto escándalo. Alexi no quiso que Michel volviera a su escuela de Massachusetts y lo internó en una clínica privada suiza. Fleur había intentado compadecerse de Michel —y de veras lo compadecía—, pero una parte horrible y despiadada de su personalidad atribuía a la justicia que él fuera por fin el desfavorecido.

—¿No vas a comerte esa ensalada que tienes en el plato? —preguntó Belinda.

—Se me ha ido el hambre.

El pestazo del cigarro de Dick Spano llenaba la sala de proyección, junto con un mareante olor a cebolla procedente de los envoltorios de comida rápida en la papelera. Esa noche Jake sopesaba el trabajo de dos semanas de agobios desde la fila de atrás. No era una actividad habitual en él como actor, pero como guionista en ciernes tenía que comprobar cómo funcionaban los diálogos para luego reescribirlos si era necesario.

—Ahí lo has clavado, Jako —dijo Johnny Guy tras visionar el primer intercambio entre Matt y Lizzie—. Eres un escritor como la copa de un pino. Lo que no entiendo es para qué pierdes el tiempo con esos faranduleros de Nueva York.

—Todos ellos me alimentan el ego —dijo Jake sin apartar la mirada de la pantalla cuando Lizzie empezaba a besar a Matt—. Mierda.

Los hombres visionaron el beso varias veces.

—Pues no está mal —dijo Dick Spano al final.

—Va por el buen camino —opinó Johnny Guy.

—Da asco. —Jake acabó de tomar la cerveza mexicana y dejó la botella en el suelo—. Lo del beso podría pasar, pero está claro que nunca podrá con las escenas más comprometidas que nos quedan.

—Deja ya de ser tan negativo. Lo hará bien.

—El papel de Lizzie no entra dentro de sus posibilidades. Fleur está llena de energía, y pone la mejor voluntad, pero ¡hay que tener en cuenta que se ha educado en un convento, coño!

—No era un convento —dijo Dick—, sino la escuela de un convento. Hay una diferencia.

—Es más que eso. Es una chica sofisticada pero no tiene mundo. Ha viajado por todo el planeta, y nunca me había encontrado con alguien de su edad que tuviera tanta cultura. ¡Si hasta habla de filosofía y política como una europea! Pero también parece haber vivido en una burbuja de cristal. Los que la han educado la han tenido bien sujeta, con las riendas tirantes. No tiene ninguna experiencia ordinaria de la vida, y no es una actriz lo bastante buena como para ocultarlo.

Johnny Guy se deshizo del envoltorio de una chocolatina Milky Way.

—Ya se las arreglará, ya verás. Es muy trabajadora y la cámara la ama.

Jake se reclinó en su asiento y miró. Johnny Guy tenía razón en una cosa. Sí, la cámara la amaba. Esa gran cara iluminaba la pantalla, junto con esas piernas asombrosas, kilométricas, propias de bailarina de revista. La suya no era una belleza convencional, pero reconocía algo atractivo en esa zancada tan amplia y firme.

Aun así, aquella extraña ingenuidad quedaba muy lejos de la sexualidad manipuladora de Lizzie. En la escena de amor final, Lizzie tenía que dominar a Matt para despojarlo de las últimas ilusiones que se hacía sobre su inocencia. Y Fleur realizaba todos los movimientos, sí, pero él había conocido toda su vida a mujeres en esa misma situación y el comportamiento de esa niña no parecía verosímil.

Había sido un día muy largo. Se frotó los ojos. El éxito de esa película era para él más importante que todo lo que había hecho antes. Sus dos guiones anteriores acabaron en la papelera, pero con *Eclipse de domingo por la mañana* por fin estaba satisfecho. No solamente porque creía que existía un público para las películas profundas, sino también porque quería encarnar un papel con más de dos expresiones faciales, por muy asumido que tuviera ya que los premios de interpretación no se habían instituido para actores como él.

¡Todo había ocurrido tan deprisa! Había escrito la primera obra en Vietnam, cuando tenía veinte años. Había trabajado a hurtadillas y la había acabado no mucho antes de que lo enviaran a casa. Cuando le dieron el alta en un hospital de San Diego la reescribió, y luego la envió a Nueva York el mismo día que lo licenciaron. Cuarenta y ocho horas después, un agente de reparto de Los Ángeles reparó en él y le pidió que hiciera la prueba para un pequeño papel en un western de Paul Newman. Lo habían contratado al día siguiente, y un mes más tarde un empresario teatral neoyorquino lo llamaba para hablar de producir la obra que había enviado. Jake había acabado la película y de inmediato había tomado un vuelo nocturno a Nueva York.

Esa experiencia marcó el inicio de su frenética doble vida. El productor llevó adelante su obra. Jake recibió poco dinero, pero un montón de gloria. Los de los estudios estaban encantados con su intervención y le ofrecieron otro papel más destacado. Era un dinero demasiado bueno para que un chico duro de Cleveland lo despreciara. Y así empezaron los malabarismos: Costa Oeste para el dinero, Costa Este para lo auténtico.

Firmó para la primera película de Caliber y empezó una nueva pieza. Bird Dog hizo que los estudios quedaran sepultados bajo una avalancha de cartas de fans, y la obra de teatro ganó el Pulitzer. Pensó en dejar Hollywood, pero con la pieza había ganado menos de la mitad de lo que podía obtener con la nueva película. Actuó en ella y luego se fueron sucediendo, una tras otra. Y hasta ese momento no lo había lamentado. O por lo menos, no mucho.

Volvió a concentrarse en la pantalla. A pesar de todas las bromas que le gastaba a Flower Power sobre su condición de chica glamurosa, la verdad era que no la veía pendiente en exceso de su aspecto. No se miraba al espejo a menos que tuviera que hacerlo, e incluso entonces no malgastaba un segundo de más para admirarse. No había previsto que la personalidad de Fleur Savagar fuera tan compleja.

En parte el problema era que no se parecía en absoluto a la Liz real, que había sido menuda y morena. Cuando paseaba con Liz por el campus, ella tenía que dar dos pasos por cada uno de él. Recordaba haberla buscado entre las gradas cuando él jugaba a baloncesto, y localizarla por su melena oscura y brillante, sujeta con el pasador plateado que él le había comprado... ¡Sí, recordaba toda esa bazofia romántica, tan infantil!

No podía seguir con esos recuerdos, o habría empezado a oír a Creedence Clearwater Revival y habría percibido otra vez el olor a napalm. Se dirigió hacia la puerta. Por el camino topó con la botella de cerveza vacía. La estrelló contra la pared y se hizo añicos.

La mañana posterior a su llegada a Los Ángeles, Belinda esperaba detrás del *soundstage* mientras Fleur estaba en maquillaje. Cuando por fin oyó aquellos pasos, los años que habían pasado se desvanecieron. Ella volvía a tener dieciocho años y a estar en la barra del Schwab. Casi esperaba que él sacara un paquete arrugado de Chesterfield del bolsillo de la chaqueta del uniforme. Sentía los latidos del corazón. La inclinación de los hombros, la caída de la cabeza... Un hombre es su propio hombre. James Dean, chico malo.

—Me encantan tus películas... —dijo dando un paso de manera que le bloqueaba el camino—. Especialmente las de Caliber.

Él le respondió con una sonrisa torcida.

—Gracias.

—Soy Belinda Savagar, la madre de Fleur. —Tendió la mano, y cuando él la tomó se sintió mareada.

—Señora Savagar, es un placer conocerla.

—Llámame Belinda, por favor. Quería darte las gracias por ser tan atento con Fleur. Ya me ha explicado lo mucho que la has ayudado.

—Empezar siempre es difícil.

—Pero no todo el mundo es lo bastante amable como para facilitar las cosas.

—Es muy buena chica.

Él quería seguir su camino, de manera que ella le prendió las uñas, recientemente pasadas por la manicura, en la manga.

—Perdón si te parezco presuntuosa, pero Fleur y yo quisiéramos darte las gracias como es debido. El domingo por la tarde haremos un poco de carne a la parrilla. Nada especial. Cocina de patio trasero de Indiana.

Jake recorrió con la mirada la guerrera de Yves Saint Laurent y los pantalones de gabardina blanca. A Belinda le pareció evidente que le gustaba lo que veía.

—Pues la verdad, de Indiana no pareces.

—Nacida y criada allí. Una auténtica *hoosier*. —Le dirigió una mirada de picardía—. Encenderemos el carbón a eso de las tres.

—Lo siento, pero el domingo estoy comprometido —respondió él con lo que parecía genuino pesar—. ¿Podrías esperar a prender ese carbón una semana?

—Pues sí, podría.

Cuando vio que él sonreía y seguía su camino, ella supo que había hecho exactamente lo que debía, igual que con Jimmy.

Cerveza fría, chips de bolsa y agua Perrier. Dios, cuánto echaba en falta a los hombres de verdad.

El fin de semana siguiente, Fleur miró a su madre desde arriba. Belinda tomaba el sol en una tumbona junto a la piscina, con el biquini blanco y el brazalete de oro en el tobillo brillando contra la piel untada de aceite y los ojos cerrados bajo unas enormes gafas de sol de carey. Pasaban cinco minutos de las tres de un domingo.

—¡No puedo creer que hicieras semejante tontería! ¡Es que no me lo puedo creer! Desde que me lo dijiste no he podido mirarlo a los ojos. Lo has puesto en una situación apurada, y a mí ya no digamos. Lo último que le apetece hacer en su único día libre es venir aquí.

Belinda abrió la mano para que se broncearan también las zonas entre los dedos.

—No seas tonta, cariño. Se lo va a pasar la mar de bien. Nosotras nos ocuparemos de que así sea.

Eso era lo que Belinda llevaba repitiendo desde que le había comunicado a Fleur que había invitado a Jake para una comida de domingo por la tarde. La muchacha agarró el recogedor de hojas y caminó hasta el borde de la piscina. Si ya era horroroso tener que mirar cómo se comportaba su madre con Jake durante toda la semana, tener que hacerlo también en domingo... Si Jake llegara a sospechar hasta qué punto Fleur estaba colada por él...

Empezó a buscar hojas. Lo que había empezado como un ligero interés se estaba convirtiendo en una obsesión que crecía en intensidad de día en día. Por suerte era lo bastante inteligente para saber que eso no tenía nada que ver con dos corazones latiendo al unísono. Tenía que ver con el sexo. Finalmente había encontrado a un hombre que hacía que las piernas le temblaran de lujuria. Pero ¿por qué tenía que ser precisamente ese hombre?

Fuera como fuese, ese día no iba a comportarse como una estúpida. No iba a mirarlo, no hablaría demasiado, no reiría demasiado. Iba a ignorarlo, eso haría. Belinda lo había invitado, ¿no? Pues que ella se encargara de distraerlo.

Su madre se levantó las gafas de sol y se fijó en el trasero gastado del bañador negro, el más viejo que tenía, de Fleur.

—¿Qué tal si te pusieras uno de tus biquinis? El traje de baño que llevas es terrorífico.

En ese momento Jake entró por las puertas cristaleras que daban al patio.

—Pues a mí me gusta —dijo Fleur antes de dejar en el suelo el recogedor y lanzarse al agua.

Se había puesto aquel viejo bañador negro precisamente para que Jake no pudiera confundirla con las mujeres que revoloteaban a su alrededor. Lynn lo llamaba el «efecto sexual Koranda».

Tocó el fondo y volvió a la superficie. Él se había sentado en la silla junto a Belinda. Llevaba un bañador azul muy holgado, una camiseta gris y un par de zapatillas de atletismo que habían conocido días mejores. Fleur ya había descubierto que solamente iba bien arreglado cuando llevaba traje. Por lo demás, parecía poseer una colección interminable de tejanos rotos y camisetas gastadas.

Y quedaba genial vestido con cualquiera de esas viejas prendas.

Al ver que echaba atrás la cabeza y reía por algo que Belinda había dicho, Fleur sintió un arranque de celos. Belinda sabía exactamente cómo hablarle a un hombre. A Fleur le hubiera gustado ser así, pero solo encontraba fácil hablar con los hombres cuando estos no le importaban: los actores y los *playboys* ricos con que Belinda y Gretchen querían verla. Casi no tenía práctica a la hora de hablarle a un hombre al que quisiera impresionar. Volvió a sumergirse. ¡Ojalá hubiera podido estar colada por alguien, y desearlo tanto, cuando tenía dieciséis, como la demás chicas! ¿Por qué siempre era la última en despertar? ¿Y por qué el primer hombre al que deseaba tenía que ser un famoso guionista-actor a cuyo alrededor revoloteaban las mujeres?

Volvió a salir a la superficie a tiempo de ver a Belinda colocar las piernas a un lado de la tumbona.

—Fleur, ven a atender a Jake mientras busco algo con que taparme. Empiezo a quemarme.

—Quédate donde estás, Fleur, que voy.

Jake se quitó la camiseta, se sacó las zapatillas y se lanzó a la piscina. Cuando emergió en el otro extremo y nadó hacia ella, Fleur contempló el juego de los músculos en sus brazos, y cómo el agua se le deslizaba por la cara, por el cuello... Al llegar junto a ella puso los pies muy cerca. Su sonrisa con el diente mellado era irresistible y Fleur sintió una punzada en el bajo vientre.

—Tienes el pelo mojado —dijo él—. Yo creía que las chicas glamurosas de Nueva York solo miraban el agua.

—Eso es una prueba de lo poco que sabes sobre las chicas glamurosas de Nueva York.

Se sumergió de nuevo, pero antes de que pudiera apartarse una mano la agarró por el tobillo y la obligó a retroceder.

—¡Oye! —dijo con fingido enfado cuando ella se volvió—. ¿No soy una estrella del cine en el candelero? Las chicas no se marchan así de mi lado.

—Quizá no te ocurra con las chicas normales, pero las glamurosas que están en la onda pueden encontrar un mejor partido que un vulgar guionista.

Él se echó a reír y ella aprovechó para llegar a la escalerilla.

—¡Eso no ha sido justo! —exclamó Jake—. ¡Eres mejor nadadora que yo!

—Ya me he dado cuenta. Estás en baja forma.

Pero no debía de estar tan bajo de forma, pues subió los peldaños justo por detrás de ella.

—Corrígeme si me equivoco, Flower Power, pero hoy no pareces nada contenta de verme.

Quizás al fin y al cabo fuera mejor actriz de lo que ella misma pensaba. Recogió una toalla de una silla y se envolvió.

—No es nada personal —respondió—. Es que me he ido a dormir tarde, eso es todo. —Había estado leyendo sus frases—. También estoy un poco preocupada por la escena que tengo con

Lynn y contigo mañana. —Más que un poco preocupada, estaba aterrorizada.

—Vamos a correr y hablamos del asunto.

Ella había ido a correr casi cada día desde que había llegado a Los Ángeles, y no podía haberle sugerido nada mejor para descargar un poco la tensión.

—Buena idea.

—¿Te importa si me llevo a tu pequeña un rato? —le gritó Jake a Belinda, que justo en ese momento volvía al patio con su bata de encaje—. Necesito hacer un poco de sitio para esas chuletas.

—Marchaos, marchaos —dijo Belinda despidiéndolos con gesto divertido—. Tengo la nueva novela de Jackie Collins y me muero por acabarla.

Jake hizo una mueca. Fleur sonrió y corrió al interior para ponerse unos shorts y unas zapatillas. Cuando se sentó en el borde de la cama para atarse los cordones, el libro que había estado leyendo cayó al suelo. Miró la página que había marcado esa misma mañana.

Koranda nos ofrece su personal visión de la clase trabajadora americana. Sus personajes son hombres y mujeres amantes de la cerveza y los deportes de contacto, creyentes en un día de trabajo honesto para una paga diaria honesta. Con un lenguaje que con frecuencia es crudo y a menudo divertido, nos muestra lo mejor y lo peor del espíritu americano.

En el siguiente párrafo un crítico lo explicaba de forma más sencilla:

En el fondo, el trabajo de Koranda tiene éxito porque toma al país por las pelotas y aprieta fuerte.

Había estado leyendo las obras de Jake y los artículos de unos cuantos intelectuales sobre ellas. También había realizado alguna investigación sobre su vida social, lo que no había resultado fácil por la obsesión de Jake con la privacidad. Aun así, había descubierto que raramente salía con una misma mujer más de unas pocas veces.

Lo encontró al final del camino de entrada, haciendo estiramientos.

—¿Crees que vas a aguantar, Flower, o quieres que te consiga un cochecito?

—¡Muy agudo! ¡Y yo que te iba a conseguir una silla de ruedas...!

Empezaron a correr a trote ligero. Como era domingo, el ejército de jardineros que mantenían inmaculados los céspedes delanteros de las casas de Beverly Hills estaba ausente, y la calle parecía todavía más desierta que habitualmente. Fleur intentó pensar en algo interesante que decir.

—Te he visto jugando junto al aparcamiento. Lynn me explicó que estabas en el equipo del instituto.

—Ahora juego un par de veces por semana. Me ayuda a mantener la cabeza despejada para escribir.

—¿Y no se supone que los guionistas son intelectuales, en lugar de deportistas?

—Los guionistas son poetas, Flower, y en esto consiste el baloncesto. En poesía.

«Y eso es lo que tú eres —pensó ella—, una pieza oscura y complicada de poesía erótica.» Tenía que poner cuidado en no tropezar.

—A mí me gusta el baloncesto, pero no se corresponde exactamente con la idea que tengo de la poesía.

—¿No has oído hablar de un chico llamado Julius Erving?

Negó con la cabeza y aceleró el paso para que no pudiera acusarle de frenarlo.

—La gente le llama Erving *el Doctor*. Es uno de los más jóvenes de los New York Nets y será uno de los mejores. No solamente bueno, ¿entiendes?, sino uno de los mejores baloncestistas de todos los tiempos.

Fleur añadió mentalmente a Julius Erving a su lista de lecturas.

—Todo lo que el Doctor hace en la pista es poesía. Las leyes de la gravedad desaparecen cuando se mueve. Vuela, Flower. Y no se supone que los hombres vuelen, pero Julius Erving lo hace. Eso es poesía, chica, y eso es lo que me hace escribir.

De pronto parecía incómodo, como si hubiera revelado demasiado sobre sí mismo. Ella vio surgir unas persianas que se cerraban sobre sus ojos.

—Aceleremos un poco el paso —pidió con un gruñido—. Para correr así, lo mismo podríamos estar andando.

Por ella que no quedara. Se lanzó a correr por delante de Jake y siguió por un carril de bicicletas, alargando la zancada. Él se puso a su altura enseguida y no pasó mucho tiempo antes de que ambas camisetas estuvieran empapadas de sudor.

—Cuéntame cuál es el problema con la escena de mañana —dijo por fin.

—Es algo... difícil de explicar. —Le faltaba el aire y aspiró más—. Lizzie... ¡parece tan... calculadora!

Él aminoró el ritmo en atención a Fleur.

—Lo es. Es una zorra y una calculadora.

—Pero aunque está resentida con DeeDee, la quiere... Y sabe lo que siente DeeDee por Matt. —Llenó los pulmones de aire—. Puedo entender que ella se sienta atraída por él, que se quiera... que se quiera acostar con él. Pero no entiendo que sea tan calculadora sobre este tema.

—Pues eso es algo que está en la historia de las mujeres, ¿no te parece? No hay nada como un hombre para romper la amistad entre dos mujeres.

—Eso no es verdad. —Pensó en su reciente acceso de celos hacia Belinda y no se gustó en absoluto—. Las mujeres tienen mejores cosas que hacer que pelearse por un tipo que además probablemente no vale nada.

—Oye, que aquí soy yo quien define la realidad. Tú no eres más que un micrófono.

—¡Bah, escritores!

Él sonrió y ella se fortaleció con más inspiraciones de aire antes de proseguir:

—DeeDee parece más... más completa que Lizzie. Tiene puntos fuertes y puntos débiles. Te dan ganas de consolarla y sacudirla a la vez...

Se detuvo a tiempo antes de decir que el carácter de DeeDee estaba mejor escrito, cosa que por otra parte era verdad.

—Muy bien, veo que te has leído el guión.

—No te pongas paternalista. Tengo que interpretar ese papel, pero no entiendo al personaje. Me preocupa.

Jake volvió a acelerar el paso.

—Es que tiene que preocuparte. Vamos a ver, Flower, por lo que tengo entendido llevaste una vida bastante protegida hasta hace un par de años. Quizá no te hayas topado nunca con nadie como Lizzie, pero una mujer como esa deja las huellas de sus dientes en un hombre.

—¿Por qué?

—¿Y eso qué más da? Lo que cuenta es el efecto final.

Por muy atraída que se sintiera hacia él, aún podía enfadarse.

—Oye, no dices «qué más da» con otros personajes. ¿Por qué lo dices cuando estamos hablando de Lizzie?

—Pues mira, lo siento, pero supongo que tendrás que confiar en mí —dijo él antes de iniciar un acelerón.

—¿Y por qué iba a confiar en ti? —gritó ella a su espalda—. ¿Porque tú has ganado un Pulitzer, y en cambio yo no he conseguido más que portadas en *Cosmopolitan*?

Jake aflojó el ritmo.

—No he dicho tal cosa. —Llegaron a un pequeño parque tan desierto como el resto de la zona—. Caminemos un rato, si te parece.

—No tienes que tratarme como si fueras mi canguro. —No le gustó el tono de rabia que su voz denotaba.

—Vamos a hablar claro —dijo él al tiempo que frenaba—. ¿Qué es lo que te hace sentir tan molesta, Lizzie o el hecho de saber que yo no te quería para ese papel?

—El que define la realidad eres tú. Te corresponde escoger.

—Pues entonces hablemos sobre el casting. —Se secó el sudor de la cara con la camiseta—. En pantalla eres preciosa, Flower. Tu cara es mágica y tus piernas son impresionantes. Johnny Guy corrige el *script* todas las noches para añadir más primeros planos. Se le llenan los ojos de lágrimas cuando te ve en las pruebas. —Le sonrió, y ella sintió que su enfado se disolvía—. Por otra parte, eres muy buena niña.

«Niña.» Eso dolía.

—Escuchas las opiniones de los demás —continuó Jake—, trabajas duro y podría asegurar que no tienes el menor rastro de malicia.

Fleur pensó en Michel y supo que eso no era cierto.

—Por eso desconfiaba de tu capacidad para interpretar a Lizzie. Es una carnívora. Su personalidad es ajena a tu propia naturaleza.

—Soy una actriz, Jake. Actuar consiste precisamente en hacer un papel distinto del propio. —Se sentía como una hipócrita. No era una actriz. Era una falsificación, una chica cuyo cuerpo de parada de monstruos se convertía por arte y gracia de la cámara, misteriosamente, en algo bello.

Jake se mesó el cabello, de manera que se le levantó en pequeñas puntas a un lado de la cabeza.

—Me cuesta mucho hablar de un personaje como Lizzie. Se basa en una chica a la que conocí. Hace mucho tiempo estuvimos casados.

¿Acaso Jake, el Greta Garbo de los actores, estaba a punto de hacerle confidencias? En cualquier caso, no le agradaba hacerlo. Parecía enfadado por haber revelado siquiera ese detalle de su historia personal.

—¿Cómo era ella? —preguntó Fleur.

Un músculo de la mandíbula se le contrajo.

—No es importante.

—Quiero saberlo.

Siguió caminando unos pasos y luego se detuvo.

—Era una comedora de hombres. Me machacó entre sus dientecitos tan encantadores y luego me escupió.

La tozudez que le había causado tantos problemas en el pasado volvió por sus fueros.

—Pero seguro que hubo algo concreto, algún detalle, que hizo que te enamoraras de ella.

Él reinició la marcha.

—Déjalo correr.

—Necesito saberlo.

—Y yo digo que lo dejes. Era buena en la cama. ¿Te sirve eso?

—¿Y ya está?

Se detuvo en seco y se volvió hacia ella.

—Y ya está. Cientos de clientes satisfechos habían encontrado la alegría entre sus piernas, pero el chico eslovaco de Cleveland era demasiado ignorante como para suponerlo. ¡Así que se la comió a lengüetazos, como un cachorrillo!

Fleur percibió su dolor y le tocó el brazo.

—Lo siento, de verdad.

Él apartó el brazo. En el camino de vuelta corrieron completamente en silencio. Fleur pensaba en aquella mujer, qué clase de persona era.

Los pensamientos de Jake seguían un camino similar. Había conocido a Liz en el inicio de su primer curso en el colegio universitario. Un día que volvía a casa después del entrenamiento de baloncesto coincidió con un ensayo en el teatro de la universidad. Ella estaba en el escenario, la chica más bonita que había visto nunca, una muñeca de pelo oscuro. Esa misma noche la invitó a salir, pero ella le contestó que no salía con deportistas. Esa resistencia la hizo todavía más atractiva a sus ojos, y empezó a rondar por el teatro entre los entrenamientos. Ella continuó ignorándolo. Jake descubrió que se había apuntado a una clase de escritura de guiones para el siguiente semestre, y él se las apañó para inscribirse y para que lo destinaran a esa misma clase. Eso le iba a cambiar la vida.

Escribió sobre los hombres que había conocido en los bares de ambiente obrero de Cleveland. Los Pete y los Vinnie que gradualmente habían ocupado el lugar de ese padre que él no había tenido, los hombres que le preguntaban sobre sus deberes, los que lo reprendían si faltaba a clase, los que una noche, cuando averiguaron que la policía lo había detenido por intentar robar un coche, lo llevaron al callejón detrás del bar y le enseñaron el significado del afecto duro.

Las palabras brotaban de él y el profesor estaba impresionado. Y aún más importante, acabó por llamar la atención de Liz. Como su familia era rica, la pobreza de Jake la fascinaba. Leían a Jalil Gibran juntos y hacían el amor. Él empezó a dejar que se derrumbaran los muros que había levantado a su alrededor. Antes de que se diera cuenta habían decidido casarse, aunque él solo tuviera diecinueve años y Liz veinte. El padre de esta amenazó con retirarle la paga, así que ella le dijo que estaba embarazada. Papá los embarcó hacia Youngstown para una ceremonia rápida, pero luego, cuando averiguó que era un farol, dejó de enviar cheques. Jake ocupaba las horas que le dejaban las clases y los entrenamientos trabajando en el restaurante del pueblo.

Un estudiante licenciado se inscribió en el departamento de teatro. Cuando Jake volvía a casa se lo encontraba sentado en la mesa de formica de la cocina hablando del significado de la vida con su mujer. Una noche los sorprendió en la cama. Liz lloró y le rogó que la perdonara. Le dijo que se sentía sola y que no estaba acostumbrada a ser pobre. Jake la perdonó.

Dos semanas después la encontró de rodillas trabajándose a uno de los compañeros del equipo de baloncesto. Descubrió por fin que eran muchos los que se beneficiaban de tanta inocencia. Así pues, cogió las llaves de su Mustang, se dirigió a Columbus y se alistó. Los papeles del divorcio le llegaron cuando se encontraba cerca de Da Nang. Vietnam, tan inmediatamente después de la traición de Liz, lo había cambiado para siempre.

Cuando había escrito *Eclipse de domingo por la mañana* el fantasma de Liz había vuelto a visitarlo. Se le había sentado en el regazo para susurrarle palabras de inocencia y de corrupción. Se había convertido en Lizzie. Lizzie, con su rostro franco e inocente y con el corazón de una ramera. Lizzie, que no se parecía en nada a esa niña tan alta y bella que corría a su lado.

—Me equivocaba contigo. Vas a ser una gran Lizzie —dijo por fin, casi pensando en voz alta—. Lo único que necesitas es tener más fe en ti misma.

—¿De verdad lo crees?

—¡Pues claro que sí! —Alargó el brazo para darle un rápido tirón de pelo—. Eres muy buena niña, Flower Power. Si tuviera una hermana, me gustaría que fuera como tú. Pero no tan sabionda, ¿eh?

11

Jake veía cómo Belinda subyugaba a todos los miembros del equipo, desde el más modesto ayudante hasta Dick Spano o el propio Jake. Siempre estaba allí si alguien la necesitaba. Repasaba diálogos con los actores, bromeaba con los maquinistas y masajeaba el cuello agarrotado de Johnny Guy. A todos les llevaba café, les tomaba el pelo a propósito de sus mujeres y novias y les alimentaba el ego.

—Los cambios que has hecho en el monólogo de DeeDee son absolutamente geniales —le dijo a Jake en junio, durante el segundo mes de rodaje—. Has ido a fondo.

—Gracias, *madame*, pero no eran nada.

Ella lo miró muy seria.

—Lo digo porque lo pienso, Jake. Has dado en el clavo. Cuando dice «Me rindo, Matt. Me rindo». ¡Uf!, me eché a llorar. Vas a ganar un Oscar. Ya verás.

Lo que le conmovía de Belinda era que de veras creía en las exageraciones que soltaba. Tras unos momentos con ella, cualquier rastro de mal humor que hubiera estado torturándolo desaparecía. Flirteaba descaradamente con él, le daba coba y le hacía reír. Tras el bálsamo transmitido por aquella mirada azul jacinto de adoración, se sentía mejor actor, mejor escritor y también menos cínico. Belinda era fascinante por su sofisticación mundana, por la pasión juvenil que sentía por todo lo que relumbrara. Contribuyó a que el ambiente de trabajo en el rodaje de *Eclipse* fuera uno de los mejores que él había conocido.

—Dentro de muchos años —proclamaba ella— nos enorgulleceremos de decirle al mundo que trabajamos en *Eclipse*.

Todos pensaban que no se equivocaba.

A Fleur la mortificaba ir a trabajar. Sentía lo mismo todos los días. Odiaba oír las risas de Jake y Belinda. ¿Por qué no sabía divertirlo como hacía su madre, con esa facilidad? Estar en el plató era una tortura, y no solamente por culpa de Jake. Odiaba actuar todavía más que hacer de modelo. Quizá si fuera mejor actriz no se sentiría tan desmotivada. No, no se veía fea ni nada por el estilo. Simplemente asumía que era el eslabón más débil en un reparto excelente, y eso se le hacía insoportable: por su carácter solo aceptaba ser la más valiente, la más rápida y la más fuerte.

Como era previsible, Belinda quitaba importancia a todas sus preocupaciones.

—Eres demasiado dura contigo, mi niña. La culpa es de esas monjas, ¡esas monjas terribles! Te han inculcado que nunca es bastante, que los resultados siempre tienen que ser mejores y mejores. Es como una enfermedad.

Fleur miró al otro lado del estudio, hacia donde se encontraba Jake. A veces bromeaba con ella y la despeinaba, o se la llevaba fuera a encestar algunas canastas con él, o gritaba si ella se atrevía a contradecirlo... La trataba como si fuera su hermana menor. Le hubiera gustado compartir con su madre los sentimientos que Jake le inspiraba, pero sabía perfectamente, tratándose de una cuestión como aquella, que Belinda era la última persona en quien podía confiar.

«¡Pues claro que te has enamorado de él! —habría exclamado—. ¿Cómo ibas a evitarlo? ¿No ves que es un gran hombre? ¡Si es que es igual que Jimmy!»

Se decía que tal vez no se tratara con exactitud de un enamoramiento, o que seguramente no era un amor eterno. Eso solo funcionaba si ambas partes se involucraban, ¿verdad? Pero los sentimientos se lo habían convertido en algo más complejo que un encaprichamiento por deseo. Quizá fuera un caso retardado de amor adolescente. Por desgracia, lo había dirigido hacia un hombre que la trataba como si tuviera doce años.

Un viernes por la noche, Dick Spano organizó una fiesta en el estudio. Fleur se puso tacones de ocho centímetros y un sarong de *crêpe de Chine* ceñido en el talle. Todos los hombres del equipo de rodaje se dieron cuenta menos Jake, que estaba absorto hablando con Belinda. Esa mujer nunca le daba un disgusto ni lo ponía a prueba. No era de extrañar que le gustara estar con ella.

Fleur empezó a contar los días que faltaban para rodar exteriores en Iowa. Cuanto antes acabara la película, antes podría regresar a Nueva York y olvidarse de Jake Koranda. ¡Ojalá pudiera encontrar un proyecto de vida una vez que todo eso quedara atrás!

Dick Spano alquiló un hotel no lejos de Iowa City para hospedar a los actores y el equipo y convertirlo en cuartel general de la producción. La habitación de Fleur tenía un par de lámparas horribles, moqueta naranja desgastada y una reproducción de *Domingo por la tarde en la isla de la Grande Jatte* atornillada a la pared. El cartón de la pintura estaba arrugado como una patata frita. Belinda frunció la nariz mientras lo examinaba.

—¡Qué suerte tienes! A mí me han tocado unas falsificaciones de girasoles de Van Gogh.

—No tenías que haberme acompañado hasta aquí —dijo Fleur con una acritud impropia.

—No seas tan susceptible, cariño. Sabes muy bien que no podía quedarme quieta. Después de todos esos miserables años en París, sin otra ocupación que beber y beber... ¡Esto es un sueño hecho realidad para mí!

La joven levantó la vista desde el montón de sujetadores que estaba metiendo en la cómoda. Su madre parecía feliz incluso en aquella vulgar habitación de motel. ¿Y por qué no iba a estarlo? Belinda estaba viviendo su sueño. Pero no era el sueño de Fleur, quien fijando la vista en los sujetadores dijo:

—He estado... he estado pensando en lo que quiero hacer cuando todo esto haya acabado.

—No le des demasiadas vueltas, cariño. Para eso pagamos a Gretchen y a tu agente. —Revolvió en el estuche de cosmética de Fleur y sacó un cepillo—. De todos modos, pronto tendremos que tomar una decisión sobre el proyecto de la Paramount. Es muy tentador. Parker está seguro de que te conviene, pero a Gretchen no le gusta el guión. Sea como sea, primero tenemos que cerrar el contrato con Estée Lauder.

Fleur sacó unas zapatillas de correr de la maleta e intentó transmitir despreocupación.

—Quizá... quizá podríamos esperar antes de hacer nada. No me importaría tomarme un descanso. Podríamos irnos de viaje, las dos. Eso sería divertido.

—No seas tonta, mi niña. —Belinda estaba atenta a su propio reflejo en el espejo. Señalándose un mechón de cabello preguntó—: ¿Te parece que tendría que aclararme un poco el color?

Fleur abandonó el equipaje a medio deshacer.

—Me encantaría hacer una pausa. Llevo tres años trabajando, necesito unas vacaciones. Un tiempo para pensar las cosas.

Por fin había captado toda la atención de su madre.

—De ninguna manera. —Belinda dejó el cepillo bruscamente—. Salir ahora de la escena sería un suicidio para tu carrera.

—Pero... necesito tomarme un descanso. Todo ha pasado muy deprisa. Quiero decir... Está todo muy bien, es maravilloso, pero... —Las palabras se le encallaban—. ¿Cómo puedo saber lo que quiero hacer realmente con mi vida?

Belinda la miró como si se hubiera vuelto loca.

—¿Qué más podrías querer que no tengas ya?

Fleur no podría saltar a otra película enseguida, y la idea de hacer más trabajos de modelo le resultaba odiosa, de manera que se sentía inmersa en un mar de dudas.

—No... no lo sé, no estoy segura.

—¿No estás segura? ¿No será que resulta difícil encontrar algo más que hacer cuando ya estás sentada en plena cima del mundo?

—No estoy diciendo que quiera seguir otra carrera. Es solo que... que necesito tiempo para pensar en mis elecciones. Para asegurarme de que se corresponden realmente con mis deseos.

Belinda se convirtió de pronto en una extraña fría y distante.

—¿Tienes en proyecto algo más apasionante que ser la modelo más famosa del mundo? ¿Algo más glamuroso que ser una estrella del cine? ¿Qué quieres ser, Fleur? ¿Quieres ser secretaria? ¿Tal vez dependienta? ¿Qué tal auxiliar de enfermera? Podrías limpiar vómitos y vaciar cuñas. ¿Te parece lo bastante bueno para ti?

—No, yo...

—¿Qué, entonces? ¿Qué es lo que quieres?

—¡No lo sé! —Se dejó caer en el borde de la cama.

Su madre la castigó con el silencio.

Fleur se sentía fatal.

—Es que estoy... confundida —dijo con una vocecilla.

—No, no lo estás. Lo que pasa es que eres una consentida, eso es lo que eres. —El desdén de Belinda le arañaba la piel como un estropajo de acero—. Has tenido todo lo que has querido, y sin mover un dedo para conseguirlo. ¿Te das cuenta de lo inmadura que pareces cuando dices estas cosas? Sería diferente si te marcaras un objetivo, pero ni eso te interesa. Cuando tenía tu edad sabía exactamente lo que quería de la vida y me moría de ganas de hacer lo que fuera para conseguirlo.

Fleur se sentía extenuada.

—Quizá tengas razón.

Belinda estaba furiosa, de manera que no iba a soltar el hueso tan pronto.

—No me imaginaba que fuera a decir algo así, pero estoy decepcionada contigo. —Cruzó la desgastada moqueta naranja—. Piensa en lo que estás dispuesta a echar por la borda y cuando estés preparada para hablar con sensatez, ven a buscarme.

Y sin añadir nada más, salió de la habitación.

De pronto Fleur se sentía como una niña, como si hubiera vuelto al convento de la Anunciación para ver partir a su mamá. Se levantó y salió corriendo al pasillo, pero Belinda se había esfumado. Tenía las manos sudorosas y el corazón desbocado. Avanzó por el pasillo hasta la habitación de su madre. Nadie respondió cuando llamó a la puerta. Volvió a su habitación, pero no podía permanecer sentada.

Se dirigió al vestíbulo, pero tampoco allí encontró a nadie, aparte de un par de técnicos del equipo. Belinda quizás hubiera salido a nadar. Pero la única persona que estaba cerca de la pequeña piscina del hotel era un empleado que vaciaba las papeleras. Volvió al vestíbulo, y allí vio a Johnny Guy.

—¿Has visto a mi madre?

Negó con la cabeza.

—Quizás esté en el bar.

Su madre ya no bebía, pero a Fleur ya no le quedaba otro lugar donde mirar.

Sus ojos necesitaron un momento para acostumbrarse a la penumbra. Vio a Belinda sentada a la mesa de la esquina, sola y girando una varita mezcladora en lo que parecía un vaso de whisky. Fleur palideció. Después de tres años como abstemia, su madre volvía a recaer, y todo por su culpa.

Se acercó a ella.

—¿Qué estás haciendo? Por favor, no lo hagas. Lo siento.

Belinda empujaba la varilla hacia el fondo del vaso.

—En estos momentos no se puede decir que sea una buena compañía para nadie. Quizá fuera mejor que me dejaras en paz.

Fleur se dejó caer en la silla a su lado.

—Todo lo que has estado haciendo es fantástico. Que tengas una hija desagradecida no quiere decir que tú tengas que infligirte ningún castigo. Te necesito demasiado.

Belinda no apartaba la vista del vaso.

—Tú no me necesitas. Por lo visto te he estado obligando a hacer cosas que no deseabas.

—Eso no es cierto.

Belinda la miró con los ojos arrasados en lágrimas.

—¡Te quiero mucho! Solo quiero lo mejor para ti.

Fleur tomó la mano de su madre.

—Es lo que repites siempre —dijo—. Hay algo que nos une, que hace que seamos una sola persona, no dos. —La emoción en su voz iba creciendo—. Lo que te hace feliz a ti me hace feliz a mí. Únicamente he estado confundida, eso es todo. —Intentó sonreír—. Ven, vamos a dar un paseo. Podemos hablar sobre la oferta de Paramount.

Belinda inclinó la cabeza.

—No te enfades conmigo, mi niña. Si te hiciera desgraciada no podría soportarlo.

—Eso no ocurrirá nunca, mamá. Venga, vámonos de aquí.

—¿Estás segura?

—Nunca he estado tan segura.

Belinda le dedicó una sonrisa lacrimosa y se levantó de la silla. Fleur golpeó la mesa con la cadera al levantarse, y una parte de la bebida de Belinda rebosó. Solo entonces se dio cuenta de lo lleno que estaba el vaso. Lo miró un momento y comprobó que Belinda no podía haber tomado más que un sorbo, ni siquiera eso.

Al final de su primera semana en Iowa, Jake dispuso por fin de un día libre. Durmió hasta tarde, fue a correr un rato y luego se dio una ducha. Justo cuando salía de la bañera oyó que alguien llamaba. Se puso una toalla alrededor de las caderas y abrió la puerta.

Era Belinda. Llevaba un sencillo vestido entallado de color azul lavanda y en la mano una bolsa de papel.

—¿Quieres desayunar?

Él tuvo una sensación de inevitabilidad. ¿Por qué demonios evitarlo?

—¿Traes café ahí dentro?

—Solo y cargado.

Le indicó que pasara. Retiró del paño el cartel de NO MO-

LESTEN y lo colgó delante de la puerta, luego la cerró y sacó dos vasos desechables. Le pasó uno y él percibió su perfume. Era una de las mujeres más fascinantes que había conocido nunca.

—¿Te consideras un rebelde, Jake?

Él quitó la tapa del vaso y la tiró a la papelera.

—Pues nunca lo he pensado.

—Yo creo que sí lo eres. —Se sentó en la única butaca de la habitación y cruzó las piernas de manera que la falda quedó abierta por encima de las rodillas—. Eres un rebelde sin causa. Un hombre que sigue su propio ritmo. Es uno de los aspectos de tu carrera que encuentro más excitantes.

—¿Uno solo? ¿No hay más? —preguntó sonriendo, y en ese momento advirtió que Belinda hablaba en serio.

—¡Y tanto que sí! ¿Recuerdas tu huida en *La trampa del mal*? ¡Eso me encantó! Me gusta cuando solo quedas tú contra ellos. Es el tipo de película que hubiera hecho Jimmy de no haber muerto.

—¿Jimmy? —preguntó él mientras amontonaba cojines contra el cabezal de la cama y se instalaba entre ellos.

—Sí, Jimmy. James Dean. Siempre me lo has recordado. —Se levantó y fue hacia la cama. En la tenue luz de la habitación aquellos ojos azules lo llenaron de admiración—. ¡He estado tan sola! —susurró—. ¿Quieres que me desvista delante de ti?

Él estaba harto de verse implicado en jueguecitos y aquella franqueza le pareció refrescante.

—Es la mejor oferta que he tenido en meses.

—Quiero complacerte.

Se sentó en la cama y se inclinó para besarlo. En cuanto sus labios se encontraron, las manos de Belinda empezaron a acariciarle los brazos. Él la besó con mayor ardor y le tocó el pecho a través del tejido sedoso del vestido. Ella se echó atrás y empezó a desabrocharse la blusa.

—Oye, despacio —dijo él suavemente.

Ella lo miró con expresión confundida.

—¿No quieres verme?

—Tenemos todo el día.

—Yo solo quiero complacerte.

—Pues eso funciona en ambos sentidos.

La atrajo hacia sí y le deslizó la mano por debajo de la falda.

Cuando Belinda sintió el tacto de Jake en el muslo vio la escena de *La trampa del mal* en la que Bird Dog se metía con la bella inglesa. Recordaba cómo la sacaba del caballo para que cayera en sus brazos, y cómo recorría su cuerpo en busca del cuchillo que ella llevaba. A medida que la mano de Jake le rodeaba el muslo ella imaginó que la estaba cacheando.

La boca se abrió para recibir los besos... Besos ardientes, profundos. Ella había querido desvestirse para él, pero él le quitó la ropa, de prenda en prenda. No se sentía bien viéndole la cara de tan cerca, de modo que volvió a cerrar los ojos y lo visualizó tal como aparecía en pantalla.

Mejor, mucho mejor...

Abrió las piernas para ofrecérsele. La barba le arañaba la piel, hiriéndola de una forma deliciosa. Y entonces él se detuvo.

En cuanto Jake vio los ojos cerrados de Belinda, supo que había cometido un gran error. Se mostraba completamente pasiva, como una virgen vestal que se ofrecía a los dioses. De pronto sintió la admiración que ella le había profesado desde el primer día como algo vagamente horripilante. Él podía hacer todo lo que quisiera, pero en cualquier caso sería como hacerle el amor a una muñeca hinchable.

Los ojos de Belinda se abrieron de pronto. Él tuvo el impulso de agitar las manos delante de ellos para ver si seguía ahí.

—¿Pasa algo? —preguntó.

Él se dijo que podía seguir y acabar con aquello, pero de repente visualizó el rostro de Flower Power, y lo que hasta ese momento solo le había parecido horrible ahora le pareció sórdido.

—Son dudas que tengo —dijo, apartándose de ella—. Lo siento.

Belinda se incorporó y le tocó el hombro. Jake esperaba que

el interrogatorio empezara de un momento a otro, intentaba encontrar algo que decir, pero para su sorpresa no hubo preguntas.

—De acuerdo —dijo ella.

Momentos después, se había ido.

Tres días más tarde, Jake estaba en la parte trasera de un tractor, con el pecho desnudo embadurnado de falso sudor. El episodio con Belinda seguía preocupándolo. La localizó sentada al lado del camión de vestuario leyendo una revista. Jake había tratado de evitarla. Pero resultó que no tenía por qué esforzarse, ya que ella lo trataba exactamente igual que antes. No parecía que estuviera esperando nada de él, y precisamente eso era inquietante.

—Aquí tienes la camisa.

No había oído acercarse a Lynn.

—¿Desde cuándo trabajas en vestuario? —dijo al coger la camisa tejana que le ofrecía.

—Quería hablar contigo sin que nadie me oyera. —Lynn juntó las manos sobre la falsa barriga de embarazada que llevaba bajo la blusa premamá. Su mirada de determinación puso a Jake en guardia—. La otra mañana vi a Belinda meterse en tu habitación.

«¡Mierda!»

—¿Y...? —Bajó del tractor y le dio unos toquecitos en el vientre para distraerla—. ¿Qué tal el bebé?

—Estás cometiendo un gran error.

—Necesito encontrar a Johnny Guy. —Empezó a caminar, pero ella se le puso delante.

—No es más que una obsesa por los famosos y por tirárselos. Lo que pasa es que viste muy bien. Es la única diferencia.

Lynn tenía razón, pero la sofisticación de Belinda lo había ofuscado.

—Vaya. Anoche te vi repasando diálogos con ella. ¿Qué os pasa a las mujeres?

—¿No has pensado en Fleur?

No pensaba consentir que metiera a Flower en aquello. Se puso la camisa.

—Esto no tiene nada que ver contigo ni con ella.

—No seas tonto. Seguro que sabes lo que siente por ti.

Las manos se le quedaron inmóviles sobre los botones de la camisa.

—¿Qué insinúas?

—Por lo visto, tú y Belinda sois los únicos que no se han dado cuenta de lo colada que está por ti.

—Estás loca. ¡Si no es más que una cría!

—Caramba, ¿desde cuándo te preocupa? Apuesto a que has salido con crías de su edad. Y quizá también hayas estado en la cama de unas cuantas. Lo que no entiendo es esa manera tuya de comportarte con ella, como si fueras su hermano mayor.

—Es lo que siento por ella.

—Pues no es lo que ella siente por ti.

—Te equivocas.

Pero ya al decirlo sabía que se estaba engañando a sí mismo. El café que había tomado se le indigestó. Fleur le había ofrecido señales sutiles que él había optado por ignorar. Desde el primer día había advertido su fragilidad emocional, por lo que había asumido deliberadamente el papel de hermano mayor para no dañarla lo más mínimo.

—Es mi amiga, Jake, y aunque no te esté babeando encima le importas de verdad. —Se acarició su falsa barriga—. Fleur también quiere a su madre, y la estarás poniendo en una situación horrible si llega a enterarse de tus correrías con ella. Y yo no quiero que nadie le haga daño.

Él tampoco lo quería, y una vez más se hizo el propósito de cortar drásticamente con Belinda.

—Entre Belinda y yo no pasó nada. —No era exactamente cierto—. Y aunque tuvieras razón sobre Fleur, sabes muy bien que se olvidará de mí en cuanto acabe el rodaje.

—¿Estás seguro? Es una mujer bonita, inteligente y joven que se siente atraída por ti, y no me parece que sea de las que ofrecen su corazón con facilidad.

—Estás exagerando. —Dio un golpecito a su barriga postiza—. Este embarazo te ha alterado el equilibrio hormonal.

—Harías bien en apostar por una relación con Fleur Savagar.

—¿Qué estás diciendo? ¿Me pides que me aparte de Belinda, que sabe perfectamente lo que se trae entre manos, y al mismo tiempo que me dedique a la niña de los ojos grandes? Si es que no te entiendo, Lynn.

—Es un problema que por lo visto tienes con muchas mujeres.

Acabaron de rodar los exteriores en Iowa y volvieron a Los Ángeles. A medida que avanzaba agosto y entraban en las últimas semanas de rodaje, Fleur se sentía cada vez más triste. Jake se comportaba de una manera extraña desde su vuelta a la ciudad. Había dejado de darle órdenes y ya nunca le tomaba el pelo. En lugar de eso, la trataba con cortesía profesional. Incluso había dejado de llamarla Flower. Ella detestaba tal situación. Por otra parte, sentía crecer su resentimiento hacia Belinda, que actuaba como si su confrontación en Iowa no hubiera existido y continuaba trazando planes para el futuro de ambas al tiempo que descartaba cualquier duda que Fleur expresara. Fleur estaba atrapada.

Ella y Jake acababan de rodar una escena cuando Johnny Guy se los llevó a un lado.

—Quiero que hablemos de la escena de amor. Empezamos a rodarla el viernes por la mañana y convendría que ambos os fuerais mentalizando.

Fleur no quería mentalizarse sobre eso.

—No quiero que los ensayos de esa escena se eternicen —dijo el director—. Nada de danzas coreografiadas, nada de ballet. Lo que quiero es sexo, sexo puro y duro. —Apoyó la mano en el hombro de Fleur—. Despejaré el plató para que estés lo más cómoda posible, cariño. Solo yo, el ayudante de dirección, el operador de jirafa y el cámara. Hasta ahí podemos aligerarnos.

—Quizá podrías poner a Jenny con la jirafa en lugar de Frank —observó Jake—. Y Fleur, si quieres que alguien de seguridad vigile, también podemos ponerlo.

—No entiendo —repuso ella—. Comprobad mi contrato. No necesito un plató cerrado. Esa escena se rodará con una doble, ¿recordáis?

—Mierda. —Jake se pasó la mano por el pelo.

Johnny Guy negó con la cabeza.

—Tu agente sí que habló de una doble, pero nosotros no habríamos firmado con esa condición. Nuestra manera de filmar nos lo impide. Y tu representante lo sabía.

La invadió una sensación de alarma.

—Es un error. Voy a llamar a mi agente.

—Hazlo, cariño. —La expresión amable de Johnny Guy incrementó la angustia de la muchacha—. Ve a la oficina de Dick. Allí estarás tranquila.

Fleur corrió al despacho del productor y telefoneó a Parker Dayton, su agente. Un rato después, al colgar, se sentía fatal. Salió a paso rápido del estudio y subió al coche.

Encontró a su madre en uno de los restaurantes más de moda, comiendo con la mujer de un productor de televisión al que quería impresionar. Belinda percibió la expresión que Fleur traía y se levantó.

—Cariño, sea lo que sea...

—Tengo que hablar contigo.

Las llaves del Porsche le dolían de tanto apretarlas en la mano.

Belinda la cogió por el brazo y sonrió a su compañera de mesa.

—Perdónanos un momento, ¿te importa? —Se llevó a su hija a los servicios y cerró la puerta—. ¿Se puede saber qué diablos te ocurre? —espetó con frialdad.

Fleur apretó las llaves con más fuerza. El dolor de los bordes en la palma casi le resultaba agradable, aunque tal vez era porque sabía que podía hacerlo cesar en cualquier momento.

—Acabo de hablar con Parker Dayton. Me ha dicho que en

mi contrato no se especifica nada sobre una doble. Y que tú le informaste de que yo había cambiado de opinión.

Belinda se encogió de hombros.

—Era un punto innegociable, mi niña. Parker insistió, pero dijeron que de ninguna manera, que no rodarían esa escena con una doble.

—Entonces me mentiste. Siendo consciente de lo que supone para mí trabajar desnuda.

Belinda sacó un paquete de cigarrillos del bolso.

—Si hubieses sabido que no habría doble no hubieses firmado. Y yo tenía que protegerte. Estoy segura de que lo comprendes.

—Pues no. Y no voy a rodar esa escena.

—¡Claro que lo harás! —Belinda pareció algo alarmada—. Si incumplieras el contrato sería tu final en Hollywood. No irás a arruinar tu carrera por un prejuicio tan tonto y burgués, ¿verdad?

Las llaves se le clavaban con más ahínco y Fleur respondió con una pregunta que llevaba haciéndose desde tiempo atrás:

—¿Es mi carrera o la tuya?

—¿Cómo puedes ser tan mala? ¡Desagradecida! —Belinda aplastó en el suelo el cigarrillo que acababa de encender y lo echó a un lado con el pie—. Escúchame bien, Fleur. Si intentas boicotear esta película te aseguro que nuestra relación no volverá a ser la misma.

Fleur la miró y sintió un escalofrío.

—No lo dices en serio.

—Nunca en mi vida había hablado más en serio.

Al mirar a su madre, Fleur solo percibió determinación. Sentía una opresión en el pecho y salió corriendo de los servicios. Belinda la llamó, pero la joven no se detuvo. Avanzó entre las mesas y salió a la calle. Las sandalias restallaron en el pavimento cuando echó a correr calle arriba, para luego bajar por otra, mientras intentaba sacudirse la tristeza. Avanzaba sin rumbo, pero no podía detenerse. Entonces vio una cabina telefónica.

Las manos le temblaban cuando marcó el número, y el vestido se le pegaba a la piel.

—Soy... soy yo —dijo cuando él contestó.

—Apenas te oigo. ¿Ocurre algo, *mon enfant*?

—Sí, ocurre algo, algo muy malo. Ella... ella me ha mentido.

Le costaba respirar, pero finalmente logró explicarle lo sucedido.

—¿Me estás diciendo que firmaste un contrato sin leerlo primero?

—Mamá es la que siempre se ocupa de eso.

—Mucho me temo, *mon enfant* —repuso él con calma—, que has aprendido la lección más difícil respecto a tu madre. No puedes fiarte de ella. Nunca.

Irónicamente, el ataque de Alexi hizo que Fleur sintiera automáticamente la necesidad de defender a Belinda. Pero no lo hizo.

Esperó para ir a casa hasta que estuvo segura de que su madre había ido a la peluquería. Entró, se puso el bañador y se lanzó a la piscina. Jake la encontró subiendo por la escalerilla.

Llevaba unos shorts azules y desgastados y una camiseta tan vieja que lo único que se distinguía del rostro de Beethoven era el contorno. Uno de los calcetines había caído en acordeón alrededor del tobillo. Estaba abatido y confundido, como un *cowboy* en el lugar equivocado: Beverly Hills. Ella, absurdamente, se alegró de verlo, pero se contuvo.

—Vete, Koranda. Nadie te ha invitado.

—Venga, ponte las zapatillas. Vamos a correr.

—No tengo ganas.

—No me vengas con esas. Tienes un minuto y medio para cambiarte de ropa.

—¿Y si no lo hago?

—Entonces llamaré a Bird Dog.

—¡Huy, qué miedo! —Cogió una toalla y empezó a secarse concienzudamente—. Correré contigo, pero si lo hago es solo porque ya lo tenía previsto.

—Ajá.

Entró en la casa y se cambió. Si lo que sentía por Jake era un amor adolescente, rezaba por no sentir nunca el amor real. Era demasiado doloroso. Cada noche, al dormirse, imaginaba que hacían el amor en una habitación soleada, llena de flores y con una música suave. Se veía con él en una cama con sábanas de tonos pastel que ondeaban sobre sus cuerpos en la brisa que entraba por la ventana. Él tomaba una flor de un jarrón junto a la cama y le derramaba los pétalos sobre los pezones y el vientre. Ella abría las piernas y él la tocaba en aquel punto sensible. Estaban enamorados y estaban solos. Sin cámaras. Sin equipo de rodaje. Ellos dos y nadie más.

Se recogió el pelo en una coleta y la ató. Él la esperaba en el camino de entrada. Empezaron a correr, pero apenas habían avanzado medio kilómetro cuando ella tuvo que detenerse.

—Hoy no puedo. Sigue tú.

Normalmente, él le habría lanzado alguna pulla, pero ese día no fue así. En lugar de eso, refrenó el paso.

—Volveremos caminando. Vayamos en mi coche al parque a encestar unas canastas. Con un poco de suerte no habrá nadie y no tendremos que firmar autógrafos.

Ella sabía que iban a tener que hablar sobre lo ocurrido, y sería más fácil si no se veía obligada a mirarlo a los ojos.

—De acuerdo.

Él conducía su camioneta, un *pickup* Chevy del 66 con un motor Corvette de carreras. Si se hubiese tratado de otro actor, de cualquier otro, ella podría haber aceptado la escena del desnudo. Por mucho que no le gustara, podría haberse distanciado de lo que ocurría y cumplir con su obligación contractual. Pero no con Jake. No mientras soñara con él en una habitación llena de flores y suave música.

—No quiero hacer la escena —dijo Fleur.

—Lo sé.

Detuvo la camioneta junto al parque y sacó una pelota de baloncesto de detrás del asiento. Fueron por la hierba hasta la pista desierta. Empezó a botar la pelota.

—Esa escena no es gratuita, Fleur. Es necesaria.

Hizo un mate rápido y le pasó el balón.

Ella regateó hacia la canasta, lanzó y rebotó en el aro.

—Yo no trabajo desnuda.

—Pues los tuyos no parecen entenderlo así.

—Sí que lo entienden.

—Entonces ¿por qué hemos llegado a este punto?

Porque ella había confiado en su madre.

—Porque no me leí el contrato antes de firmarlo. Ese es el motivo.

Él saltó desde un lado y lanzó un gancho que entró limpiamente.

—No es una escena meramente erótica. Te aseguro que prevalecerá el buen gusto.

—¡Buen gusto! ¿Y eso qué quiere decir? —Le envió el balón fuerte al pecho—. Déjame decírtelo: ¡no será tu cosa lo que todo el mundo vea!

Y se alejó a buen paso.

—Flower. —Ella se volvió y lo vio sonriendo. Pero al punto borró la sonrisa y se puso el balón bajo el brazo—. Perdona, es solo la expresión que has utilizado, que me ha parecido divertida. —Se acercó y le acarició la barbilla con el dedo índice—. Tampoco será tu cosa lo que vean. Como mucho se verá tu espalda. La mía también, ya que estamos. Tal vez ni siquiera se vean tus pechos. Eso depende de cómo se edite.

—Tú sí los verás.

—Bien, pero en realidad... eso no será una nueva experiencia para mí. No me refiero a que haya visto los tuyos en particular, pero sí otros muchos... Bien mirado, tendría que ser yo quien se quejara. Porque cuántas «cosas» has visto, ¿eh?

—Pues bastantes —mintió—. Pero da lo mismo. —La coleta le tiraba del pelo, así que se quitó la goma—. A ti todo te parece divertido, ¿verdad?

—Solo me causa gracia lo de «cosa», no el que te hayan engañado. Yo que tú buscaría al culpable para ajustarle las cuentas. Pero volviendo a lo que nos importa, te diré que esa escena es necesaria para la película, y que tendrás que rodarla.

Le rodeó el cuello con una mano y la miró a los ojos. Ella tuvo la horrible impresión de haberle visto ese mismo gesto en una de sus películas, tratando de convencer a alguna hembra tonta de que hiciese exactamente lo que él deseaba. Pero ¿y si esa ternura era real? Ojalá lo fuera.

—Flower, esto es importante —dijo él con suavidad—. ¿Lo harás? ¿Lo harás por mí?

Entonces ella supo que no era real. La estaba manipulando. Se apartó y replicó:

—Deja ya de fingir que puedo elegir. Firmé un contrato. Sabes perfectamente que tengo que hacerlo.

Corrió hacia el carril para bicicletas. Estaba claro que ella no le importaba lo más mínimo. Lo único que le importaba era su película.

Jake la vio huir de él y sintió una opresión en el pecho. Era tan bella, con el pelo suelto a la espalda, derramándose como oro... Al contemplar su zancada larga pensó que era la única mujer que había logrado aguantar su ritmo de carrera. Desde el comienzo aquellas piernas tan impactantes de chica de revista habían encajado perfectamente con su manera de entrenar.

Había muchas cosas más en las que encajaban. Su boca de sabionda, su agudo sentido del humor, su energía sin límites. Pero no su inocencia. En eso no encajaban en absoluto. Ni en la inocencia ni en el corazón, ese corazón tan frágil de niñita.

12

Johnny Guy hizo que saliera del estudio todo el mundo menos los operadores estrictamente necesarios. Luego, mientras Fleur estaba en maquillaje, reunió a los elegidos.

—El primero que haga una broma o algo que pueda incomodar a Fleur se largará de aquí con una patada en el culo, y los del sindicato ya se pueden ir a tomar viento.

Dick Spano se estremeció.

Johnny Guy habló con Jake en un aparte.

—Ya puedes cuidarte de no soltar una de esas ocurrencias que tienes.

—Tú ocúpate de lo tuyo —le respondió Jake.

Se miraban desafiantes cuando Fleur apareció en el plató. Lucía un vestido de algodón amarillo y sandalias blancas. Un lazo azul le recogía el cabello apartado de la cara. Había llevado ese vestido amarillo durante la mayor parte de la semana, mientras habían rodado el diálogo que desembocaba en esa escena de amor. Y ahora había llegado el día en que debía quitárselo. Fleur se sentía fatal.

—Vamos a repasar la escena. —El director se los llevó a la habitación de la vieja granja con su ajado empapelado y su cama de hierro—. Estarás de pie en esta marca y mirarás a Matt mientras te desabrochas el vestido y lo dejas caer. En cuanto tengamos esto, te filmaré por detrás mientras te sacas el sostén y las bragas. Todo muy sencillo. No tengas prisa. Y tú, Jako, cuando ella se esté quitando la ropa interior empezaré a acercarme a ti. ¿Alguna pregunta?

—Yo lo tengo claro —dijo Jake.

Fleur bostezó y se miró la muñeca.

—Sí, yo también.

En el estudio se respiraba una tranquilidad poco natural. No se oían improperios ni el parloteo habitual entre el equipo. Ese silencio como de tumba resultaba inquietante para Fleur.

—¿Estás bien, Flower? —preguntó Jake.

—Perfectamente —contestó, y fingió arreglarse el tirante del vestido.

Jake le ofreció una de sus sonrisas torcidas.

—No es el fin del mundo.

—Para ti es fácil decirlo. Seguro que no llevas ositos en los calzoncillos.

—Qué dices.

—Han pensado que sería una buena aportación para el personaje de Lizzie.

—Es la estupidez más grande que he oído nunca.

—Eso ha sido exactamente lo que les he dicho.

Jake fue en busca del director.

—Oye, Johnny, que algún idiota ha tenido la ocurrencia de ponerle bragas con ositos a Flower.

—Yo soy ese idiota, Jako. ¿Algún problema?

—Sí, y gordo. Lizzie debería llevar la ropa interior más provocativa del mercado. Encarna la inocencia exterior y la corrupción interior. Te estás cargando mi metáfora.

—Al cuerno tu metáfora.

Los dos hombres empezaron a discutir. Por fin algo que parecía normal. Fleur esperaba que siguieran así todo el día, pero de pronto parecieron recordar que ella estaba allí y se disculparon.

Johnny la volvió a enviar a vestuario para que se cambiara de ropa interior. Las prendas rojas de encaje que pasó a llevar no ocultaban absolutamente nada, y si hubiera podido, con gusto habría vuelto a ponerse las bragas de los ositos. El director dio la voz de acción. Despacio, empezó a desabrocharse la parte superior del vestido.

—¡Corten! Cariño, tendrías que mirar a Matt sugestivamente, ¿no te parece?

Fleur se ordenó no pensar en nada que no fuera Lizzie, la misma que se había desvestido para una docena de hombres. Había estado planificando ese momento desde el mismo momento en que Matt había vuelto. Pero en cuanto las cámaras empezaron a rodar no pudo hacer nada por convencerse de que aquel hombre era alguien distinto de Jake.

Llevó cuatro tomas más, pero finalmente el vestido amarillo cayó al suelo. Quedó frente a Jake cubierta tan solo por diminutas tiras de encaje rojo. Se dijo que en cualquier caso no era una situación más embarazosa que las que había vivido en la realización de anuncios de lencería. Pero tampoco eso sirvió.

Se cubrió con un albornoz mientras movían la cámara. Iban a filmarla desde atrás mientras se quitaba el sujetador y las bragas. Se suponía que iba a estar ligeramente desenfocada, pues la cámara se centraría en la reacción de Matt. Pero en quien ella tenía centrado el pensamiento era en Jake y solamente en Jake.

Les hizo esperar mientras iba al baño, pero no podía demorarse allí eternamente. Las cámaras volvieron a rodar. Durante la siguiente toma se hizo un lío con el cierre del sujetador, y Johnny Guy tuvo que recordarle que mantuviera levantada la cabeza. El plató parecía la morgue y el silencio sepulcral amplificaba la agitación que ella sentía.

Cuando se preparaban para la quinta toma miró con desesperación a Jake. Había pasado toda la mañana evitando mirarla a menos que tuviera que hacerlo, pero en ese momento, en lugar de ayudarla, dejó que los ojos se deslizaran por encima de ella. Se encogió de hombros.

—Tu cuerpo es precioso y todo lo que quieras, chiquilla, pero me gustaría que pudiéramos acabar antes del partido de esta noche de los Sixers.

El cámara rio. Johnny Guy lanzó una mirada asesina a Jake,

pero Fleur se sintió algo mejor. La tensión en el estudio se relajó un poco, y los miembros del reducido equipo técnico empezaron a hablar entre ellos con cierta normalidad.

En la siguiente toma logró quitarse el sujetador. Intentó creer que quien le miraba los pechos era Matt. Se inclinó hacia delante tal como quería el director y deslizó los pulgares a ambos lados de las bragas. Sintió una punzada en el estómago. Dio un pequeño tirón y se las bajó.

Los ojos de Jake siguieron el deslizamiento de las bragas y luego miraron lo que estas cubrían. Ella no quería que él la mirara así, no con tanta gente pendiente de ellos, no con las cámaras rodando... Y ahora cualquiera que pudiera permitirse comprar una entrada en el cine iba a asistir a ese momento que hubiera tenido que ser privado.

Se odió por haber cedido. Tal vez fuera lo correcto para otras actrices, pero no para ella, puesto que en realidad no era una actriz. Quería ofrecerse a Jake con amor, no como parte de un negocio rentabole.

El cámara no podía ver la expresión de Fleur, pero Jake sí.

—¡Corten! —dijo—. Esto es una mierda. ¡Joder!

A los contactos de Belinda no les costó demasiado informarla de lo que estaba sucediendo. Habían estado trabajando durante todo el día con el estudio cerrado y restringido, pero Belinda tenía que haber estado allí. De haber sido así, hubiera podido ayudar.

Ella fumaba y se paseaba por la casa, una y otra vez. Nada estaba saliendo bien. Nunca hubiera imaginado que Fleur pudiera enfadarse tanto con ella, pero la verdad era que su hija apenas le había dirigido la palabra desde el martes anterior, cuando había averiguado que no habría ninguna doble. Y ahora esto.

Belinda encendió otro cigarrillo y esperó.

Fleur llegó a casa pronto y pasó junto a ella sin pronunciar palabra. Belinda la siguió escaleras arriba.

—Mi niña, no seas así.

—No quiero hablar de eso —repuso Fleur con una serena dignidad que desarmó todavía más a Belinda.

—¿Cuánto tiempo más vas a castigarme?

—No te estoy castigando.

Fleur entró en su habitación y dejó el bolso sobre la cama.

—Pues yo llevo contados tres días de silencio como castigo —respondió Belinda.

Fleur se volvió hacia ella.

—Lo que me hiciste estuvo muy mal.

La intensidad con la que se expresaba Fleur asustaba a Belinda.

—No soy perfecta, cariño. A veces mi ambición por ti se lleva lo mejor de mí.

—No me digas.

Sintió como un alivio el sarcasmo de Fleur. Belinda fue hacia su hija.

—Tú eres especial, mi niña, y no voy a permitir que lo olvides, por mucho que lo intentes. Las reglas para las personas famosas no son las mismas que para las personas normales.

—No me lo creo.

Belinda le acarició la mejilla.

—Te quiero con toda el alma. ¿Puedes creerlo?

Fleur se dejó llevar lo suficiente como para asentir.

Los ojos de su madre se llenaron de lágrimas.

—Únicamente quiero lo mejor para ti. Tu destino quedó grabado en el mismo momento en que fuiste concebida. La fama está en tu sangre. —Le tendió los brazos—. Perdóname, mi niña. ¡Por favor, perdóname!

Fleur permitió que la abrazara y se fue relajando.

—Te perdono —susurró—. Pero, por favor..., prométeme que nunca volverás a mentirme.

Belinda sintió que el corazón se le inflamaba de amor por su hija, tan bella, tan ingenua...

—Te lo prometo. Nunca más te mentiré.

Faltaba poco para el anochecer cuando Belinda cogió las llaves de su Mercedes. Si no actuaba con rapidez, todo lo que había planeado se iba a frustrar. Aparcó en la plaza que Fleur tenía reservada en el estudio y saludó al guardia al dirigirse al interior. Ninguno de los tres hombres que había en la sala de proyecciones a oscuras advirtió que entraba, absortos como estaban en las imágenes de la pantalla.

—Todas las simpatías de la película caen de su lado. —Johnny Guy giraba la tapa de lo que parecía un frasco de antiácidos—. Es como si asistiéramos a la violación de Blancanieves. Y te juro, Jako, que si me dices «ya te lo había dicho», te estrangulo.

—La película se nos cae encima —dijo Jake con tono neutro.

Belinda sintió un escalofrío.

—Haríamos bien en no adelantar acontecimientos —dijo Jack Spano—. Fleur ha tenido un mal día, eso es todo.

Johnny Guy se zampó un antiácido.

—Se nota que no estabas ahí, Dicky. No puede con esa escena. Está clarísimo. —Jake se echó atrás el cabello—. Voy a irme a casa, voy a desconectar los teléfonos todo el fin de semana y me voy a dedicar a hacer algunas correcciones. Tendremos que cortar parte de su metraje.

Belinda se hincó las uñas en las palmas. ¿Cortar metraje de Fleur? ¡Por encima de su cadáver!

—Haz lo que tengas que hacer —dijo Johnny Guy—. Te escribiré algunas notas. Lo lamento, Jako, de verdad.

Spano agitó su cigarro en el aire.

—Sigo sin entender por qué se queda tan bloqueada. Todos conocemos a algunos de los chicos con los que ha salido. Son tíos exitosos. Parece imposible que nunca se haya quitado la ropa delante de un hombre.

—Pero nunca delante de Jake —le recordó Johnny Guy.

La lumbre del cigarro de Spano se avivó.

—¿A qué te refieres? ¿Qué significa eso?

Jake suspiró.

—Déjalo correr, Johnny.

El director miró a Spano.

—Fleur está pero que muy prendada de este chico.

Belinda se quedó todavía más quieta.

Johnny Guy se zampó otro antiácido.

—Diría que ser irresistible es algo que el pobre chico no puede evitar.

—Vete al infierno —repuso Jake, sonriente.

Johnny Guy se rascó la nuca.

—Haz lo que puedas durante el fin de semana con las correcciones. No es el fin del mundo, pero esto va a entorpecer las cosas.

Belinda no dejaba de cavilar mientras salía sigilosamente de la sala. ¿Fleur se había enamorado de Jake? ¿Y cómo ella no se había dado cuenta antes? Porque había estado absorta en la fascinación que ella misma sentía por él. Ella, que pensaba conocer a su hija tan bien... Y en cambio no había sabido ver algo completamente obvio. Sin embargo, ¿qué mujer no iba a caer rendida a los pies de aquel hombre? Ahora que lo pensaba podía ver las evidencias de ese enamoramiento. Pero, claro, la posibilidad de convertir en realidad sus propios sueños había hecho que bajara la guardia. Sintió una súbita agitación. Localizó el *pickup* de Jake en el aparcamiento y lo esperó. No iba a permitir que cortasen ninguna de las secuencias en que aparecía Fleur.

Jake apareció cuando faltaban unos minutos para medianoche. Ella lo abordó cuando llegaba a la camioneta. Desde lo de Iowa él la había estado evitando, y tampoco pareció contento de verla ahora. Ella había aceptado su rechazo con la misma resignación fatalista con que había encajado el abandono de Flynn. No era lo bastante importante como para retenerlos. No obstante, cuando aquel día él la había besado, le había parecido recuperar un trozo de Jimmie, y con eso ya podía darse por satisfecha.

—No hagas esas correcciones —le dijo sin más—. Es una pérdida de tiempo. Fleur puede hacer esas escenas.

—Vaya, alguien ha estado escuchando a escondidas.

—He venido a ver las primeras pruebas y luego os habéis

puesto a hablar. Pero insisto: no hay necesidad de cambiar nada.

Él sacó las llaves del bolsillo de sus tejanos.

—Si has visto las pruebas sabrás que no podemos utilizar nada de lo que hemos rodado hoy. No me gusta tener que hacerlo así, pero no queda otro remedio, a menos que ocurra un milagro.

—Haz ese milagro, Jake —pidió ella con suavidad—. Tú puedes hacerlo.

Él la miró fijamente.

—¿De qué diablos me estás hablando?

Ella se acercó más hacia él, con la boca seca.

—Ambos sabemos por qué Fleur no se puede dejar ir en esa escena. Le da miedo que percibas lo que siente por ti. Pero tú puedes arreglarlo.

—No entiendo qué quieres decir.

¿Cómo era posible que un hombre que escribía de manera tan brillante sobre la complejidad humana fuera tan obtuso? Le sonrió y dijo:

—Derriba esa muralla. Llévatela contigo este fin de semana y derriba la muralla que ella ha levantado.

Por un momento él pareció desconcertado, pero enseguida dijo con frialdad:

—Quizá podrías explicarme mejor a qué te refieres exactamente con eso.

Ella le respondió con una risita nerviosa.

—Fleur cumplirá los veinte el mes que viene. Ya ha dejado atrás la edad núbil.

—Sigo sin entender adónde quieres ir a parar —dijo Jake sin mover apenas los labios—. Dímelo, Belinda, y dímelo claro para que esté seguro de entenderte.

Ella no iba a recular, así que levantó el mentón y dijo:

—Tienes que hacerle el amor.

—¡Por Dios!

—No te hagas el escandalizado. Es la solución más obvia.

—Lo será para tu mente retorcida. —El tono de aquella voz la abofeteó y sintió el desprecio en su mirada—. La gente hace el amor por placer. No es algo que tenga que ver con ningún negocio. Estás haciendo de proxeneta con tu propia hija.

—Jake...

—De lo que estás hablando es de follar. Fóllate a mi hija, Koranda, para que no estropee su carrera. Fóllatela, para que no estropee mi carrera.

—¡No es así! —saltó ella—. Haces que todo parezca tan sucio...

—Entonces conviértelo en bonito para mí, anda.

—Pero tú seguro que te sientes atraído por ella. Es una de las mujeres más hermosas del mundo. Y está enamorada de ti. —Y pensó: «Vaya sí lo está. Fleur siempre ha sido de grandes pasiones. Seguro que ama a Jake.»

El desprecio del actor se convirtió en asco:

—¿Has olvidado ya aquella mañana en Iowa?

—Allí no ocurrió nada. No cuenta.

—En mi mente sí cuenta.

—Fleur te desea, Jake. Y lo que siente por ti es todo lo que se interpone en el camino hacia la finalización de la película tal como tú la tienes en la cabeza. Y la única persona que puede derribar sus reservas eres tú. —Belinda había esperado toda la vida para eso, y no iba a permitir que unos remilgos la disuadieran—. ¿Qué hay de malo en lo que te pido? —Ignoró su propia incomodidad y lo miró a los ojos—. Y no vayas a creer que nunca ha estado con un hombre...

Jake se estremeció.

Belinda prosiguió lanzada:

—No es que haya sido promiscua, por favor. Yo la he protegido, pero una madre llega hasta donde puede. Si haces lo que te digo, sus sentimientos por ti podrán encauzarse positivamente. Si ella mejora, la película mejorará también. Todo el mundo sale ganando.

—No, tú no, Belinda. —La miró con una mirada fría que la penetró hasta el túetano—. Tú eres la perdedora más grande que he conocido.

Se subió a la camioneta y la puso en marcha. El motor rugió.

Los neumáticos chirriaron y abandonó el aparcamiento. Ella lo siguió con la mirada hasta que perdió de vista las luces traseras.

Cuando llegó a casa, fue al dormitorio de Fleur. Su hija estaba dormida. Con ternura le apartó un mechón de cabello rubio que se rizaba sobre la mejilla.

—¿Mamá? —preguntó Fleur de pronto.

—Todo está bien, cariño. Sigue durmiendo.

—He olido tu perfume —murmuró la joven antes de volver a dormirse.

Belinda estuvo sentada sin pegar ojo el resto de la noche. Nunca había tenido más razón en algo que en ese algo en concreto. Fleur y Jake podrían convertirse en una de las grandes parejas de Hollywood, como Gable y Carole Lombard, o como Liz Taylor y Mike Todd. Jake necesitaba a una mujer por encima de la media.

Cuanto más pensaba en el asunto, más se convencía de que tenía razón. Naturalmente, era cierto que Fleur se había quedado catatónica en las tomas de aquel día. La había mortificado terriblemente tener que hacer en público lo que debería haber sido su primer encuentro en privado, la primera ocasión en que iba a ofrecérsele. Una vez que Fleur se hubiese liberado interpretaría la escena con brillantez, pero para ello primero tenía que intimar con Jake.

Belinda fumaba un cigarrillo tras otro mientras en su cabeza escribía su guión. El argumento era tan simple que caía por su propio peso. Sin embargo, esa misma evidencia era lo que lo hacía atractivo. ¿Acaso Hollywood no era así, un lugar no apto para incrédulos?

Practicó en una libreta y utilizó notas escritas a mano que Jake había hecho como guía para la parte de Fleur. El resultado final no habría superado un examen riguroso, pero con eso ya había bastante. Al día siguiente ultimaría los detalles.

Fleur pasó la mayor parte del sábado montando a caballo, pero eso no le hizo olvidar lo ocurrido. La gente del estudio dependía de ella y les había fallado. Y el lunes todavía podía ser peor. ¿Qué iba a hacer cuando la secuencia de desvestirse concluyera y tuviera que hacerle el amor a Jake?

Cuando llegó a casa se encontró a Belinda tomando el sol junto a la piscina. Seguramente ya estaría informada de lo sucedido el viernes, así que se preparó para un interrogatorio, pero su madre simplemente sonreía.

—He tenido una magnífica idea. Refréscate con un chapuzón y luego nos vestimos para salir a cenar. Tú y yo solas, en un restaurante fabulosamente caro.

Fleur no tenía hambre, pero tampoco deseaba pasar el sábado por la noche revolcándose en la autocompasión. Además, ambas necesitaban olvidarse juntas de todo lo relacionado con el trabajo.

—Perfecto —sonrió.

Se puso el bañador, luego estuvo nadando un rato y finalmente se dio una ducha. Cuando salió del baño, Belinda estaba esperándola sentada en el borde de su cama. El cabello rubio de su madre se veía realzado por un vestido de color coral.

—Hoy he ido de compras —le dijo—. Mira lo que he encontrado para ti.

Sobre la cama había un vestido muy corto de ganchillo hecho con hilo de color beis junto con una combinación de falda color carne y unas braguitas de encaje. Desde luego, con algo así no pasaría desapercibida. Sería toda piernas, y la combinación de ese color bajo la labor de punto tan abierto haría que pareciera desnuda. Pero no podía rechazar la oferta de paz de Belinda.

—¡Gracias, es precioso!

—¡Y mira estos! —Belinda abrió una caja de zapatos y sacó unas sandalias plataforma con tiras de color caramelo que se ataban con cintas en los tobillos—. Lo vamos a pasar en grande.

Fleur se vistió. Tal como pensaba, era todo carne y piernas. Belinda le recogió el pelo encima de la cabeza, le prendió unos grandes pendientes dorados en las orejas y añadió una gota de perfume. Se emocionó al ver el reflejo de Fleur en el espejo.

—Te quiero mucho, mi niña.

—Yo también.

Bajaron las escaleras. Belinda recogió su bolso de la mesita del vestíbulo.

—¡Huy, lo olvidaba! —dijo al coger también un sobre—. Es muy extraño. Lo encontré en el buzón. Está dirigido a ti, pero no lleva sello. Habrá venido alguien a dejarlo personalmente.

Fleur se hizo con el sobre. Solamente llevaba su nombre escrito. Lo abrió y sacó dos hojas. Una caligrafía desordenada cubría la superior.

Querida Flower:

Ya ha pasado la medianoche y no veo que haya ninguna luz en la casa, de modo que te dejo esto en el buzón con la esperanza de que te llegue el sábado por la mañana. Tengo que verte y tiene que ser ahora. Por favor, Flower, si algo te importo, ven en coche hasta mi casa en Morro Bay en cuanto recibas este mensaje. Llegar te llevará unas tres horas. Aquí tienes un mapa. No me decepciones, nena. Te necesito.

Te quiero,

JAKE

P. D. No hables de esto con nadie. Ni siquiera con Belinda.

Fleur miró la nota. Se suponía que la había encontrado hacía horas. ¿Y si había sucedido algo grave? El corazón le palpitó. Él la necesitaba.

—¿De qué se trata? —preguntó Belinda.

Fleur había fijado la mirada en la última línea.

—Es... es de Lynn. Ha pasado algo. Tengo que ir inmediatamente.

—¿Ir adónde? Es muy tarde.

—Te llamaré. —Cogió el bolso. Mientras cruzaba la casa hacia el garaje, pensaba que si tuviera el número podría telefonearle para avisarle que iba para allá.

Durante todo el viaje hacia Morro Bay intentó adivinar qué podía haber ocurrido. Quería creer que por fin Jake había comprendido que ella le importaba, y con cada kilómetro que avanzaba esas esperanzas crecían. Quizá lo ocurrido el viernes había contribuido a que dejara de mirarla como a una hermana pequeña.

Eran ya más de las once cuando dejó atrás Morro Bay y encontró el giro que marcaba el mapa. La carretera estaba desierta y condujo durante casi diez minutos antes de divisar el buzón que constituía la siguiente referencia. El camino de grava que subía por la ladera de la montaña parecía peligrosamente estrecho, con pinos y chaparrales a ambos lados. Finalmente vio unas luces.

El voladizo de hormigón y cristal parecía crecer desde la yerma ladera. Un pequeño camino de entrada iluminado concluía en la casa. Aparcó y bajó del coche. El viento le revolvía el pelo. El aire olía a sal y lluvia.

Él debía de haber oído el coche, porque la puerta principal se abrió justo cuando Fleur iba a llamar al timbre. Silueteado a contraluz, él parecía sumamente grácil.

—¿Flower?

—Hola, Jake.

13

Fleur esperaba que Jake la invitara a pasar, pero él se había quedado quieto en la puerta, mirándola. Llevaba tejanos y un suéter negro. Parecía agotado. Las facciones se le marcaban y no se había afeitado. Pero en su cara vio algo más allá de la fatiga, algo que le recordó el primer día en el estudio, cuando lo había visto pegar a Lynn. Parecía un tipo duro y malo.

—¿Puedo pasar al lavabo? —preguntó Fleur con nerviosismo.

Por un momento pensó que iba a decirle que no, pero él se encogió de hombros con gesto cansado y se hizo a un lado.

—Nunca discuto con el destino.

—¿Cómo?

—Adelante.

El interior de la casa no se parecía a nada que ella hubiera visto antes. Grandes ángulos de cemento delineaban las zonas, y las rampas hacían las veces de escaleras. Las paredes de cristal y las grandes alturas difuminaban los límites entre exterior e interior. Incluso los colores eran los mismos de fuera: el azul del océano, los blancos y grises de las rocas y las piedras.

—Es muy bonito, Jake.

—El lavabo está bajando por esa rampa.

Lo miró, nerviosa. Algo iba muy mal. Mientras caminaba en la dirección que le había indicado vio un estudio con una pared cubierta de libros y una vieja mesa de biblioteca en la que había una máquina de escribir. Había papeles arrugados diseminados por el suelo.

Cerró la puerta y entendió que aquel era el cuarto de baño más grande que había visto nunca, una caverna de baldosas negras con una pared de cristal y una enorme bañera que se asomaba al borde del acantilado. Todo era grande: la bañera, la cabina de la ducha esculpida en la pared como una hornacina, los dos lavabos.

Se miró en el espejo y no le gustó lo que veía. La combinación de color carne hacía que pareciera que iba desnuda bajo el vestido de punto. Pero luego, cuando pensó en lo malhumorado que parecía Jake, decidió que ese vestido tampoco estaba tan mal: esa noche no parecía la hermana menor de nadie. La Niña Brillante había venido en busca de Bird Dog Caliber.

Cuando salió, se encontró con él en la sala, vaso de whisky en mano.

—Creía que solamente bebías cerveza —dijo ella.

—Sí, tienes razón. Los licores me convierten en un borracho con malas pulgas.

—Y entonces por qué...

—¿Qué estás haciendo aquí?

Ella lo miró. No, él no lo sabía. En ese momento le resultó horriblemente patente: Jake no había escrito la nota. Las mejillas de Fleur se encendieron. ¿Cómo había sido tan tonta, cómo había podido creer que él la necesitaba? Solo había visto lo que quería ver. No se le ocurrió nada mejor que buscar en el bolso y pasarle la nota.

Los segundos se enlentecieron mientras él leía. Los pensamientos de Fleur se dispararon. ¿Qué era aquello, una broma pesada? Pero ¿a quién podía ocurrírsele? ¿A Lynn? Su compañera de rodaje era la única persona que intuía los sentimientos de Fleur hacia Jake, y le encantaba hacer de celestina. Sí, Lynn debía de ser la responsable y Fleur la mataría. Después de matarse a ella misma, eso sí.

—¡Pues vaya nota más extraña! —Jake arrugó el papel y lo

lanzó hacia la chimenea vacía—. Esta no es mi letra. Te han engañado.

—Eso mismo estaba pensando. —Recorría con los dedos la correa del bolso—. Debe de ser una broma de mal gusto. Nada graciosa, desde luego.

Jake vació el vaso de un trago. Recorrió con la mirada el breve vestido de tirantes. Se detuvo en los pechos, y luego en las piernas. Nunca la había mirado de ese modo: como si por fin cayese en la cuenta de que era una mujer. Sintió un pequeño cambio en el equilibrio entre ambos y la vergüenza empezó a diluirse.

—¿Qué te ocurría ayer? —le preguntó—. Conozco actrices a las que no les gusta quitarse la ropa, pero nunca había visto nada como lo tuyo.

—No estuve demasiado profesional, ¿verdad?

—Digamos que te cargaste cualquier posibilidad de poder ganarte la vida como *stripper*. —Se dirigió a un bar hecho de madera y piedra y volvió a llenarse el vaso—. Explícame por qué.

Ella se sentó en un sofá que sobresalía de la pared y recogió las piernas. El vestidito remontó sus muslos y a él no le pasó por alto. Lo miró mientras Jake echaba otro trago.

—Pues no hay mucho que explicar —dijo por fin—. Es algo que no me gusta, no hay más.

—¿Quitarte la ropa o la vida en general?

—No me gusta este trabajo. —Inspiró hondo—. No me gusta actuar y no me gusta hacer películas.

—Y entonces ¿por qué lo haces? —Apoyó el brazo en la barra. Si en la cabeza llevara un sombrero polvoriento y hubiera podido colocar una bota sobre una silla, Bird Dog estaría allí en ese momento—. No, no te preocupes. Era una pregunta tonta. Claro, Belinda te utiliza.

Ella se puso a la defensiva automáticamente.

—Solo quiere lo mejor para mí, pero las cosas se complican. No puede entender que la gente busque en la vida algo distinto de lo que ella busca.

—¿De verdad crees eso? ¿Que únicamente piensa en tu bienestar?

—Sí, eso es lo que creo. —No iba a dejar que nadie (excepto ella misma) criticara a su madre—. Ya sé lo importante que es esa escena entre Math y Lizzie. El lunes le pondré todo mi empeño. Si de verdad lo...

—¿Y qué pasa, que el viernes no lo pusiste? Nena, por favor, que estás hablando con el tío Jake.

Ella se incorporó en el sofá.

—¡No, por favor! ¡Odio cuando te pones en ese plan! ¡No soy ninguna nena y tú no eres mi tío!

Los ojos de Jake se estrecharon y la mandíbula se le marcó.

—Necesitábamos una mujer para el papel de Lizzie y en su lugar tenemos a una cría.

Esas palabras deberían haberla fulminado, romperla en mil pedazos y hacerla marchar llorando a moco tendido... Sí, pero en realidad resultaban demasiado insultantes. Ella miró su rostro duro y sintió una súbita emoción primitiva. No la estaba mirando como a una niña. Bajo sus ojos azules percibió algo que nunca había visto antes, algo que ella identificó fácilmente porque llevaba mucho tiempo sintiéndolo. Por muy hostil que se mostrara, Jake la deseaba.

La piel se le erizó. En ese momento entendió todo lo que Lizzie entendía y supo exactamente qué le daba tanto poder a su personaje.

—El único niño que hay aquí eres tú —dijo suavemente.

Eso no le gustó.

—No juegues conmigo. He jugado con las mejores y, créeme, tú eres de segunda división.

Intentaba herirla, y a ella solo se le ocurría un motivo: lo hacía para ahuyentarla de su lado. Así que se reclinó en el sofá y se pasó los dedos por el pelo.

—¿De veras?

—Cuidado, Flower. No hagas nada de lo que luego puedas arrepentirte, especialmente con ese vestido.

Ella sonrió.

—¿Qué tiene de malo mi vestido?

—No me fastidies, haz el favor.

—Pero ¿cómo iba a fastidiarte yo? Soy de segunda división, ¿recuerdas?

—Será mejor que te lleve a Morro Bay —dijo con el ceño fruncido—. Allí hay un hotel decente en el que podrás pasar la noche.

Eclipse de domingo por la mañana iba a acabar de rodarse en dos semanas y probablemente luego ya no volvería a verlo. Si necesitaba probarle que era una mujer, quizá aquella era su última y mejor oportunidad. Con aquel vestido descarado y su exposición de piernas que él no podía dejar de mirar. Ella veía deseo en sus ojos. Deseo de un hombre por una mujer. Se levantó y fue hacia la ventana. El pelo le ondeó sobre los hombros, los aros dorados se balancearon bajo las orejas y las caderas se menearon bajo las transparencias. Se tocó un pendiente y se volvió para mirarlo, el corazón palpitándole.

—Pareces nervioso. ¿Hay alguna razón para ello?

—Quizá porque esta noche no pareces tan patito feo como de costumbre, Flower —dijo él con voz ronca—. De verdad, lo mejor es que te vayas.

Ella recurrió a sus mejores trucos de chica de portada. Se apoyó contra el cristal, cambió el ángulo de las caderas y extendió las piernas...

—Si de verdad quieres que me vaya... —dobló una rodilla para exponer la cara interior del muslo— entonces tendrás que obligarme.

Pareció que algún resorte interno de Jake saltaba. Dejó el vaso sobre la barra con un golpe, como había hecho en una docena de películas.

—¿Quieres jugar? Pues muy bien, chica, juguemos.

Avanzó hacia ella y Fleur tardó en comprender que aquello no era ninguna película, sino que estaba ocurriendo. Entonces se dijo que era mejor salir de allí, pero él la apresó antes de que pudiera moverse, sujetándole los brazos.

—Vamos, nena —susurró—. Muéstrame lo que tienes.

Bajó la cabeza y acercó la boca a sus labios. Los empujó mientras con los dientes hendía el labio inferior, forzándola a abrir la boca. Ella notó el gusto del whisky en la lengua e intentó concentrarse en que realmente era Jake. Desde luego eran las manos de Jake las que se deslizaban bajo el vestido, hacia las braguitas. Entonces le abarcó las nalgas desnudas y la atrajo a su cuerpo con fuerza.

Él le alzó más el vestido y la cremallera de los tejanos arañó la piel desnuda de su vientre, mientras con la lengua exploraba su boca. Era demasiado impulsivo. Ella quería música suave y flores bonitas. Ella quería cuerpos sinuosos vistos a través de una lente desenfocada, no ese ataque carnal tan crudo. Le empujó el pecho.

—Para.

Su áspera respiración le raspó el oído.

—Esto es lo que quieres, ¿verdad? —dijo—. Que te trate como a una mujer.

—Como a una mujer, no como a una puta.

El amante de sus ensoñaciones se había esfumado. Se apartó de él y corrió a trompicones hacia la puerta de la casa, ansiosa por marcharse antes de romper a llorar. Pero necesitaba su bolso. Y las llaves del coche. Se volvió para recogerlos a tiempo de ver que él descolgaba el teléfono.

También se había esfumado su atacante lujurioso. Ahora parecía cansado y triste. Lo observó, más con la cabeza que con el corazón herido. De pronto le resultó tan transparente como una de las paredes acristaladas de aquella espectacular casa en voladizo.

Él estaba hablando. Se había convertido en un hombre serio que llevaba a cabo una gestión.

—¿Disponen de una habitación libre para esta noche?

Ella avanzó hacia él, olvidándose de las llaves y el bolso. Él escrutaba fijamente la chimenea, para no tener que mirarla a ella.

—Sí, sí... Muy bien. No. Solamente para una noche...

Ella le quitó el auricular de la mano y colgó.

Pero no era un hombre al que se pudiera sorprender fácilmente.

—¿No has tenido ya bastante por una noche? —le espetó.

Ella lo miró a los ojos.

—No —dijo con suavidad—. Quiero más.

Una vena latió en el cuello de Jake.

—No sabes lo que dices.

—Nadie te ha acusado nunca de no ser el mejor actor del mundo, pero diría que esta actuación deja mucho que desear —repuso ella, burlona—. Estás haciendo de Bird Dog Caliber intentando asustar a la buena chica.

—Vale ya —respondió pasándose la mano por el pelo.

—Eres un gallina. No tienes lo que hay que tener.

—Te llevaré al hotel.

—Me deseas —le soltó ella—. Sé que me deseas.

Él apretó la mandíbula, pero mantuvo la calma.

—Después de un buen sueño reparador te despejarás...

—Quiero dormir aquí.

—Mañana por la mañana te recojo en el hotel y te llevo a desayunar. ¿Vale así?

Ella apretó los labios en una pose de modelo.

—¡Qué pasada, tío Jake! ¡Suena estupendo! ¿Me comprarás una piruleta?

—¿Cuánto se supone que tengo que aguantar? —respondió él con expresión endurecida—. ¿Qué demonios quieres de mí?

—Quiero que dejes de intentar protegerme.

—Pero ¡eres una niña, maldita sea! ¡Necesitas que te protejan!

—Eso de que soy una niña es un discurso muy viejo ya, Jake. Viejo de verdad.

—Vete, Fleur, por favor. Por tu propio bien, vete.

No iba a soportar que nadie volviera a decirle qué era lo mejor para ella, y mucho menos Jake.

—Yo decidiré sobre eso. —Intentó no mostrar su corazón en la mirada—. Ahora quiero que me hagas el amor.

—No estoy interesado.

—Mentiroso.

Ella fue consciente del preciso momento de su victoria: la cabeza de Jake se levantó y los labios se le hicieron todavía más finos.

—De acuerdo, pues. Veamos de qué estás hecha.

La agarró por un brazo y cruzaron la estancia en dirección a una rampa. No era que la arrastrara, pero faltaba poco. Remontaron la suave cuesta y pasaron bajo un arco. Otra rampa... Ella quería aminorar la marcha.

—Jake...

—Cállate.

—Quiero...

—Pues yo no.

Llegaron al dormitorio principal, que disponía de una cama enorme. Descansaba sobre un nivel elevado directamente debajo de una enorme claraboya. Él la tomó en brazos, igual que en las fantasías de ella. Subió los dos peldaños y la soltó poco ceremoniosamente sobre las sábanas de raso negro.

—Es tu última oportunidad, Fleur —gruñó con expresión severa—. La última antes de alcanzar el punto de no retorno.

Ella no se movió.

—Pues bien, niña... —Cruzó los brazos sobre el pecho y se quitó el suéter—. Es hora de jugar con los mayores.

Ella tensó los dedos sobre la colcha.

—¿Jake?

—Dime.

—Me estás poniendo nerviosa.

Él se desabrochó los tejanos.

—¿Sí?

Él, que seguía proponiéndose asustarla, se quitó los pantalones de un tirón. Segundos después estaba a los pies de la cama, vestido solo con unos calzoncillos negros. Ella deseaba que llevara algodón blanco y casero, o algo grande y desgastado como el bañador que le conocía. Le había visto el pecho una docena de veces, pero nunca el bajo vientre. Era plano y firme, puro músculo esculpido. Su mirada descendió hasta el imponente abultamiento atravesado en diagonal que los calzoncillos, pequeños y ajustados, no alcanzaban a ocultar.

—Llevas demasiada ropa —le dijo.

Él quería que diera marcha atrás, pero ella no estaba dispuesta. Necesitaba comprobar exactamente cuán duro estaba.

La mano de Jake le apresó un tobillo y ella sintió un cosquilleo en todo el cuerpo. Le desató la sandalia y se la sacó, y luego la otra. Sus ojos se posaron en las piernas expuestas de Fleur, que retrocedió en los almohadones. Parecía tan determinado...

—No quiero que sea así —susurró ella.

Los ojos de Jake le acariciaron los pechos, las caderas, las piernas...

—Lástima —dijo él, y se inclinó para deshacer el lazo que le cerraba el vestido por la parte superior.

—Sería mejor que yo no...

La tomó por los hombros y la hizo incorporar para que se arrodillara.

—Creo que deberíamos... —dijo ella tragando saliva.

Él le quitó el vestidito por encima de la cabeza con cierta brusquedad.

—Ya estoy harto de hacerme el niño bueno contigo. Desde el día que nos conocimos... —Buscó el borde de la combinación.

Ella le apartó la mano.

—Así no. No es así como lo quiero.

—Ahora estamos jugando con reglas para adultos. —Tiró de la combinación hacia arriba y se la sacó por la cabeza, desparramando su cabellera.

Ella quedó arrodillada sobre la cama sin otra prenda que las braguitas y los pendientes dorados.

—Por fin puedo ver todas las partes de ti que ayer tuve que fingir no ver —dijo Jake.

—Sé muy bien lo que pretendes, pero no voy a dejarte. No voy a dejar que conviertas esto en algo malo para mí.

La voz de Jake sonó dura e incisiva:

—No sé de qué estás hablando.

Ella puso los brazos en jarras.

—Estás intentando arruinarlo. Quieres evitar que sea algo importante.

—Es que no es importante. —El colchón se hundió bajo su peso. Cubrió con su cuerpo el de Fleur y bajó la mano para despojarla de las bragas—. Esto es divertido, nada más. —Los dedos, con un tacto casi clínico, la encontraron—. ¿Te gusta?

—Para.

—¿Cómo lo quieres? ¿Rápido? ¿Lento? Dime cómo lo quieres.

—Quiero flores —susurró ella—. Yo quería que acariciaras mi cuerpo con flores.

Él se estremeció. Se apartó con una imprecación ahogada y quedó tendido de espaldas mirando el cielo nocturno a través de la claraboya. Ella no lo entendía, en absoluto.

—¿Por qué quieres herirme? —preguntó Fleur.

Él tendió la mano para tocarle la suya.

—Si fuera un mejor hombre... pero no lo soy. —Se volvió hacia ella y con delicadeza le trazó la curva del hombro con un dedo—. Muy bien —musitó—, se han acabado los juegos. Vamos a hacerlo como es debido.

La boca de Jake encontró la de Fleur en un beso suave y tierno que hizo derretir el gran frío que ella sentía en su interior. Era muy distinto de los besos que se daban ante las cámaras. Las dos narices entrechocaron. Él adelantó la lengua y la deslizó más allá de la barrera de los dientes, y allí se encontró con la lengua de Fleur. Era húmeda y áspera y perfecta. Ella le rodeó los hombros con los brazos y lo ciñó tanto que él percibió los latidos de su corazón.

Finalmente él se incorporó un poco y jugueteó con los dedos entre los cabellos de Fleur y la miró con calidez.

—No tengo flores —susurró—, de manera que tendré que tocarte con otra cosa.

Bajó la cabeza y atrapó su pezón entre los labios. Se le hinchó en la lengua y ella gimió al sentir oleadas de placer que se extendían por su cuerpo.

Como si de un *cowboy* perezoso se tratara, le recorrió el cuerpo lentamente con las manos. Le cubrió el vientre de besos mientras le acariciaba las caderas, con lo que la enardeció. Luego le hizo subir las rodillas y se las separó despacio.

La luz de la luna que penetraba por la claraboya le dibujaba sombras plateadas en la espalda. Los dedos juguetearon en la maraña de rizos. Siempre con mucha suavidad, hizo que se abriera.

—Pétalos de flor —susurró—. Ya los he encontrado.

Y entonces la cubrió con su boca delicadamente.

Ella sintió una excitación desconocida. Pronunció su nombre, sin saber si en voz alta o interiormente. Las espirales de placer se le enredaban en el interior, generando estallidos de fuegos artificiales que brillaban cada vez más, cada vez más calientes, y la transportaban hacia la cima del paroxismo...

—¡No...!

Ese grito ahogado hizo que él mirara hacia arriba, pero ella no sabía cómo decirle que no quería embarcarse en ese vuelo a solas. Él sonrió y se encaramó junto al cuerpo de Fleur.

—¿Te rindes? —murmuró con voz sensual, tan socarrona como irresistible.

Ella sintió el enhiesto miembro apretarse contra su muslo y no dudó en deslizar la mano bajo los calzoncillos. Era suave y dura como un asta de mármol caliente, y él soltó un gemido ahogado cuando sintió los dedos de Fleur cerrarse a su alrededor.

—¿Qué pasa, *cowboy*? —susurró ella—. ¿No puedes soportarlo? —Lo oyó respirar con suspiros y súbitos jadeos.

—No... no me afecta... Ni de una manera... ni de otra.

Ella rio y se separó un poco para verlo mejor. Su pelo cayó sobre el pecho de Jake. Le quitó los calzoncillos y probó el poder de su tacto. Aquí... aquí y allí... aquí otra vez. Lo tocó con la punta de un dedo, con la yema del pulgar, con un mechón de cabello. Y finalmente con la punta de la lengua.

Él soltó una especie de rugido visceral.

A continuación lo lamió como una gata, mientras secretamente se enorgullecía y ufanaba de poseer semejante poder. Las manos de Jake se posaron en sus hombros y Fleur se vio atraída hasta la altura de su pecho.

—Me rindo —graznó él mordisqueándole el labio inferior.

—Así que abandonas, ¿eh?

Jake le sobó los pechos y atrapó un pezón.

—Por lo visto voy a tener que recordarte quién es el jefe —se recompuso él.

—Te deseo suerte —se burló ella y tocó su diente mellado con la punta de la lengua.

—La señora aprende despacio. —Le cubrió el cuerpo inclinándose sobre ella—. Ábrete, cariño. Estás a punto de encontrarte con tu maestro.

Ella abrió las piernas con regocijo, ardiendo en deseos de recibirlo. De amarlo. Rio, también con sus ojos azules y enturbiados, brillantes de deseo.

Jake oyó el sonido dulce y delicado de una mujer, ese que surge de las profundidades de la garganta, y eso le llegó al alma. Mirándola a los ojos, sin pronunciar palabra, le rogó que lo retuviera de algún modo, pero ella le respondió con una sonrisa y todo su amor. Él sintió que la calidez de aquel rostro lo impulsaba y la penetró con fuerza. No se esperaba que fuera a ofrecer tanta resistencia. Ni se le había pasado por la cabeza que ella...

Fleur soltó un gritito.

—¡Por fin...! —susurró entonces.

Eso podía significar cualquier cosa, pero a Jake se le contrajo el estómago.

—Flower... Oh, Dios mío...

Empezó a retirarse, pero ella hincó los dedos en sus nalgas.

—¡No! —gritó—. Si lo haces nunca te perdonaré.

Él tuvo ganas de aullar por su propia estupidez. A pesar de las mentiras de Belinda, a pesar de los falsos alardes de Fleur, tenía que haber intuido que era virgen. Hubiera debido ahuyentarla lejos de él, tal como había intentado, pero la corrupción de las inocentes era su especialidad, y había demostrado ser un perfecto egoísta.

Sintió que aquellas piernas de vedette de revista se enreda-ban con las suyas, que lo empujaban para que la penetrara con más ahínco, no importaba el dolor. No tuvo arrestos para herir-la aún más batiéndose en retirada. Así que hizo de tripas cora-zón y se mantuvo inmóvil, otorgándole tiempo para que se fue-ra acostumbrando a su tamaño.

—Lo siento, Flower —musitó—. No lo sabía...

Ella movió los labios e intentó atraerlo más hacia sí. Él ju-gueteó con su melena y sus labios.

—Date un poco de tiempo —susurró.

—Estoy bien.

Él no se explicaba cómo podía permanecer tan tieso en su interior. Jake Koranda, rey de los gilipollas, seguía empalmado como un chaval. Se la había metido a la Niña Brillante.

Hundió la cabeza en su cuello, enredó los dedos en su cabe-llo y empezó a moverse despacio en su interior. Ella se estreme-ció y le hincó los dedos en los hombros.

Él se detuvo en seco.

—¿Te duele?

—No... —gimió Fleur—. Por favor...

Él se incorporó para verle la cara. Tenía los ojos cerrados con fuerza y los labios entreabiertos, pero no por el dolor sino por la pasión. Levantó las caderas y la embistió con profundi-dad y persistencia. Una vez... dos... sin dejar de contemplarla debajo de él.

La acompañó mientras duraron los espasmos posteriores al orgasmo. Finalmente abrió los ojos, y poco a poco fue enfocan-do la mirada. Murmuró algo que él no entendió y luego le sonrió.

—Maravilloso... —susurró.

Él no pudo evitar sonreír.

—Me alegro.

—No imaginaba que pudiera ser tan... tan...

—¿Maravilloso?

Ella rio.

—¿Más que maravilloso? —sugirió él.

—Déjame pensar... Sí, ya sé: estupendo. ¡Incluso colosal!

—Flower...

—¿Sí?

—No sé si te habrás dado cuenta, pero no se puede decir exactamente que hayamos acabado.

—Que no hemos... —Los ojos se le agrandaron—. ¡Oh, Dios mío!

Él vio cómo la comprensión se convertía en apuro.

—Lo... lo siento —balbuceó Fleur—. No pretendía comportarme como una desagradecida... No sabía que... O sea... —La voz se le fue apagando.

Él le dio un leve mordisco en el lóbulo de una oreja.

—Ahora puedes echarte una siesta si quieres —susurró—. O leer un poco. Intentaré no molestarte.

Una vez más, empezó a moverse en su interior. Él sintió que ella se relajaba y que luego, gradualmente, se iba tensando otra vez, como demostraban los dedos hincándose en su piel. Era tan delicada, tan dulce...

—Oh... —susurró Fleur—. Va a volver a pasar, ¿verdad?

—Puedes apostar a que sí.

Momentos después, ambos se precipitaban al mismo tiempo hacia el fin del mundo.

14

—No lograrás convencerme de que no me has tomado el pelo.

—Vale ya, Bird Dog.

Fleur había despertado poco después de las dos de la mañana sola en la cama. Tras ponerse las braguitas y el suéter negro de Jake había ido a la cocina, donde lo había encontrado devorando un bol de helado. Él empezó a hacerle algunos reproches en cuanto la vio, y a partir de ese momento se enzarzaron en una discusión.

—Tenías que habérmelo dicho antes de hacerlo —dijo mientras dejaba el bol en el fregadero y abría el grifo.

—¿Antes de «hacerlo»? Oye, sé que puedes expresarte mejor. Cuando seas mayor deberías ser escritor. ¿Eso cuándo será? ¿Cuando tengas cincuenta, quizá?

—No te pases. Tu actitud no ha estado bien, Flower. Tenías que habérmelo dicho. Tenías que haberme dicho que eras una... recién llegada.

Ella sonrió con dulzura.

—¿Tenías miedo de que por la mañana te lo reprochara?

Estaba mejorando por momentos, y podía responder a sus puyas con puyas, pero en el fondo deseaba que dejara de hablar y la besara. Empezó a abrir cajones en busca de algo para sujetarse el pelo.

—¡Maldita sea, Flower! ¡No me habría comportado como un bruto!

—¿Eres así cuando te pones bruto? ¡Qué mono!

Por fin encontró una goma y se recogió el pelo en lo alto de la cabeza. Luego fue a la sala y cogió unas velas gruesas que había visto sobre la mesa.

Él la seguía, solícito como un niño.

—¿Qué estás haciendo?

—Me estoy preparando para darme un baño.

—Son casi las tres de la mañana.

—¿Y qué? Me siento pegajosa. —Por primera vez desde que había entrado en la cocina se notaba relajada.

—¿Ah, sí? ¿Y eso por qué? —preguntó él, y estuvo a punto de esbozar la sonrisa de chulo que le provocaba unas ganas de abofetearlo tan intensas como de besarlo.

—El experto eres tú, así que dime.

El suéter no le cubría por completo las caderas, de modo que él aprovechó para darle un pellizco antes de que se alejara.

Puso las velas alrededor del borde de la bañera, las encendió y vertió una generosa cantidad de jabón para preparar un baño de burbujas. De algún modo supo que aquel jabón no podía haberlo comprado Jake. Odiaba a cada una de las mujeres con que él había salido.

Mientras la bañera se llenaba, convirtió la coleta en un nudo flojo y lo aseguró con un pasador que encontró entre los artículos de maquillaje que llevaba en el bolso. No le importaba lo que dijera Jake: no se arrepentía de lo que había pasado. ¡Las imposiciones ocupaban un lugar demasiado grande en su vida! Lo había decidido por ella misma. Y cuando él la había penetrado se había sentido la mujer más dichosa del mundo, tan grande era el amor que sentía por él.

Se metió en el agua. Las velas relumbraban en la pared de cristal sobre el acantilado, de manera que se sentía como flotando en el espacio. Recordaba el momento tan dulce en que él le había robado tiernamente su virginidad.

—¿Es una fiesta privada o la entrada es libre?

Ya se estaba desabrochando los tejanos, de manera que la pregunta era retórica.

—Eso depende de si has acabado o no con la lección.

—La lección ha concluido —dijo, y murmuró algo al meterse en la bañera a su lado.

—¿Qué has dicho?

—Nada.

—No, dime.

—Bueno, de acuerdo. He dicho que lo sentía.

Ella se incorporó.

—¿Que lo sientes...? ¿Qué es lo que sientes...? Dímelo, por favor.

Debió de captar su nerviosismo, porque la atrajo hacia sus brazos.

—Nada, nena, no lamento nada aparte de haber sido tan desconsiderado contigo.

Y luego la besó y ella le correspondió. Se le deshizo la coleta sin que ninguno de los dos se diese cuenta y enlazaron piernas y brazos, se dejaron caer de nuevo en las burbujas y Fleur hizo que su melena los envolviera a ambos. Jake tiró del tapón para que pudieran respirar y luego empezó a amarla de esa manera tan deliciosa que la hacía gritar una y otra vez, hasta que la aquietó con sus besos.

Por fin, la envolvió en una toalla.

—Ahora que estoy agotado por todo lo que me has hecho hacer, ¿qué tal si me das de comer? Soy un cocinero abominable y solo me alimento de helado y patatas fritas.

—¡Huy, a mí no me mires! Soy una niña consentida y estirada, ¿recuerdas?

Él se ató una toalla del mismo juego a la cintura.

—¿Me estás diciendo que no sabes cocinar?

—Podría prepararte huevos pasados por agua.

—Eso hasta yo puedo mejorarlo.

Durante la hora siguiente, dejaron la cocina hecha un desastre. Asaron chuletas que no tuvieron la decencia de descongelarse en medio, incineraron una barra de pan en la parrilla y amañaron una ensalada a base de lechuga amarillenta y unas zanahorias pochas. Fue la mejor comida que Fleur había disfrutado nunca.

Tenían previsto ir a correr el domingo por la mañana, pero en cambio volvieron a la cama para hacer el amor otra vez. Por la tarde jugaron a las cartas y se dieron otro baño erótico. Jake la despertó antes del amanecer del lunes para hacer el viaje de vuelta a Los Ángeles. Como los dos tenían coche, tuvieron que conducir por separado. Ella subió a su Porsche y él la besó.

—No vayas a saltarte ninguna curva, ¿eh?

—Lo mismo digo.

Condujo directamente hasta los estudios. El día anterior había llamado a Belinda y con sentimiento de culpa le había repetido la mentira de que Lynn la necesitaba.

Cuando salió de peluquería y maquillaje, Jake y Johnny Guy ya estaban discutiendo, esta vez sobre el ajuste del guión que Jake no había concluido ese fin de semana. Jake la saludó con una indiferente inclinación de la cabeza. Ella habría detestado que corrieran rumores sobre ellos, por lo que apreció esa discreción. De todos modos, sintió cierta decepción.

Johnny Guy fue a su encuentro.

—Vamos a ver, princesa, sé que el viernes lo pasaste mal, pero hoy intentaremos hacerlo más fácil. He hecho algunos cambios...

—No necesito que hagas ningún cambio —se oyó decir Fleur—. Hagámoslo tal cual.

Él la miró sorprendido. Ella le respondió levantando los pulgares, como un piloto de caza a punto de despegar en misión de reconocimiento. Podía hacerlo. Y esta vez no iba a permitir que Jake olvidara que estaba mirando a una mujer, no a una niña.

Jake reapareció vestido para la ocasión y el director empezó a describir la escena. Él lo interrumpió.

—Creía que habíamos decidido prescindir de estas secuencias. Ya sabemos por qué. No perdamos más tiempo.

Johnny Guy se adelantó a Fleur y respondió escuetamente:

—La señorita quiere probarlo otra vez. —Y se volvió hacia el equipo—. Damas y caballeros, empieza el espectáculo. Vamos allá.

Poco después las cámaras comenzaron a rodar. Él la miró con ceño desde el otro extremo del pequeño dormitorio. Ella le dedicó una mueca y empezó a desabrocharse el vestido. Aquel chico era demasiado chulo y ella iba a darle una lección. Dejó caer el vestido mirándolo a los ojos. Ahora los dos compartían secretos. Él era divertido y enloquecedor y entrañable, y ella lo quería con todo su corazón. Tenían que sentir lo mismo —al menos un poco—, puesto que de otro modo no habría podido hacerle el amor con tanto cariño.

«Por favor, ámame. Ámame al menos un poco.»

Se desabrochó el sujetador. Jake frunció más el ceño y salió de su marca.

—¡Corten! —ordenó.

—¡Demonios, Jako! ¡Aquí soy yo quien da las órdenes! Lo estaba haciendo muy bien. ¿Qué te ocurre? —Johnny Guy se dio una palmada en la pierna—. ¡Nadie que no sea yo dice «corten»! ¡Nadie!

La diatriba siguió, y Jake se enfurruñó más. Finalmente se quejó de que había una silla fuera de sitio. Faltó poco para que Guy le pegara.

—No hay problema —terció ella para apaciguar al director, sintiéndose mujer al mando—. Hagamos una nueva toma.

Las cámaras se pusieron en marcha nuevamente. El rostro de Jake reflejaba conflictos diversos. Ella se quitó el sujetador despacio, tentadoramente, torturándolo con su nuevo y recién asumido poder. Inclinándose hacia delante, se quitó las braguitas y avanzó hacia él.

Tenía el cuerpo rígido cuando le desabrochó la camisa y deslizó las manos dentro. Le tocó justo en el lugar que había besado esa misma mañana. Empujó con las caderas contra las caderas de Jake, y luego hizo algo que no habían ensayado. Se inclinó y paseó la lengua por una de las tetillas de Jake.

—¡Corten! ¡Es buena! —gritó Johnny Guy, alborozado—. Fantástico, princesa. ¡Fantástico!

Jake gruñó, tomó el albornoz blanco que le tendía la chica de vestuario y envolvió a Fleur.

Durante la pausa ella vio a Lynn. Como no quería que supiera que había ido a casa de Jake, no podía preguntarle directamente si ella había sido la autora de la nota, de manera que intentó sonsacarla con habilidad. Pero Lynn era un hueso duro de roer. No obstante, Fleur se prometió averiguar la verdad más pronto que tarde.

Las cosas fueron bien el resto de la mañana, y a última hora de la tarde habían concluido el nuevo rodaje de las tomas del viernes anterior. Se inició entonces el de la escena en la cama. Johnny Guy lo captó todo: la tensión de Matt, su sentimiento de culpa, la angustia oculta tras las apariencias... y la seducción imparable de Lizzie. Jake apenas habló con ella fuera de cámara, pero era una escena intensa y ambos necesitaban estar concentrados.

En cuanto dieron la jornada por concluida, Jake desapareció. Ninguno de los dos había dormido demasiado el último par de noches, de manera que Fleur supuso que estaría cansado. Pero cuando transcurrieron los días y él continuó distante ya no le valieron esas explicaciones tranquilizadoras. Lo que ocurría era que la evitaba.

El fin de semana llegó y pasó. Las esperanzas de que la llamara se vieron frustradas. El lunes por la mañana ella pensó en forzar una confrontación, pero la asustaba la posibilidad de tener que mendigar su amor. No, eso no podría soportarlo. Jake le estaba diciendo con claridad que no revistiera de significado profundo lo que había ocurrido en Morro Bay.

El jueves era su último día de rodaje. Se movió mecánicamente por la escena con Lynn. Hizo algunos primeros planos y se fue a casa, desesperada.

—¿No te ha dicho nada Jake sobre la fiesta que organiza Johnny Guy este fin de semana? —le preguntó su madre mientras cenaban esa misma noche—. Seguro que piensa ir.

—No lo sé. No hemos hablado de eso.

Fleur no quería hablarle a Belinda de sus sentimientos por Jake, así que se excusó y se levantó de la mesa.

La mujer de Johnny Guy, Marcella, era una de las anfitrionas preferidas de Hollywood. Había invitado a la fiesta a todos los que eran alguien en la ciudad. Llevaba tiempo proclamando que iba a celebrarla en cuanto acabara el rodaje de *Eclipse de domingo por la mañana*. Fleur tardaba en escarmentar. Hasta el último minuto mantuvo la frágil esperanza de que Jake la llamara para ir juntos. Acabó yendo con Belinda.

Marcella había llenado su casa de Brentwood con flores, velas y música. Fleur sabía que la única manera de pasar la velada con cierta dignidad consistía en hacer el papel de Niña Brillante, y llevaba un vestido de seda cruda con rayas horizontales de color café, beis y terracota. El vestido tubular tenía un sutil aire egipcio que ella había remarcado con brazaletes dorados y sandalias planas con un engarce en el empeine. Se había trenzado el pelo mojado y luego, una vez seco, lo había cepillado, de manera que le caía por la espalda en una cascada de finas ondas. Marcella Kelly le dijo que parecía una Cleopatra rubia.

Marcella era tan sofisticada como pedestre Johnny Guy. Mientras él se paseaba con una lata de Orange Crush y un cigarro habano, ella animaba a los invitados a probar los *hors d'oeuvre*: salmón curado en tequila, canapés decorados con hojas de cactus comestibles y pequeños *beignets* rellenos de verduras procedentes de cultivos hidropónicos.

Fleur estudiaba a la gente por encima de la cabeza de Dick Spano, pero no veía a Jake por ninguna parte. Belinda había arrinconado a Kirk Douglas. El actor, que tenía una expresión atónita, estaría sufriendo un bombardeo de comentarios sobre todas sus películas, algunas de las cuales sin duda ya ni recordaría. Fleur le dio un sorbo a su bebida y fingió escuchar a la estrella masculina en ciernes que se había plantado a su lado. Oyó aplausos en el exterior, y cuando la multitud se disgregó vio a Jake.

Había llegado con Lynn y el director de documentales que se había convertido en su último amante. El corazón de Fleur se contrajo. Marcella se abrió paso hasta él para conducirlo entre los invitados, mostrándolo como una valiosa pieza cobrada. Fleur no pudo soportarlo. Se disculpó ante la estrella en ciernes y fue a encerrarse en el baño, donde se quedó apoyada contra la puerta y se repitió —a saber por qué— que esa noche iba a permanecer fiel a su orgullo. Él iba a recordarla vestida como Cleopatra y flanqueada por un rompecorazones de Hollywood de lo más solícito.

Finalmente, haciendo acopio de valor, salió del baño y volvió al salón. La lluvia había empezado a golpetear las ventanas. Miró alrededor y comprobó que Jake había desaparecido. Momentos después se dio cuenta de que Belinda tampoco estaba.

Podía tratarse de una coincidencia, pero conociendo a su madre le pareció que tenía motivos para inquietarse. «Únicamente quiero lo mejor para ti, mi niña.» ¿Tal vez Belinda, después de interpretar los sentimientos de su hija, había decidido intervenir? Solo de pensarlo Fleur se estremeció.

Empezó a buscarla entre los invitados, de estancia en estancia, mientras en su cabeza tenía lugar una conversación imaginaria: «Dale una oportunidad, Jake, y estoy segura de que te enamorarás de ella igual que ella se ha enamorado de ti. ¡Si formáis una pareja perfecta!»

Fleur nunca hubiera podido perdonarle algo así.

Cuando su búsqueda resultó infructuosa en la planta baja, inició otra escaleras arriba. Lidió con una molesta intromisión de Lynn y su amante, pero no encontró ni rastro de su madre. Sin embargo, cuando se disponía a volver abajo oyó ruidos procedentes de la habitación de la anfitriona y decidió investigar.

—No hay más que hablar. Volvamos a la fiesta.

Era la voz de Jake. Con el corazón en un puño, Fleur se coló con sigilo en la habitación.

—Solo un par de minutos más, por los viejos tiempos —pidió la voz de Belinda—. ¿Recuerdas qué bien lo pasamos en el hotelucho de Iowa? Nunca olvidaré esa mañana.

Aquel tono íntimo sorprendió a Fleur. Se adentró un paso más y dio con el reflejo de ambos en un antiguo espejo: Belinda con su Karl Lagerfield rosa asalmonado y Jake con una chaqueta que casi parecía respetable. Estaban en lo que parecía un vestidor. Él, con los brazos cruzados. Ella extendió la mano y lo tocó. La patética expresión zalamera de su madre hizo que a Fleur se le secara la boca.

—¿Acaso tu misión en la vida es romper los corazones de las mujeres Savagar? —dijo—. Yo entiendo lo que es un espíritu rebelde, y supe desde el principio que no era lo bastante buena para ti, pero Fleur sí lo es. ¿No lo ves? Sois tal para cual, y ahora le estás rompiendo el corazón.

Fleur se hincó las uñas en las palmas.

—No me hables así —dijo él, apartándose.

—¡Fui yo quien te la envió! —exclamó Belinda—. Te la envié, y ¡tú ahora traicionas mi confianza!

—¡Confianza! Si me la enviaste fue para salvar cinco minutos de película que no querías que acabasen en el cubo de la basura. Cinco minutos de la preciosa carrera de la Niña Brillante. ¡Fóllate a mi hija, Koranda, y así salvará su carrera cinematográfica! Eso fue lo que me dijiste.

Fleur sintió un retortijón en el estómago.

—No te hagas el santito —siseó Belinda—. Te salvé la película.

—La película no corría peligro.

—Pues no fue esa mi impresión. Hice lo que tenía que hacer.

—Sí, exacto. Me pusiste a tu hija en la puerta para que siguiera la cura de cama recomendada por mamá. Dime una cosa, Belinda: ¿Vas a comportarte siempre así? ¿Probarás primero a los amantes de tu hija? ¿Les harás audiciones para asegurarte de que son aptos para meterse en la cama de tu niña?

La habitación empezó a girar en torno a Fleur. El desprecio de Jake quemaba el aire.

—Pero ¿qué clase de mujer eres?

—Soy una mujer que quiere a su hija.

—¡Mentira! Ni siquiera la conoces. La única persona a la que quieres es a ti misma.

Jake se volvió y de repente vio a Fleur en el espejo.

La joven no podía moverse. El dolor que sentía en el pecho se revolvía como una bestia terrible, le robaba la respiración, convertía el mundo en un lugar negro y horrible...

Jack se precipitó a su lado.

—Flower...

Belinda soltó un gañido.

—¡Ay, Dios mío! ¡Mi niña! —Corrió hacia Fleur y la sostuvo por los brazos—. No pasa nada, cariño.

Las lágrimas resbalaban por las mejillas de Fleur. Se las quitó de un manotazo y retrocedió bruscamente, con torpeza, intentando zafarse de la horrible bestia que le había clavado las garras.

—¡No me toques! ¡No me toquéis ninguno de los dos!

La cara de Belinda se contrajo.

—Mi niña... deja que te lo explique. Tenía que ayudarte. Tenía que hacerlo. ¿No lo entiendes?... Podrías haberlo estropeado todo: nuestra carrera, nuestros planes, nuestros sueños... Ahora eres famosa. Las reglas que tienes que seguir son diferentes, ¿no lo entiendes?

—¡Cállate! ¡Cállate! —gritó Fleur—. Eres inmoral. ¡Los dos sois unos inmorales!

—Por favor, mi niña...

Fleur abofeteó a su madre tan fuerte como pudo. Belinda lanzó un grito y reculó a trompicones.

—¡Fleur! —exclamó Jake e intentó sujetarla.

Ella apretó los dientes y soltó el gruñido de una fiera:

—¡Déjame!

—Escucha, ¡escúchame, Fleur! —Intentó abrazarla.

Ella se revolvió, gritándole y lanzándole patadas. Quería matarlo... ¡Oh, Dios, matarlo! Trató de agarrarla por los brazos, pero ella se soltó y salió corriendo de la habitación, escaleras abajo. Docenas de rostros sorprendidos la miraron cruzar el vestíbulo como una exhalación y salir por la puerta principal.

Caía un aguacero torrencial. Ella deseó que fuera hielo, puntas de hielo afiladas que pudieran picarla en pedacitos de carne y hueso, en trozos lo bastante pequeños para desaparecer de inmediato... Se recogió la falda y corrió hacia abajo por el serpenteante camino de acceso. Las correas de las sandalias le rasguñaban la piel y las suelas resbalaban en el asfalto mojado, pero ella no aminoró el paso.

Lo oía a su espalda, llamándola por su nombre bajo la lluvia. Corrió más deprisa. El pelo se le pegaba a las mejillas. Él lanzó una maldición y el sonido de sus rápidas pisadas se aceleró. La alcanzó y la agarró por el hombro, desequilibrándola. Ella tropezó y ambos cayeron, lo mismo que en aquella primera ocasión, frente a la granja.

—¡Para, Flower, por favor, para! —La atrajo hacia él y la abrazó sobre el suelo mojado. Los dedos se le enredaron en el pelo mojado mientras jadeaba ruidosamente—. No puedes irte así. Déjame que te lleve a casa. Deja que te lo explique.

Ella había creído que en Morro Bay él la había deseado. Pero tanto el vestido de punto, como la combinación de color carne y los pendientes dorados... Todo había sido preparado por Belinda. Su madre la había enviado uniformada.

—¡Quítame las manos de encima!

Él la agarró más fuerte y la hizo volver para que lo mirara. Tenía la chaqueta empapada y sucia de barro. Regueros de agua bajaban por sus facciones.

—Escúchame. Lo que has oído no era la historia completa.

—¿Fuiste el amante de mi madre? —preguntó ella sin separar los dientes.

—No... —Le pasó los pulgares por las mejillas—. Vino a mi habitación, pero yo no hice nada. Yo no...

—¡Fue ella quien escribió esa nota, ¿verdad?! Me envió a ti para que tú me hicieras el amor.

—Sí, pero lo que ocurrió entre nosotros fue solamente entre tú y yo.

—¡Eres un mierda! —gritó mostrándole el puño—. ¡Ni se te

ocurra decirme que me llevaste a la cama porque te enamoraste de mí!

Él la tomó por las muñecas.

—Flower, existen diferentes tipos de amor. Tú me importas. Yo...

—¡Calla! —De nuevo intentó golpearlo—. ¡Yo te quería! ¡Te quería con toda el alma! ¡No quiero oír nada de lo que me digas! ¡No quiero saber nada de tu mierda! ¡Suéltame!

Él aflojó lentamente su presa y al final la soltó. Ella se puso en pie, vacilante. El pelo mojado le caía sobre la cara. Articuló las palabras en breves ráfagas:

—Si de verdad quieres ayudarme... busca a Lynn y dile que venga. Y luego... mantén a mi madre alejada de mí. Una hora. Retenla... una hora.

—Flower...

—¡Hazlo, hijo de puta! Haz algo por mí.

Se quedaron de pie bajo la lluvia, con el pecho palpitante, la lluvia empapando sus cabellos. Él asintió y volvió a la fiesta.

Lynn llevó a Fleur a casa en coche sin hacer preguntas. No quería dejarla sola, pero Fleur insistió en que se iba a meter directamente en la cama. Sin embargo, tan pronto como Lynn se hubo ido, Fleur metió algo de ropa en la maleta más grande que encontró, se quitó el vestido estropeado y se puso unos tejanos. Jake y Belinda habían jugado con ella, la habían usado... ¡Y ella se lo había puesto muy fácil! Pensó si habrían hablado de ella en la cama. Jake le había dicho que no se habían acostado, pero en cualquier caso sí que habrían hecho otras cosas. Sintió otro retortijón.

Cerró la maleta, llamó a una compañía aérea y reservó una plaza para el siguiente vuelo a París. Ante de partir solo tenía que hacer una cosa más...

Cuando Jake la dejó salir por fin, Belinda estaba frenética. Su pánico aumentó cuando al llegar a la casa comprobó que no estaba el Porsche. Corrió a la habitación de Fleur y encontró la cama cubierta de prendas que había descartado. El vestido egipcio estaba hecho un guiñapo en el suelo. Belinda lo recogió y lo apretó contra la mejilla. Sí, claro que Fleur estaba enfadada, pero volvería. Necesitaba tiempo para calmarse, eso era todo. Ambas eran inseparables, todo el mundo lo sabía. Eran más que madre e hija. Eran amigas, amigas íntimas.

Belinda reparó en que la luz del baño se había quedado encendida. Fue a apagarla sin soltar el vestido estropeado.

Primero vio las tijeras, brillantes contra la baldosa blanca, y luego soltó un grito angustiado. Un montón de cabello mojado y rubio cubría el suelo.

Jake conducía sin destino fijo. Intentaba pensar con calma, pero la gélida opresión que sentía en el pecho no remitía. En Morro Bay ella lo había pillado con la guardia baja. Cuando Fleur se había presentado ante su puerta él hubiera tenido que ahuyentarla, como en principio se proponía. Pero no había sido capaz de resistirse a ella.

Dejó atrás los suburbios y pronto circulaba por las calles mojadas y desiertas que constituían el corazón de Los Ángeles. Se estremeció en su chaqueta mojada. Ella era una belleza sensual y excitante... Esa primera vez él quería hacerle daño, pero aun así ella había confiado en él.

El parque se encontraba al final de una calle cubierta de basura y sueños rotos. Las barras de metal para que jugaran los niños habían desaparecido y los columpios carecían de ellos. Un único foco iluminaba un tablero con un aro oxidado y fragmentos de lo que había sido una red. Aparcó y buscó en el maletero la pelota de baloncesto. Solo una niña podía ser tan inocente de confiar en él como ella lo había hecho. Una niña que no había recibido suficientes golpes de la vida como para espabilar de una vez.

Pero ahora sí había recibido un buen golpe. Pisó un charco de pleno mientras se acercaba a la desierta pista de baloncesto. Un golpe tan fuerte que nunca más volvería a ser inocente.

Llegó al asfalto agrietado y empezó a practicar regates. Al botar la pelota y sentirla en la mano se sintió de nuevo animado, pues recuperaba también algo que entendía. No quería recordarla a ella metida en la bañera en medio de velas encendidas. Bella, mojada, con ojos soñadores. No quería pensar en lo que él le había hecho.

Avanzó hacia la canasta y encestó un mate. El aro quedó temblando y la mano le dolió, pero el público imaginario empezó a rugir. Tenía que traspasar sus propios límites, mostrarle a la gente de qué era capaz, hacer que gritaran tanto que él no pudiera escuchar nada más que esos gritos, tanto que no pudiera escuchar las voces burlonas que sentía en su interior.

Eludió a un rival y se llevó el balón al centro de la pista. Hizo como si se fuera por la izquierda, luego por la derecha, y por fin dribló para efectuar un tiro rápido en suspensión. El público se volvió loco: «¡Bird! ¡Bird!»

Se hizo con la pelota y localizó a Kareem ahí delante, esperándolo, una inflexible máquina de marcar. Kareem, superhumano, el rostro de sus pesadillas. Tenía que despistarlo. Se desplazó hacia la izquierda, pero Kareem leía las mentes. «Rápido, antes de que lo vea en tus ojos, antes de que lo sienta a través de los poros, antes de que sepa todos tus secretos, hasta los más oscuros. ¡Ahora!»

Giró hacia la derecha a la velocidad del rayo, saltó, voló por el aire... «Los hombres no pueden volar, pero yo sí, superando a Kareem, hacia la estratosfera...» ¡Mate!

«¡Bird!» Se habían puesto en pie. «¡Bird!», lo jaleaban.

Kareem lo miró y ambos se reconocieron en silencio, con el respeto perfecto que se transmitía entre leyendas. Entonces ese momento pasaba y volvían a ser rivales.

El balón estaba vivo entre sus manos. Pensaba solamente en el balón. Era un mundo perfecto. Un mundo en el que un hombre podía andar como un gigante y no sentirse avergonzado nunca. Un mundo con árbitros que señalaban qué estaba bien y qué estaba mal. Un mundo sin muchachitas tiernas, sin corazones rotos.

Jake Koranda. Actor. Autor teatral. Ganador del premio Pulitzer. Quería dejarlo todo y vivir su fantasía. Quería ser Larry Bird corriendo por la pista, sobre pies alados. Quería saltar a las nubes y volar más alto, más lejos, con mayor libertad que ningún otro hombre. Y encestar la bola para conseguir la gloria. «¡Sí!»

Los gritos del público imaginario se apagaron y ahí se quedó, solo en una pista cochambrosa, exactamente en medio de la nada.

La niña en fuga

15

Fleur intentó dormir en el vuelo a París, pero cada vez que cerraba los ojos veía a Jake y Belinda. «¡Fóllate a mi hija, Koranda! Así no arruinará su carrera.»

—¿*Mademoiselle* Savagar? —Un chófer con librea se le acercó mientras aguardaba junto a la cinta de los equipajes—. Su padre la está esperando.

Siguió al chófer a través de la atestada terminal hasta una limusina aparcada junto a la acera. El chófer le sostuvo la puerta abierta y ella se deslizó al interior, a los brazos de Alexi.

—¡Papá!

—Así que por fin te has decidido a venir a verme a casa.

Ella hundió la cara en su carísima americana y prorrumpió en llanto.

—¡Ha sido tan horrible...! ¡He sido tan estúpida!

—Bueno, bueno, *mon enfant*. Ahora tranquilízate. Todo irá bien.

Empezó a acariciarla, y a ella le resultó tan reconfortante que cerró los ojos.

Cuando llegaron a la casa, Alexi la acompañó a su habitación. Ella le pidió que se quedara a su lado hasta que se durmiera y él así lo hizo.

Cuando despertó a la mañana siguiente era tarde. Una criada le sirvió café en el comedor junto con dos *croissants*, que ella dejó a un lado. No soportaba ni imaginar volver a llevarse comida a la boca.

Alexi entró en la estancia y se inclinó para besarla en la mejilla. Torció el gesto cuando vio que llevaba los tejanos y el jersey que se había puesto después de ducharse.

—¿No has traído otra ropa, *chérie*? Tendremos que arreglarlo hoy mismo.

—Sí, sí que tengo otras cosas, pero no me veo con ánimos para ponérmelas.

Como resultaba evidente que eso disgustaba a su padre, se hizo el propósito de arreglarse más.

Él siguió repasando su aspecto.

—¿Cómo has podido hacerte semejante estropicio en el pelo? ¡Pareces un chico!

—Fue un regalo de despedida para mi madre.

—Ya veo. Bien, pues también eso tendremos que arreglarlo ahora mismo.

Indicó a la asistenta que le sirviera café y luego extrajo un cigarrillo de la pitillera de plata que llevaba en un bolsillo de la americana.

—Explícame qué ha pasado.

—¿Te ha llamado mamá?

—Sí, varias veces. Está histérica. Le dije que te dirigías a las islas griegas, pero que no me habías dicho a cuál. Y que te dejara en paz.

—Lo que significa que ahora mismo estará volando a Grecia.

—*Naturellement*.

Se quedaron en silencio un momento y luego Alexi preguntó:

—¿Tiene todo esto que ver con cierto actor?

—¿Cómo lo sabes?

—Me impongo como obligación saber todo lo que afecta a los míos.

Ella bajó la mirada y la clavó en el café, para intentar ocultar que los ojos se le habían humedecido. Estaba cansada de llorar, cansada del tortuoso dolor que sentía.

—Me enamoré de él —dijo—. Nos acostamos.

—Inevitable.

—Mamá ya lo había hecho antes —añadió con amargura.

Dos columnas de humo salieron de las narices de Alexi.

—Mucho me temo que eso también fuera inevitable. Tu madre es una mujer con escasa fuerza de voluntad cuando se trata de estrellas de cine.

—Entre los dos llegaron a un acuerdo.

—Cuéntame.

Alexi escuchó mientras Fleur le refería aquella conversación entre Belinda y Jake. Cuando acabó, preguntó:

—Las motivaciones de tu madre parecen claras, pero ¿qué hay de las de tu amante?

Las palabras que Alexi escogió la hicieron pestañear.

—Las motivaciones de Jake estaban más claras que el agua. Esa película lo significa todo para él. La escena de amor tenía que funcionar. Cuando yo me quedé bloqueada, pensó que todo el proyecto se iría al garete.

—Es una desgracia, *chérie*, que no eligieras mejor a tu primer amante.

—No soy la mejor de las juezas para valorar a la gente.

Alexi se reclinó en la silla y cruzó las piernas. En cualquier otro hombre ese gesto habría parecido afeminado, pero él lo convertía en elegante y masculino.

—Espero que desees quedarte conmigo por algún tiempo. Sería lo mejor para ti.

—Por unos días, seguro. Hasta que vuelva a centrarme. Siempre que te parezca bien, claro.

—He estado esperando esta ocasión desde hace más tiempo del que te imaginas, *chérie*. Para mí será un placer. —Se puso en pie—. Hay algo que me gustaría enseñarte. Me he estado sintiendo como un niño que espera la Navidad.

—¿Y eso?

—Ahora lo verás.

Ella lo siguió por toda la casa y a través del jardín, hacia el museo. Alexi encajó la llave en la cerradura y la giró.

—Cierra los ojos.

Ella obedeció. Él la guio para cruzar la puerta e introducirla en el frío museo, donde se respiraba un ligero olor a cerrado. Recordaba la última vez que había estado allí, el día que había conocido a su hermano. No sabía si su padre lo había encontrado o no. Debería haberlo preguntado.

—Estoy pasando por una buena época —dijo Alexi—. Todos mis sueños se están cumpliendo. —Fleur oyó que encendía un interruptor—. Bien, abre los ojos.

El museo estaba a oscuras, excepto por un par de focos que iluminaban la plataforma que ella había visto vacía la anterior vez. Ahora la ocupaba el coche más lujoso que ella había visto nunca. Era de un negro reluciente, exquisitamente equilibrado, con una capota larguísima... Parecía la caricatura del coche de un millonario. Lo habría reconocido en cualquier parte, y soltó una exclamación:

—¡Es el Royal! ¡Lo has encontrado!

—Desde 1940 no lo veía. —Y volvió a contarle la vieja historia—: Éramos tres, *chérie*. Lo llevamos a lo más hondo de las alcantarillas de París y lo envolvimos con lona y paja. Mientras la guerra duró, no me acerqué a él por miedo a que me siguieran. Luego, cuando volví tras la liberación, el coche había desaparecido. Los otros dos hombres que sabían de su paradero habían muerto en África del Norte. Ahora pienso que los alemanes lo encontraron. Me ha llevado más de treinta años localizarlo.

—Pero ¿cómo? ¿Qué ocurrió?

—Décadas de costosas investigaciones... —Sacó el pañuelo para limpiar una mota invisible en el guardabarros—. Lo que importa es que ahora poseo la colección más importante de Bugattis *pur sang* del mundo, y el Royale es la joya de la corona.

Después, cuando él ya le había mostrado todas las peculiaridades del Bugatti, Fleur fue a su habitación, donde le esperaba un peluquero. El hombre no hizo preguntas, solo se limitó a cortarle el pelo casi al ras y a decirle que no podía hacer más hasta que le creciera. Tenía un aspecto horrible, como de presidiaria: grandes ojos con ojeras oscuras, cabeza grande y rapada. Aun así, aquel reflejo tan crudo le proporcionaba el placer de que por fin su aspecto exterior coincidiera con el interior.

Alexi frunció el ceño cuando la vio, y la envió de vuelta a la habitación para que se maquillara un poco, pero eso tampoco ayudó demasiado. Fueron a dar un paseo por los alrededores y hablaron de lo que harían cuando se sintiera mejor. Por la tarde echó una siesta. Para cenar comió un poco de ternera y luego fue al estudio de Alexi a escuchar algo de Sibelius. Él le sostuvo la mano y, mientras la música se derramaba sobre ella, algunos dolorosos nudos interiores empezaron a aflojarse. Había sido una tonta al permitir que Belinda la apartara de su padre durante esos últimos años, pero la verdad era que siempre había permitido que su madre la manipulara. Le había dado miedo rebelarse por temor a perder el amor de Belinda. Un amor que ahora sabía que nunca había sido genuino.

Apoyó la cabeza en el hombro de Alexi y cerró los ojos. Ya no sentía aquella rabia contra él: en el dolor había encontrado por fin el perdón. Era la única persona en su vida que no obtenía ningún beneficio por el hecho de quererla.

Esa noche no podía dormir. Encontró un antiguo frasco de somníferos de Belinda, se tomó dos y se dejó caer en la cama. Lo peor había sido perder el respeto de sí misma. Había dejado que su madre la llevara tirándole de una anilla en la nariz. Había jadeado como un cachorrillo cada vez que obedecía a algún capricho de su madre. «Quiéreme, mamá. No me dejes, mamá.» Y luego estaba lo de Jake. Había alimentado muchas fantasías sobre él, creerse que él la correspondía. Se concentró en su dolor, rascándolo como si fuera una costra.

—¿Te sientes enferma, *chérie*?

Alexi estaba en el umbral de la puerta, anudándose el cinturón del batín. Nunca lo había visto con tal indumentaria. El pelo fino y gris parecía tan perfectamente peinado como recién salido del barbero.

—No, no estoy enferma.

—Desde luego, pareces un mozalbete con ese horrible peinado. *Pauvre enfant.* Vamos, métete en la cama.

La arropó como si fuera una niña.

—*Je t'aime* —dijo con ternura, apretándole la mano que había dejado sobre la colcha. Le rozó la boca con los labios, que estaban secos, curiosamente ásperos—. Vuélvete, que te haré un masaje en la espalda para que duermas tranquila.

Ella obedeció. Se sentía bien. Las manos se deslizaron por debajo de la blusa del pijama, y a medida que la masajeaba la tensión decrecía. Los somníferos surtieron efecto y ella navegó en un sueño protagonizado por Jake. Jake le hacía el amor. Jake le besaba el cuello, acariciaba el sedoso pantalón de pijama...

Tras los primeros días en París, la vida de Fleur empezó a amoldarse a cierta rutina. Se levantaba tarde y luego escuchaba música u hojeaba alguna revista. Por la tarde echaba una siesta hasta que una de las criadas la despertaba para que se duchara y vistiera antes del regreso de Alexi. A veces daban un paseo juntos, pero caminar la cansaba, de modo que no iban muy lejos. Luego, por la noche, se le hacía difícil dormir, así que Alexi le masajeaba la espalda.

Sabía que necesitaba superar la depresión. Intentaba hacer planes, pero de momento volver a Estados Unidos no era una opción. Con su aspecto actual era poco probable que alguien la reconociera, pero si eso sucedía iba a tener que enfrentarse con los periodistas, algo impensable.

Agosto dejó paso a septiembre. Belinda seguía llamando y Alexi seguía dándole largas. Le dijo que Fleur debía de haber cambiado de opinión respecto a Grecia y que los detectives que la rastreaban le habían informado de que podía estar en las Bahamas. Y le daba sermones sobre su fracaso como madre, haciéndole llorar.

Fleur empezó a pensar en Grecia. Siempre le habían gustado las islas. Podía comprarse una casa allá y un caballo. Las islas le sanarían el corazón. Le dijo a Alexi que quería disponer de parte del dinero que él administraba para ella, pero su supuesto padre le respondió que estaba bloqueado en inversiones a largo plazo. Ella le pidió que lo desbloqueara. Él respondió que tenía que entender que no era fácil hacerlo y que no se preocupara por el dinero, que él le compraría lo que quisiera. Ella le dijo entonces que quería una casa en el mar Egeo y un caballo. Él constestó que hablarían del asunto en cuanto estuviera más recuperada.

Esa conversación la hizo sentirse incómoda. ¡Había sido tan sencillo dejar que Alexi se encargara de todo! Las facturas siempre se pagaban y ella, lo mismo que Belinda, disponía siempre de cuanto dinero necesitara.

Intentó forzarse a hacer ejercicio. Un día fue más allá del jardín y salió a correr por la Rue de la Bienfaisance. Un corredor con una cinta naranja en el pelo pasó zumbando a su lado. Ella no recordaba lo que se sentía al disponer de tanta energía y, aturdida, volvió a la casa.

Esa noche despertó con el camisón empapado de sudor. Había vuelto a soñar con Jake. Había vuelto al convento de la Anunciación y desde sus puertas había asistido a su partida. Fue al baño a buscar una píldora para dormir, pero el frasco estaba vacío. Se había tomado la última dos noches atrás. Fue a la habitación de Belinda a ver si encontraba más. Por el camino distinguió una luz tenue al final del pasillo. Provenía de la escalera que llevaba a la buhardilla. Sintió curiosidad, de manera que subió y accedió a la habitación más rara que había visto nunca.

El techo estaba pintado como un cielo azul recorrido por nubes esponjosas. Un paracaídas sucio, derrumbado por un lado, colgaba sobre una estrecha cama de hierro. Alexi estaba sentado en una silla de madera, con los hombros caídos y la mirada fija en un vaso vacío. Belinda le había explicado que Michel solía utilizar la buhardilla, que había sido su habitación.

—¿Papá?

—Déjame. Vete de aquí.

Ella había estado tan concentrada en su propio dolor que no había pensado en el de su padre. Se agachó junto a la silla. Nunca le había parecido que Alexi bebiera en demasía, pero ahora el olor a licor era evidente.

—Lo echas de menos, ¿verdad? —le preguntó.

—No sabes de qué hablas.

—Sé muy bien lo que es añorar a alguien. Sé muy bien lo que es echar en falta a alguien que quieres.

Él levantó la cabeza, y la expresión fría y vacía de aquellos ojos la asustó.

—Esos sentimientos tuyos son conmovedores, pero resultan del todo innecesarios. Michel es un ser débil, y lo he apartado de mi vida.

«Como a mí —pensó ella—, lo mismo que una vez me apartaste a mí.»

—Pero entonces —preguntó Fleur—, ¿qué estás haciendo aquí?

—He bebido demasiado y ahora me dejo llevar. Es un lujo que los consentidos pueden permitirse sin beber siquiera. Tú tendrías que saberlo mejor que nadie.

Fleur se sintió dolida.

—¿Crees que soy una consentida?

—Pues claro. Y te dejas llevar. De lo contrario, ¿cómo habrías podido poner a Belinda en un pedestal? ¿Cómo habrías podido transformarme en el padre que siempre has querido?

Sintió un escalofrío. Se puso en pie y se frotó los brazos.

—No he tenido que cambiarte. Estos últimos años has sido maravilloso conmigo.

—Me he limitado a mostrarme exactamente como tú querías.

De pronto, Fleur anheló volver a su habitación.

—Me voy... me voy a la cama.

—Espera. —Dejó el vaso vacío en la mesa—. No hagas caso. Estoy con mi propia fantasía, de manera que no tendría que burlarme de las tuyas. El caso es que he estado soñando despierto sobre lo que habría ocurrido si Michel hubiera sido un hijo digno de mí, y no un pervertido sin carácter que no merece haber nacido.

—Esa manera de hablar tuya es medieval. Hay millones de hombres homosexuales. No hay por qué hacer una montaña de eso.

Él se levantó de la silla tan repentinamente que ella creyó que le iba a pegar.

—¡Tú no sabes nada sobre eso! ¡Nada! Michel es un Savagar! —Y empezó a pasearse con movimientos frenéticos que la asustaron—. Semejante obscenidad es algo impensable en un Savagar. Procede de algo que hay en la sangre de tu madre. Nunca tendría que haberme casado con ella. Ha sido el único error de mi vida y nunca he logrado recuperarme. Con su negligencia pervirtió a Michel. Si tú no hubieras nacido habría sido una buena madre para él.

Quien estaba hablando era el licor, no su padre. Ese no podía ser su padre. Tenía que huir de allí antes de oír algo peor. Se volvió hacia la puerta, pero él ya estaba detrás de ella.

—No me conoces en absoluto —dijo, pasándole la mano por el brazo—. Creo que ahora tenemos que hablar. He intentado ser paciente, pero ya ha durado demasiado.

Ella intentaba salir, pero él no lo consentía.

—Mañana —dijo ella—, cuando estés sobrio.

—No estoy borracho. No es más que algo de melancolía. —Le puso las manos sobre el cuello y le recorrió una oreja con el pulgar, suavemente—. Tendrías que haber visto a tu madre cuando era incluso más joven que tú. Tan llena de optimismo... tan apasionada. Y tan egocéntrica como un niño. Tengo planes para ti, *chérie*. Planes que tracé cuando tenías dieciséis años, el primer día que te vi.

—¿Qué clase de planes?

—Estás asustada. Túmbate en la cama de Michel y deja que te masajee la espalda para que podamos hablar.

Ella no quería tumbarse en la cama de Michel. Lo que quería era ir a su habitación y cerrar la puerta con llave y meterse bajo las mantas.

—Vamos, *chérie*. Te he asustado. Déjame arreglarlo.

Le sonreía con tanta calidez que la tensión se relajó. Esa noche echaba en falta a Michel, eso era todo. Y ella estaba celosa, como solía, y seguía intentando fingir que su hermano no existía. La condujo hacia la cama.

Ella se tendió en el colchón desnudo y recogió las manos bajo la barbilla. La cama cedió cuando él se sentó a su lado y empezó a masajearle la espalda a través del fino camisón.

—He tenido mucha paciencia para esperarte, *chérie*. Te he regalado dos años. He permitido que te enamoraras. He dejado que tú y tu madre arrastrarais el apellido de los Savagar con vuestra vulgar carrera.

Ella se puso tensa.

—Pero ¿qué...?

—Chitón. Ahora estoy hablando yo, *chérie*, y tú tienes que escuchar. La noche en que te vi inclinarte para besar los labios de tu abuela muerta supe que se había cometido una gran injusticia. Eras todo lo que mi hijo tenía que haber sido, pero estabas demasiado unida a tu madre. Hasta hace apenas un mes, no tolerabas ni una crítica hacia ella. Así pues, tenía que darte tiempo para que comprobaras por ti misma quién es ella en realidad, de manera que tu sentimentalismo no interfiriera entre nosotros. Ha sido una lección dolorosa pero necesaria. Ahora ya sabes lo que realmente siente por ti. Y ahora, por fin, estás lista para ocupar el sitio que te corresponde a mi lado.

Fleur se volvió sobre la espalda y lo miró.

—No sé a qué te refieres. ¿Ocupar un sitio a tu lado?

Él le cogió los hombros y continuó con sus masajes. Tenía los párpados casi cerrados, como adormilados. Fleur debía marcharse antes de que ocurriera algo terrible. Miró hacia arriba. El paracaídas colgaba destensado y amarillento sobre ella.

—Tu sitio está a mi lado, *chérie*, junto a mí. Tienes que acompañarme como tu madre nunca lo hizo. —Deslizó los dedos por el cuello abierto del camisón—. Voy a convertirte en una mujer magnífica. Tengo planes maravillosos para ti... —Las manos bajaron, abriendo el cuello de la prenda... y siguieron...

—¡Basta! —Ella se incorporó y lo agarró con fuerza por las muñecas.

Él sonrió con tanto afecto que ella se avergonzó por haber pensado que intentaba propasarse.

—Está bien que estemos juntos, *chérie*. ¿O acaso no lo ves

cada vez que te miras en un espejo? ¿No percibes la infidelidad de tu madre en cada una de esas ocasiones?

¿Infidelidad? Por un momento no pudo ni pensar en el significado de esa palabra.

—Ha llegado el momento de que sepas la verdad. Abandona tus fantasías, *mon enfant*. Abandónalas. La verdad será infinitamente mejor.

—No enti...

—Tú no eres mi hija, *chérie*. Estoy seguro de que ya lo presentías. Tu madre estaba embarazada cuando nos casamos.

La bestia había vuelto. La gran bestia, la bestia horrible que quería comérsela a pedacitos.

—No te creo. Mientes.

—Eres la hija bastarda de Errol Flynn, mi viejo enemigo.

Era una broma, una broma grosera pero broma a fin de cuentas. Incluso intentó sonreírle para demostrarle que tenía buen aguante. Pero la sonrisa murió y las nubes que cruzaban el cielo del techo se desdibujaron cuando recordó que había oído a Johnny Guy hablar de Belinda y Errol Flynn y del Garden of Allah.

Alexi se inclinó y pegó la mejilla a la suya.

—No llores, *mon enfant*. Es mejor así, ¿no crees?

Las nubes se desplazaron ante ella y la bestia la mordisqueó, arrancándole la carne a trocitos. Él le tocó ligeramente los pechos a través del camisón.

—Tan bonitos... pequeños y delicados, no voluminosos como los de tu madre.

—¡No! ¡Maldito seas!

Ella le apartó las manos e intentó levantarse, pero la bestia la había privado de fuerzas.

—Lo siento, *chérie*. Me he precipitado torpemente, lo lamento. —La dejó ir—. Tengo que concederte tiempo para que te acostumbres, para que veas las cosas como yo las veo, para que veas que no hay nada malo en que estemos juntos. No compartimos sangre. Tú no eres una *pur sang*.

—Tú eres mi padre —susurró ella.

—¡No lo soy! ¡Nunca lo he sido! —negó él con súbita determinación—. Y nunca he querido serlo. Lo de estos años recientes ha sido como un cortejo. Incluso tu madre lo ha entendido así.

Fleur se incorporó más arrodillándose en el colchón.

—No hagas un drama de esto —dijo él—. He sido terriblemente torpe, ya te lo he dicho. Seguiremos adelante como hasta ahora, hasta que estés preparada.

—¿Preparada? —repitió ella con voz ronca y ahogada—. ¿Preparada para qué?

—Ya hablaremos de eso más tarde.

—¡Ahora! ¡Dímelo ahora!

—Estás demasiado disgustada.

—Quiero oírlo todo.

—Te parecería extraño. Aún no has tenido tiempo de adaptarte.

—¿Qué quieres de mí, Alexi?

Él suspiró.

—Quiero que te quedes conmigo. Quiero que me dejes mimarte. Quiero que te crezca el pelo para que vuelvas a ser bonita.

Pero había más. Ella lo sabía.

—Sigue.

—Ahora no es momento.

—¡Dímelo! —Hendió el colchón con los dedos y en silencio rogó: «No digas lo que sé que vas a decir. No digas que quieres que sea tu amante.»

No lo hizo.

Dijo que quería que ella fuera la madre de su hijo.

Alexi explicaba su plan mientras Fleur permanecía junto a la sucia ventana de la buhardilla y miraba fuera, hacia el tejado. Algo yacía sobre las tejas: el cuerpo sin plumas de un pajarillo que había caído del nido desde una de las chimeneas. Alexi se paseaba por la habitación abuhardillada con las manos en los bolsillos del albornoz y le exponía su proyecto con claridad: en cuanto estuviera encinta, se la llevaría a algún lugar a pasar el embarazo y luego, cuando diese a luz, anunciaría que había adoptado un bebé. Ese niño tendría la sangre de Alexi, la de Belinda y la de Flynn.

Fleur seguía mirando el pequeño cuerpo sin plumas. No había tenido ninguna oportunidad para que esas plumas crecieran.

Él le aseguró que sus motivos no eran los propios de un viejo lascivo —«Eso lo dices tú, papá, no yo»—, y que una vez todo hubiera concluido, podrían retomar su antigua relación, con lo que él sería su amado padre, tal como Fleur deseaba.

—Voy a contratar un abogado —dijo ella con un hilo de voz, como un susurro roto, de modo que tuvo que volver a repetírselo—: Voy a contratar un abogado. Quiero mi dinero.

Él soltó una risita.

—Contrata a un ejército de abogados, si quieres. Tú misma firmaste esos papeles. Incluso te lo expliqué todo con detalle. Todo es absolutamente legal.

—Quiero mi dinero.

—No te preocupes por el dinero, *chérie*. Mañana te compraré todo lo que quieras. Diamantes para lucir en los dedos. Esmeraldas que hagan juego con tus ojos.

—No me interesa.

—Tu madre estuvo una vez sola —dijo Alexi—. No tenía un céntimo ni perspectivas de futuro. Y estaba embarazada, aunque eso yo no lo sabía, naturalmente. Ahora tú me necesitas tanto como tu madre entonces.

Fleur tenía que preguntárselo. Antes de salir de esa buhardilla tenía que preguntárselo. A pesar de que estuviera llorando otra vez, a pesar de que apenas pudiera articular palabra, ahogada por la angustia.

—¿Qué sabes acerca de mí?

Esa pregunta le extrañó.

Ella sollozaba.

—¿Qué sabes acerca de mí que te haga pensar que podría avenirme a algo tan abominable? ¿Qué debilidad ves en mí? No eres ningún estúpido. No me harías este planteamiento tan obsceno si no creyeras que existe una posibilidad de que acepte. ¿Qué hay de tan perverso en mí?

Él se encogió de hombros en un gesto elegante teñido de cierta compasión.

—No es culpa tuya, *chérie*. Las circunstancias te han llevado por este camino, pero tienes que entender que por ti misma no eres más que un bonito elemento decorativo. No tienes ningún valor real. No sabes hacer nada.

Ella se limpió la nariz con el dorso de la mano.

—Soy la modelo más famosa del mundo.

—La Niña Brillante es una creación de Belinda, *chérie*. Sin ella fracasarías. Y si tuvieras éxito... bien, no sería tu propio éxito, ¿verdad? Lo que te ofrezco es una ocupación y la promesa de que nunca te dejaré tirada. Ambos sabemos que eso es lo más importante para ti.

Sí, él creía que ella iba a ceder. Resultaba evidente en su perfecta arrogancia. Había mirado en el interior de Fleur y había decidido que era lo suficientemente débil como para sacar adelante ese plan obsceno.

Con un gemido ahogado salió de la buhardilla y se apresuró escaleras abajo hacia su habitación. Una vez allí, cerró la puerta con llave y apoyó la espalda contra la hoja.

Poco después oyó los pasos de Alexi por el pasillo. Se detuvo ante la puerta de Fleur. Ella cerró los ojos fuertemente, casi incapaz de respirar. Él siguió su camino. Ella deslizó la espalda por la puerta hasta sentarse en el suelo y curvó el cuerpo sobre las rodillas dobladas. Permaneció así, oyendo los latidos de su corazón, hasta altas horas de la noche.

La llave giró silenciosamente en la puerta del museo. Entró, dejó la bolsa en el suelo y encendió las luces. Las palmas le sudaban y las frotó sobre los tejanos, mientras caminaba hacia la pequeña habitación trasera donde se guardaban las herramientas.

Todo estaba escrupulosamente dispuesto, en un reflejo de la

propia personalidad de Alexi. Recordó su tacto cuando le había tocado los senos y cruzó los brazos sobre el pecho. Se forzó a concentrarse en las hileras de herramientas. Finalmente encontró lo que buscaba. Lo sacó del estrecho estante y lo sopesó en las manos. Belinda se equivocaba. Las reglas eran las mismas para todo el mundo. Si las personas no seguían esas reglas universales, perdían su humanidad.

Cerró el trastero y cruzó el museo en dirección al Royale. Las luces del techo brillaban como pequeñas estrellas sobre el acabado negro y reluciente. Habían cuidado muchísimo aquel coche. Lo habían cubierto de lona y paja para que no sufriera ningún deterioro.

Fleur levantó la palanca por encima de su cabeza y la descargó sobre el brillante capó negro. Las fauces de la bestia se cerraron con un chasquido.

16

Fleur hizo efectivo un cheque de American Express utilizando la tarjeta Oro como identificación. Cuando llegó a la Gare de Lyon avanzó entre la multitud hacia el panel de salidas y estudió la lista de horarios y destinos. El siguiente tren se dirigía a Nimes, setecientos kilómetros al sur de París. A setecientos kilómetros del merecido castigo a Alexi Savagar.

Había destruido el Royale, machacado a conciencia el capó y el parabrisas, las luces y el radiador, los guardabarros... Luego se había cebado en el corazón del coche, el inigualable motor de Ettore Bugatti. Las gruesas paredes de piedra del museo habían sofocado el ruido estruendoso y nadie había acudido mientras acababa con el más preciado sueño de Alexi.

La pareja de ancianos que ya ocupaba el compartimento del tren la miró con suspicacia. Debería haberse aseado un poco para no parecer tan poco de fiar. Se volvió para verse reflejada en la ventanilla. Tenía sangre en la cara, y un pequeño corte en la mejilla ocasionado por un fragmento de cristal. Tenía que limpiárselo si no quería que se infectara y le dejara una cicatriz.

Se imaginó que aquella pequeña cicatriz le cruzaba la cara en diagonal, desde el nacimiento del pelo hasta la mandíbula. Una cicatriz así sería una marca definitiva: nadie se le acercaría durante el resto de su vida.

Justo antes de que el tren arrancara, dos chicas jóvenes entraron en el compartimento con revistas americanas. Fleur controló sus movimientos por el reflejo de la ventanilla mientras se instalaban y miraban todo con actitud típica de turista. Le parecía que hacía semanas que no dormía, y estaba tan cansada que se sentía mareada. Cerró los ojos y se concentró en el traqueteo del tren. Se sumió en un sueño intranquilo: todavía oía el eco del metal aporreado y el estrépito de los vidrios pulverizados.

Las chicas americanas estaban hablando de ella cuando despertó.

—Tiene que ser ella —susurró una—. Imagínala sin ese pelo. Mira esas cejas.

¿Dónde estaba la cicatriz? ¿Dónde estaba la preciosa cicatriz que le partía la ceja en dos?

—No seas tonta —susurró la otra—. ¿Qué iba a hacer Fleur Savagar viajando sola? Además, he leído que está en California rodando una película.

El pánico la golpeó. La habían reconocido muchas veces antes y en esta ocasión no era diferente, pero igual le sentó fatal. Abrió los ojos despacio.

Las chicas miraban una revista con sumo interés. Fleur vio la página en el reflejo de la ventanilla: un anuncio de ropa *casual* que había hecho para Armani. Los cabellos volaban en todas direcciones bajo el ala de un gran sombrero.

La chica que tenía delante finalmente se decidió y se inclinó para decirle en inglés:

—Perdone, pero ¿nunca le han dicho que se parece mucho a Fleur Savagar, la modelo?

Fleur se quedó mirándolas.

—No habla inglés —dijo la chica.

Su compañera cerró la revista.

—Ya te decía que no era ella.

Llegaron a Nimes, y Fleur encontró habitación en un hotel barato cerca de la estación. Cuando esa noche se tendió en la cama, el entumecimiento interior por fin cedió. Empezó a llorar, con sollozos en los que se mezclaba la soledad, la traición y una horrible desesperación. No le quedaba nada. El amor de

Belinda había sido una mentira y Alexi la había ensuciado para siempre. Y luego Jake... Los tres le habían violado el alma.

Las personas sobreviven mediante su capacidad de juzgar las situaciones. En su caso resultaba que se había equivocado en todos y cada uno de los juicios. «No eres nada», le había dicho Alexi. Con la noche cayendo a su alrededor, entendió el sentido de la palabra «infierno». Se estaba perdiendo en el mundo, incluso para ella misma.

—Lo siento, señorita, pero esta cuenta ha sido cancelada.
—Y la tarjeta de crédito Oro de Fleur desapareció, como un truco de magia a cargo del empleado de la oficina bancaria.

El pánico se apoderó de ella. Necesitaba dinero. Con dinero podría esconderse en algún lugar a salvo de Alexi, algún lugar donde nadie la reconociera, algún lugar en que Fleur Savagar pudiera dejar de existir. Pero eso ahora era imposible. Mientras se apresuraba por las calles de Nimes quiso desembarazarse de la sensación de que Alexi la estaba observando. Lo veía en los umbrales de las casas, en los reflejos de los escaparates, en las caras que se cruzaba por las calles. Corrió de vuelta a la estación. «¡Huye!» Sí, tenía que huir.

Cuando Alexi vio el Royale destrozado experimentó su propia condición de mortal por primera vez. Le sobrevino en la forma de una ligera parálisis en el costado derecho que se prolongó cerca de casi dos días. Se encerró en su habitación y no vio a nadie.

Durante una jornada entera permaneció en la cama, con un pañuelo en la mano. A veces miraba su reflejo en el espejo.

El lado derecho de la cara le temblaba.

Era algo casi imperceptible, excepto por la boca: no podía evitar un goteo de saliva por la comisura del labio. Cada vez que se lo limpiaba con el pañuelo sabía que ese goteo le iba a recordar siempre algo que él nunca perdonaría.

La parálisis desapareció gradualmente y cuando pudo controlar la boca llamó al médico. Este le dijo que había sido un leve derrame cerebral. Un aviso. Le recomendó que aligerara su agenda, que dejara de fumar y cuidara la dieta. Mencionó la hipertensión. Alexi lo escuchó pacientemente y luego lo despidió.

A principios de diciembre puso la colección de automóviles en venta. La subasta atrajo a compradores de todo el mundo. Le recomendaron que no asistiera, pero él quería presenciarla. Cuando cada uno de los coches salía a subasta, él estudiaba los rostros de los compradores y registraba mentalmente sus expresiones para recordarlas siempre.

Cuando acabó la subasta hizo desmantelar el museo piedra a piedra.

Fleur estaba sentada a una mesa maltratada en el fondo de un café estudiantil en Grenoble, acabando las migajas de su segunda pieza de bollería. No dejaba ni una. Durante cerca de un año y medio la comida había sido lo único que le proporcionaba sensación de seguridad. En cuanto los tejanos le fueron apretando y pudo cogerse entre los dedos la grasa que fue acumulando en la cintura, la espesa niebla del entumecimiento se disipó lo suficiente para sentir la satisfacción del logro: la Niña Brillante había desaparecido.

Imaginaba la expresión de Belinda si ahora pudiese ver a su preciosa hija. Veintiún años, con sobrepeso, el pelo ralo y ropa barata y horrible. En cuanto a Alexi... podía sentir su desprecio camuflado en sus palabras cariñosas, como golosinas con el centro estropeado.

Contó con cuidado el dinero y salió del café. Se ajustó el cuello de la parka de hombre que llevaba. Era febrero y la acera helada todavía conservaba restos de la nieve de la mañana. Se encasquetó bien su gorro de lana, más para protegerse del frío que por miedo a que alguien pudiera reconocerla. Eso no ocurría desde hacía casi un año.

En la entrada del cine se había formado una cola. Cuando se puso detrás llegó un grupo de estudiantes americanos. Los sonidos planos de aquellos acentos rechinaban en sus oídos. No podía recordar la última vez que había hablado en inglés. No le hubiera importado no volver a hablarlo jamás.

A pesar del frío le sudaban las palmas, de modo que metió las manos en los bolsillos de la parka. Al principio se había dicho que ni siquiera leería las críticas de *Eclipse de domingo por la mañana*, pero no había podido evitarlo. En una se decía que su actuación era un «debut sorprendentemente prometedor». Otro comentaba «la abrasadora química entre Koranda y Savagar». Solo ella sabía hasta qué punto esa química había sido unilateral.

Ahora ella simplemente existía, aceptaba cualquier trabajo que encontraba y se colaba en las aulas de la universidad para asistir a clase cuando no trabajaba. Dos meses atrás se había acostado con un estudiante alemán muy amable que se había sentado a su lado en una clase de economía en la Universidad de Aviñón. No había querido que Jake fuera el único hombre de su vida sexual. No mucho después había sentido la presencia de Alexi en el cogote, y había cambiado Aviñón por Grenoble.

Una chica francesa que estaba delante de ella en la cola empezó a provocar a su novio:

—¿No te preocupa que no esté interesada en ti esta noche después de pasar dos horas viendo a Jake Koranda?

Él miró el cartel de la película y dijo:

—Eres tú quien debería preocuparse. Yo estaré viendo a Fleur Savagar. Jean-Paul vio la película la semana pasada y todavía sigue hablando del cuerpo que tiene.

Fleur se hundió todavía más en el cuello de su parka. Tenía que verlo por ella misma.

Encontró un asiento en la última fila. Tras los créditos iniciales, la cámara recorría un amplio trecho de paisaje rural de Iowa. Unas botas polvorientas caminaban por una carretera de grava. De pronto, el rostro de Jake inundaba la pantalla. Ella lo había amado una vez, pero el fuego blanco de la traición había consumido ese amor, dejando un rastro de cenizas.

Tras las primeras escenas Jake aparecía frente a una casa de campo. Una chica joven saltaba del columpio del porche. Las pastas que Fleur había engullido giraron en su estómago mientras se contemplaba corriendo para echársele en brazos. Recordó la firmeza de su pecho, el roce de sus labios. Recordó su risa, las bromas que hacía, aquel abrazo tan fuerte, para que ella creyera que nunca la iba a dejar.

Se le hizo un nudo en la garganta. No podía seguir en Grenoble. Tenía que marcharse. Mañana. Esa noche. Ahora.

Lo último que oyó mientras salía presurosa del cine fue la voz de Jake que decía:

«¿Cuándo te has puesto tan guapa, Lizzie?»

Huir. Tenía que huir hasta desaparecer. Desaparecer, hasta de ella misma.

Sentado en el sillón de cuero tras su escritorio en su despacho, Alexi encendió un cigarrillo, el último de los cinco que se permitía fumar al día. Los informes se le entregaban exactamente a las tres de la tarde de cada viernes, pero él siempre esperaba hasta la noche, para estar a solas y estudiarlos con calma. Las nuevas fotografías se parecían mucho a las que le enviaban regularmente en los últimos años. Peluquería horrible, tejanos raídos, botas de cuero gastadas. Y esa gordura. Para una mujer que debería estar en la cima de su belleza, parecía hasta obsceno.

Había creído que ella volvería a Nueva York para reiniciar su carrera, pero lo había sorprendido quedándose en Francia. Lyon, Aix-en-Provence, Aviñón, Grenoble, Burdeos, Montpellier... Siempre ciudades universitarias. Creía ingenuamente que podía esconderse de él entre las multitudes de estudiantes anónimos.

Después de seis meses había empezado a asistir a clases en algunas universidades. Al principio él se había sentido confundido por la elección de los cursos: cálculo, leyes contractuales, anatomía, sociología... Al final pudo entender el motivo: escogía clases que se dictaran en aulas grandes donde había muy pocas posibilidades de que alguien descubriera que no era una estudiante en regla. Matricularse oficialmente escapaba a sus posibilidades, puesto que no tenía dinero. Él se había encargado de que así fuera.

Repasó la lista de absurdos trabajos serviles que había desempeñado para subsistir en los últimos dos años: lavar platos, limpiar establos, servir mesas. A veces trabajaba para fotógrafos, pero no como modelo sino preparando luces y manejando el equipo. Sin proponérselo había descubierto la única defensa posible contra él. ¿Qué podía arrebatarle Alexi a una persona que no tenía nada?

Oyó pasos que se acercaban y rápidamente deslizó las fotografías en el cartapacio de cuero. Luego fue hasta la puerta y la abrió.

Belinda tenía el peinado alborotado por las horas en la cama y la mascarilla se le había emborronado.

—He vuelto a soñar con Fleur —susurró—. No entiendo por qué sigo soñando con ella. Por qué no van remitiendo estos sueños.

—Porque te empeñas en retenerla —dijo él—. No la dejas libre.

Belinda le tocó el brazo, implorante.

—Tú sabes dónde está. Dímelo, te lo ruego.

—Te estoy protegiendo, *chérie*. —Con dedos fríos le recorrió la mejilla—. No deseo exponerte al odio de tu hija.

Ella se resignó y se dirigió al lavabo. Él volvió a su mesa para estudiar el informe y luego lo guardó en la caja fuerte de la pared. De momento, Fleur no poseía nada de valor que él pudiera destruir. Pero llegaría el momento en que sí lo poseyera. Él era un hombre paciente y esperaría, incluso años.

La campanilla de la puerta de la tienda de fotografía de Estrasburgo tintineó justo cuando Fleur ponía la última caja de película en la estantería. Los sonidos inesperados seguían sobresaltándola incluso más de dos años y medio después de su huida de París. Suponía que si Alexi hubiera querido encontrarla ya lo habría hecho. Miró el reloj de pared. Su jefe había hecho una promoción de fotografías de niños que la había ocupado toda la semana, pero tenía la esperanza de que la calma volviera por la tarde y pudiese asistir a su clase de economía. Limpiándose las manos en los tejanos echó a un lado la cortina que separaba el estudio del local abierto al público.

Gretchen Casimir estaba al otro lado del mostrador.

—¡Bueno, bueno!

Fleur sintió como si un torno le aprisionara el pecho.

—¡Bueno, bueno! —repitió Gretchen.

Fleur sabía que era inevitable que alguien acabara encontrándola. Debería agradecer que ese encuentro hubiese tardado tanto en producirse... pero no se sintió nada agradecida, sino atrapada y asustada. No debería haberse quedado tanto tiempo en Estrasburgo. Cuatro meses eran demasiados.

Gretchen se quitó las gafas y repasó la figura de Fleur.

—Pareces un dirigible, querida. Así no me sirves. Imposible.

Llevaba el pelo más largo de lo que Fleur recordaba y de un color rojizo más subido. Las zapatillas parecían unas Mario de Florencia, el traje beis era de Perry Elis y el fular de rigor, Hermès. Fleur casi había olvidado qué aspecto tenía aquella clase de prendas. Podía vivir holgadamente medio año con el dinero que costaba lo que Gretchen llevaba encima.

—Por Dios, te has engordado unos veinte kilos. ¡Y ese pelo! ¡No podría venderte ni a *Field and Stream*, la revista de caza y pesca!

Fleur intentó rescatar de su repertorio la vieja mueca «que te den», pero no habría encajado en su actual cara.

—Nadie te lo ha pedido —dijo con contundencia.

—Esta escapada te costará una fortuna —dijo Gretchen—. Contratos incumplidos. Pleitos.

Fleur intentó meter una mano en el bolsillo de sus tejanos, pero la tela estaba tan tirante que solamente pudo meter un pulgar. No le importaba. De haber pesado los cincuenta y ocho kilos de antes perdería incluso esas sensaciones de seguridad tan efímeras.

—Envíale la cuenta a Alexi —respondió—. Tiene dos millones de dólares que me pertenecen y que deberían cubrir esos gastos. Pero imagino que ya estarás al corriente de todo eso.

Alexi la había localizado y había enviado a Gretchen. Las paredes del local parecían estrecharse.

—Te llevaré de vuelta a Nueva York —dijo Gretchen— e ingresarás en una clínica de adelgazamiento. Tardarás meses en recuperar la forma para trabajar. Esos pelos horribles te perjudicarán, así que no creas que pueda mantener tu cotización anterior. Tampoco creo que Parker pueda conseguirte otra película ahora mismo.

—No voy a volver —repuso Fleur. Se le hizo raro hablar en inglés.

—Pues claro que vas a volver. ¡Mira qué sitio! No puedo creerme que de veras trabajes aquí. Dios mío, después del estreno de *Eclipse de domingo por la mañana* algunos de los principales directores de Hollywood se interesaron en ti. —Se colocó las gafas de sol por fuera del bolsillo de la chaqueta—. Esa pelea tan tonta entre Belinda y tú ya ha durado bastante. Las madres y las hijas tienen problemas siempre. No hay motivo para armar semejante desaguisado.

—Eso no te incumbe.

—Tienes que crecer, Fleur. Estamos en el siglo veinte, y ningún hombre se merece que dos mujeres que se quieren permanezcan separadas.

Así que eso era lo que todos creían: que ella y Belinda se habían peleado por Jake. Apenas pensaba en él. En alguna ocasión había visto fotografías suyas en alguna revista, normalmente abroncando al fotógrafo que invadía su privacidad. A veces aparecía con alguna beldad, y eso le provocaba un ligero malestar estomacal. Era como topar inesperadamente con un gato o un pájaro muerto. El cadáver es inofensivo, pero aun así te provoca un respingo.

Jake seguía ascendiendo en su carrera como actor. En cambio, a pesar de que le habían concedido el Oscar al mejor guión por *Eclipse de domingo por la mañana*, había dejado de escribir. Nadie parecía saber por qué, y a Fleur no le importaba.

Gretchen no se esforzó en esconder su censura.

—Mírate. Tienes veintidós años, te escondes en medio de la nada, vives como una indigente. Todo lo que tienes es tu cara y estás haciendo méritos para arruinarla. Si no me escuchas, una mañana despertarás vieja y sola, satisfecha con las migajas que puedas recoger. ¿Es eso lo que deseas? ¿Eres tan autodestructiva?

¿Lo era? Lo peor del dolor ya había remitido. Incluso podía ver con cierto desapego una fotografía de Belinda y Alexi en el periódico. Naturalmente, su madre había vuelto con él. Alexi era uno de los hombres más importantes de Francia, y Belinda necesitaba estar en el candelero del mismo modo que otras personas necesitan oxígeno. A veces Fleur pensaba en regresar a Nueva York, pero nunca podría volver a trabajar de modelo. ¿Qué iba a hacer allá, entonces? Los michelines la mantenían a salvo, y resultaba más fácil moverse por el presente que precipitarse a un futuro incierto. También era más fácil olvidarse de la chica que había puesto tanto empeño en que todo el mundo la quisiera. Ya no necesitaba el amor de otras personas. Ya no necesitaba a nadie más que a sí misma.

—Déjame en paz —le dijo a Gretchen—. No pienso volver.

—Pues no me marcharé hasta que...

—Vete.

—No puedes emperrarte en esta locu...

—¡Lárgate!

Los ojos de Gretchen le examinaron la horrible camisa de hombre, los tejanos de costuras cedidas... La evaluó, la juzgó, y Fleur supo el momento exacto en que Gretchen Casimir decidió que ya no valía la pena aquel esfuerzo.

—Chica, eres una perdedora —le dijo—. Eres triste y lamentable. Tu vida se dirige a un callejón sin salida. Sin Belinda no eres nada.

El veneno que destilaban aquellas palabras no las hacía menos ciertas. Fleur no tenía ambición, ni planes, ni el orgullo de los objetivos cumplidos. Lo único que tenía era una variante neutra del instinto de supervivencia. Sin Belinda no era nada, claro que no.

Una hora después salió de la tienda de fotografía y subió al primer tren que salía de Estrasburgo.

El vigésimo segundo cumpleaños de Fleur llegó y pasó. Una semana antes de Navidad echó sus cosas en una bolsa de lona, tomó su pase Eurraíl y abandonó Lille para irse a Viena. Francia era el único país de Europa donde podía trabajar legalmente, pero tenía que marcharse unos días si no quería ahogarse. Ya no recordaba lo que se sentía al estar delgada y fuerte, o lo que era no preocuparse por pagar el alquiler de una habitación andrajosa con un lavabo herrumbroso y manchas de humedad en el techo.

Había escogido Viena en un capricho tras leer *El mundo según Garp*. Un lugar con osos y monociclos y un hombre que solo podía caminar sobre sus manos le parecía de lo más conveniente. Encontró una habitación barata en una vieja pensión vienesa con un ascensor dorado y estropeado en forma de jaula: según el conserje, los alemanes lo habían roto durante la guerra. Después de cargar con su bolsa hasta el sexto por las escaleras abrió la puerta de una pequeña habitación con muebles ajados y se preguntó a qué guerra se referiría el hombre. Se quitó la ropa, se tapó con la colcha y, al tiempo que el viento traqueteaba en las ventanas y el ascensor crujía, finalmente se durmió.

A la mañana siguiente recorrió el palacio Schönbrunn y comió barato en el Leupold, cerca de Rooseveltplatz. Un camarero le trajo una bandeja de pequeñas bolas de carne y verduras llamadas *Nockerln*. Eran deliciosas, pero su digestión resultó bastante trabajosa. En Viena no había osos, ni monociclos ni hombres que caminaran sobre sus manos; en Viena solamente encontró los mismos problemas que por mucho que huyera no iban a solucionarse. Nunca había sido la más valiente, ni la más rápida, ni la más fuerte. Todo eso no había sido más que ilusión.

Un abrigo Burberry y una maleta Louis Vuitton pasaron rozando su mesa y luego retrocedieron.

—¿Fleur? ¿Fleur Savagar?

Le llevó un momento reconocer al hombre como Parker Dayton, su antiguo agente. Era un cuarentón con una de esas caras perfectamente formadas por el divino escultor a las que luego, justo antes de que la arcilla se secara, les había dado un apretón. La barba bien recortada y de color bermejo que se había dejado no podía disimular su barbilla insignificante ni equilibrar su hundida nariz.

Parker no le había gustado nunca. Belinda lo había seleccionado para que se hiciera cargo de la carrera cinematográfica de Fleur por recomendación de Gretchen, pero resultó que era el amante de Gretchen y en modo alguno un miembro del escalafón superior de agentes. De todos modos, por lo que podía deducirse de la maleta Vuitton y los zapatos Gucci, el negocio había prosperado.

—Madre mía, tienes un aspecto horrible. —Sin esperar a que lo invitara, tomó asiento frente a ella y dejó la maleta en el suelo. Se miraron y él sacudió la cabeza.

—A Gretchen le costó una fortuna hacer frente a todos los contratos publicitarios que contaban contigo como modelo y que tú rompiste. —Dio un golpe con la mano en la mesa.

Fleur tuvo la sensación de que se moría de ganas de sacar la calculadora para que pudiera hacerse una idea de esos números.

—A Gretchen no le costó ni un duro —replicó—. Estoy segura de que Alexi pagó todo con mi dinero, y yo podía permitírmelo.

Él se encogió de hombros.

—Eres uno de los motivos que me llevó a ocuparme sobre todo de la música. —Encendió un cigarrillo—. Soy el mánager de Neon Lynx. Seguro que has oído hablar de ellos. Son el grupo americano más de moda. Por eso estoy en Viena. —Rebuscó en los bolsillos y sacó una entrada—. Ten, te invito, ven esta noche al concierto. Las entradas están agotadas desde hace semanas.

Había visto carteles por toda la ciudad. El de esa noche era el concierto inaugural de su primera gira europea. Tomó la entrada y calculó mentalmente lo que podría obtener vendiéndola.

—Pues no te veo como mánager de un grupo de rock.

—Cuando una banda de rock da el golpe es como si te dieran permiso para imprimir billetes. Cuando los encontré, los Lynx estaban tocando en clubes de tres al cuarto de Jersey. Enseguida supe que tenían algo, pero no lo presentaban bien. No tenían ningún estilo, ¿entiendes? Podía haberles enviado a algún mánager, pero el negocio tampoco iba demasiado bien en esos momentos. Así que me decidí, tenía ganas de echar el resto. Les hice cambiar algunas cosas y los puse en el mapa. La verdad, pensaba que tendrían éxito pero no tanto. En la última gira tuvimos disturbios en dos ciudades. No te creerías...

Saludó con la mano a alguien detrás de Fleur y apareció un segundo hombre. De unos treinta años, con pelambrera revuelta y un bigote a lo Fu Manchú.

—Fleur, este es Stu Kaplan, mánager de la gira de Neon Lynx.

Para alivio de Fleur no pareció reconocerla. Los dos hombres pidieron café y luego Parker le dijo a Stu:

—¿Te has encargado del asunto?

Stu tiró de sus bigotes.

—Me he pasado media hora al teléfono con esa jodida agencia de empleo antes de dar con alguien que hablara inglés. Me han dicho que podía disponer de una chica dentro de una semana. ¡Joder, tío, dentro de una semana ya llevaremos tiempo en Alemania!

—Yo no me voy a involucrar, Stu —dijo Peter con el ceño fruncido—. Es a ti a quien le hace falta una secretaria de gira.

Estuvieron hablando unos minutos. Parker se excusó para ir al baño y Stu se volvió hacia Fleur.

—¿Es amigo tuyo?

—Digamos que es un viejo conocido.

—Es un jodido dictador, eso es lo que es. «Yo no me voy a involucrar, Stu.» Joder, no es culpa mía si se ha quedado preñada.

—¿Tu secretaria de gira?

Él asintió malhumorado mientras sorbía el café. El bigote se le encorvó hacia abajo.

—Le había dicho que asumiríamos los gastos del aborto y tal, pero ella insistió en volver a Estados Unidos para que se lo hagan como es debido. —Stu miraba a Fleur con expresión acusadora—. ¡Joder, estamos en Viena, ¿no?! Freud era de aquí, ¿verdad? ¡Tiene que haber buenos doctores en Viena!

Ella pensó en varias respuestas posibles, pero las descartó.

—Joder, si esto hubiera pasado en Pittsburgh lo entendería —continuó protestando Stu—, pero estamos en Viena, ¡nada menos que en Viena!

—¿Y qué hace exactamente una secretaria de gira? —dijo ella sin pensar. Se dejaba llevar, como de costumbre.

Stu Kaplan la miró con una chispa de interés.

—Es un trabajo muy agradable: contestar llamadas, reconfirmar condiciones, ayudar un poco con la banda en general. Nada duro. —Bebió otro sorbo de café—. Tú... ¿tú hablas algo de alemán?

Ella también se llevó la taza a los labios.

—Un poco. —De hecho, también hablaba italiano y español.

Stu se reclinó en su silla.

—Doscientos por semana, habitación y comida incluidas. ¿Te interesa?

En Lille tenía un trabajo de camarera, podía asistir a clases de oyente, disponía de una pequeña habitación y ya no hacía nada impulsivamente. Pero esa oferta le pareció segura. Diferente. Podría dedicarle un mes o poco más. No tenía nada mejor que hacer.

—De acuerdo, me interesa.

Stu sacó una tarjeta de visita.

—Haz la maleta y ve al Intercontinental dentro de una hora y media. —Garabateó algo en la tarjeta y se levantó—. Aquí tienes el número de la suite. Dile a Parker que nos veremos allá.

Cuando Parker volvió a la mesa, Fleur le explicó lo ocurrido y él se echó a reír.

—¡No puedes hacer ese trabajo!

—¿Por qué no?

—Pues porque no lo soportarías. No sé cómo te lo ha pintado Stu, pero si hacer de secretaria de gira con una banda es duro, con una como Neon Lynx es mucho más duro todavía.

Ahí estaba una nueva prueba de que sin Belinda no era nada. Lo que tenía que hacer era marcharse de ese café y olvidarse de todo. Pero el impulso inicial se había convertido de pronto en algo importante.

—Ya he hecho trabajos duros.

Él le dio toquecitos en la mano con aire paternal.

—Deja que te explique una cosa: una de las razones por las que Neon Lynx permanece en el candelero es porque son unos hijos de puta arrogantes, unos niñatos consentidos. Es la imagen que tienen y yo la fomento, todo hay que decirlo. Esa arrogancia es lo que los convierte en grandes a la hora de tocar. Pero también hace que sea un coñazo trabajar para ellos. Por otro lado, el trabajo de secretaria de gira no es demasiado prestigioso. Piénsalo así, si quieres. Tú no estás acostumbrada a que te den órdenes, sino a darlas.

Parker Dayton sabía muchas cosas sobre ella. Pero Fleur insistió con una súbita y renovada tozudez.

—Podré arreglármelas.

Él volvió a reírse.

—No durarás ni una hora. No sé lo que pasó contigo hace tres años, pero sí sé que la fastidiaste. Te daré un consejo gratis: haz una pausa en tu vida de trotamundos, llama a Gretchen y vuelve a ponerte ante las cámaras.

Ella se levantó.

—Stu Kaplan puede contratar a su propia secretaria de gira, ¿verdad?

—En circunstancias normales sí, pero...

—Bien, pues ya está. Me ha ofrecido el trabajo y yo lo acepto.

Fleur salió del restaurante antes de que él pudiera replicar, pero por la calle tuvo que apoyarse contra el muro de un edificio para recuperar el aliento. ¿Qué estaba haciendo? Se dijo que era algo seguro, solo un trabajo de secretaria, pero su corazón no quería apaciguarse.

Cuando entró en la suite del Intercontinental una hora más tarde sintió como si se hubiera metido en una baraúnda. Un grupo de periodistas hablaba con Parker y dos jóvenes vestidos de modo estrafalario, seguramente miembros de la banda. Los camareros traían bandejas de comida y tres teléfonos sonaban a la vez. La locura de lo que había hecho le saltó a la cara. Quiso marcharse de allí, pero Stu ya había cogido dos teléfonos y le hacía gestos para que ella descolgara el tercero.

Contestó con voz insegura. Quien llamaba era el gerente del hotel de Múnich donde el grupo iba a pasar la siguiente noche. Le dijo que había oído rumores sobre la destrucción de dos habitaciones en el hotel de Londres y que lamentaba comunicarle que el grupo ya no era bienvenido en su establecimiento. Ella puso la mano sobre el micrófono del auricular e informó a Stu.

En unos segundos comprendió que el Stu Kaplan que había conocido en el café era un angelito comparado con el que tenía allí delante:

—¡Dile que ese fue Rod Stewart, joder! ¡Utiliza esa cabeza y no me molestes con zarandajas! —Le pasó un sujetapapeles de mala manera—. ¡Reconfirma las condiciones, ya que lo tienes al teléfono! ¡Reconfírmalo todo y luego vuelve a confirmarlo!

Fleur sintió un retortijón. No iba a poder hacerlo. No podía trabajar con alguien que le gritaba así y que esperaba de ella que hiciera cosas de las que no tenía ni idea. Parker Dayton la miró con una sonrisa de «ya te lo dije». Se volvió para alejarse de él y en ese momento percibió su propia imagen al otro lado del vestíbulo. El espejo que colgaba sobre el sofá era del mismo tamaño que las ampliaciones fotográficas que Belinda colgaba en las paredes del piso de Nueva York. Aquellas caras enormes y bonitas no le habían parecido nunca la suya. Pero tampoco la cara pálida y tensa que vio en ese momento.

Apretó el auricular con ambas manos.

—Siento tenerlo esperando, pero no puede culpar a Neon Lynx de unos daños que ellos no han provocado. —La voz le sonaba aguda por la falta de oxígeno. Inspiró rápidamente y luego se lanzó a una diatriba demoledora del carácter de Rod Stewart. Cuando le pareció suficiente, pasó a repasar las asignaciones de habitación que constaban en el sujetapapeles, sin olvidar a continuación todos los detalles en cuanto a comida, previsión de carritos de equipaje y demás. Solo cuando el gerente le repitió las condiciones para ver si las había entendido bien, ella se dio cuenta de que le había hecho cambiar de opinión. Se sintió rebosante de alegría, quizá de un modo un tanto exagerado en cuanto al valor real de lo que había conseguido.

Colgó el teléfono, que volvió a sonar enseguida. Uno de los encargados del transporte del equipo había sido detenido por posesión de drogas. Esta vez estaba preparada para el estallido de gritos de Stu.

—¡Joder! ¿No sabes arreglártelas con nada? —Cogió su chaqueta—. Ocúpate de todo mientras voy a sacar a ese cabrón de la trena. Y esos majaderos de la poli austríaca ya pueden ir hablando inglés. Me van a escuchar. —Le pasó otro sujetapapeles—. Aquí tienes el horario y las condiciones. Los pases de los *vips* tienen que estar sellados. Llama a Múnich para asegurarte de que se encargan del transporte desde el aeropuerto. La última vez faltaron limusinas. Y reconfirma el chárter desde Roma. Tienen que ofrecernos apoyo.

Y siguió dándole instrucciones hasta que salió del hotel.

Fleur atendió a ocho llamadas más y se pasó media hora con las líneas aéreas antes de darse cuenta de que todavía no se había quitado el abrigo. Parker Dayton le preguntó si no tenía bastante ya. Ella apretó los dientes y le dijo que se lo estaba pasando bomba, pero apenas él se fue, se dejó caer en la silla. Parker iba a dejar la gira al cabo de tres días para volver a Nueva York. Ese era el tiempo que ella tenía que durar: tres días.

Le llevó unos minutos entre llamada y llamada estudiar el *kit* promocional, y cuando apareció el guitarra solista del grupo lo reconoció como Peter Zabel. Tendría veintipocos, menudo y fornido, y con un rizado pelo negro que le caía hasta los hombros. Dos pendientes le colgaban del lóbulo derecho: uno con un diamante, el otro con una pluma blanca. Le pidió que le pusiera con su bróker de Nueva York, porque estaba preocupado por sus Anaconda Copper.

Tras hablar, Peter colgó, se dejó caer en el sofá y apoyó las botas sobre la mesita de centro. Tenían unos tacones de ocho centímetros de acrílico, con peces de colores incrustados.

—Soy el único de la banda que mira el futuro —le dijo de pronto—. Los otros se engañan creyendo que esto va a durar siempre, pero yo cuido mis inversiones.

—Buena idea —dijo ella mientras empezaba a sellar los pases de *backstage*.

—No es una buena idea, sino buenísima. Por cierto, ¿cómo te llamas?

—Fleur —dijo ella, algo vacilante.

—Me suenas de algo. ¿Eres lesbiana?

—Ahora mismo no. —Selló con fuerza el pase que tenía entre las manos y pensó que esos tres días iban a ser una eternidad.

Pete se puso en pie y se dirigió a la puerta. De pronto se detuvo y volvió sobre sus pasos.

—Ya sé dónde te he visto. Tú eras una modelo o algo así. Mi hermano pequeño tenía un póster tuyo colgado en la habitación. Y también salías en una película que vi. Te llamas Fleur... ¿Qué más?

—Savagar —se forzó a decir—. Fleur Savagar.

—Claro, eso es. —No parecía muy impresionado, y no dejaba de tocarse la pluma del pendiente—. Oye, no te molestes, pero si hubieras pensado en tus inversiones habrías tenido algo en lo que apoyarte cuando prescindieron de ti.

—Lo recordaré para el futuro.

La puerta se cerró tras él y ella se dio cuenta de que estaba sonriendo por primera vez en semanas. Por lo menos en el ambiente de esa gente la Niña Brillante era algo del pasado. Sintió como si dispusiera de más aire para respirar.

La gira se iniciaba esa misma noche en un estadio al norte de Viena. Una vez que Stu volvió con el transportista perdido a Fleur ya no le quedó ni un minuto para pensar en nada. Primero un lío con las entradas y luego las llamadas de aviso de una hora antes del concierto a todos los miembros de la banda. Tuvo que presentarse pronto en el vestíbulo para reconfirmar el transporte y hacerse cargo de las propinas. Luego tuvo que volver a telefonear a los músicos para decirles que las limusinas estaban listas. Stu le gritaba por todo, pero por lo visto hacía lo mismo con todo el mundo, menos con los de la banda, así que intentó ignorarlo. Por lo que entendía, sus funciones eran dos: mantener a la banda feliz y reconfirmarlo todo.

Cuando los Neon Lynx fueron entrando en el vestíbulo ella los identificó a todos. Peter Zabel, al que ya conocía. Kyle Light, el bajista, no resultaba fácil de confundir: pelo fino y rubio, ojos mortecinos y aspecto demacrado. Frank LaPorte, el batería, era un pelirrojo beligerante con una lata de Budweiser en la mano. Simon Kale, el de los teclados, era el hombre con aspecto más orgulloso que había visto nunca, con la cabeza afeitada y aceitada, con cadenas alrededor de un tórax hiperdesarrollado, y algo que se parecía a un machete colgándole del cinturón.

—¿Dónde está el colgado de Barry? —preguntó Stu—. Fleur, sube arriba a buscar a ese hijoputa y traelo aquí. Y no hagas nada para enfadarlo.

Ella se dirigió con desgana hacia el ascensor que la llevaría a la suite reservada en el ático para el cantante, Barry Noy. En el material promocional se lo calificaba como el nuevo Mick Jagger. Tenía veinticuatro años, y en las fotografías aparecía con una melena rojiza y unos carnosos labios permanentemente torcidos con desdén. Por lo que había oído, sabía que Barry era un tipo «difícil», pero tampoco había reflexionado demasiado sobre lo que eso podía significar.

Llamó a la puerta de la suite, y como no obtuvo respuesta probó a accionar el pomo. La puerta estaba abierta.

—¿Barry? Me envía Stu. Han llegado las limusinas y estamos listos para salir.

—Esta noche no puedo salir a cantar.

—Eh... Vaya. ¿Y eso por qué?

—Estoy deprimido. —Emitió un prolongado suspiro—. Nunca en mi puta vida he estado tan deprimido. Y cuando estoy así no puedo cantar.

Fleur miró su reloj, un Rolex de hombre que Stu le había prestado aquella misma tarde. Disponía de cinco minutos. Cinco minutos y dos días y medio.

—¿Qué es lo que te deprime tanto?

Él la miró por primera vez.

—¿Y tú quién coño eres?

—Soy Fleur, la nueva secretaria de gira.

—Ah, sí, Peter te mencionó. Fuiste una estrella del cine o algo así. —Volvió a taparse los ojos con el antebrazo—. Bueno, como te digo, la vida es una mierda, de verdad. Me explico: ahora estoy en lo más alto, podría conseguir a cualquier mujer que deseara, pero esa zorra de Kissy me tiene a su merced. No sé si habré llamado a Nueva York unas cien veces hoy, pero no consigo línea, o cuando lo consigo ella no contesta.

—Quizás estuviera fuera en ese momento.

—Sí, claro. Fuera con algún cabrón.

Le quedaban cuatro minutos.

—¿Qué mujer en su sano juicio saldría con otro hombre pudiéndote tener a ti? —le dijo Fleur, pensando que cualquier mujer en su sano juicio saldría con un pingüino antes que con él—. Seguro que no has calculado bien el tiempo. Esto de los husos horarios es un lío. ¿Por qué no lo pruebas después del concierto? Entonces será primera hora de la mañana en Nueva York. Seguro que podrás hablar con ella.

Él pareció interesado.

—¿Tú crees?

—Estoy segura. —Tres minutos y medio. Si tenían que esperar al ascensor ella tendría un problema—. Incluso puedo hacerte la llamada yo.

—¿Vendrás aquí después del concierto y me ayudarás con la llamada?

—Pues claro.

—¡Oye, tía, genial! —exclamó con un gesto de agradecimiento—. Vaya, creo que me vas a gustar.

—Estupendo. Pues yo estoy segura de que también tú a mí —«¡Ni en sueños, so degenerado!» Tres minutos—. Venga, vamos a bajar.

En el ascensor, Barry fue al grano y le propuso follar sin más demora. Ella lo rechazó y él volvió a mostrarse malhumorado, así que ella le dijo que temía ser portadora de una enfermedad venérea. Eso pareció tranquilizarlo y ella logró depositarlo en el vestíbulo con treinta segundos de margen.

17

Llegaron al estadio de hockey sobre hielo. El escenario se levantaba a un lado de la pista y centenares de fans empujaban las vallas de madera. Ignoraban a los teloneros y reclamaban a Barry y el resto del grupo. Stu lanzó un sujetapapeles a Fleur y le dijo que lo reconfirmara todo. Cuando fue al *backstage* para presenciar el espectáculo, el griterío de la multitud ya era ensordecedor. Se puso los protectores de oídos rosa que le pasó el mánager y el escenario quedó a oscuras. Una voz bramó desde los altavoces y anunció a la banda en alemán. Los gritos se convirtieron en una horrible tormenta acústica y cuatro focos se concentraron en el escenario como impactos atómicos. Las columnas de luz se entrelazaron y los Neon Lynx salieron.

La multitud explotó. Barry saltó en el aire con la melena ondeando. Adelantó las caderas de manera que la estrella roja de lentejuelas que llevaba sobre el paquete se incendió. Frank La-Porte hacía girar sus baquetas y Simón Kale probó sus teclados. Fleur vio que una chica muy joven, de unos doce o trece años, se desmayaba contra la valla, entre la indiferencia de la multitud que empujaba.

La música empezó estridente y visceral, descaradamente sexual. Barry Noy hacía las delicias del público. Cuando la primera canción acabó la gente se subía a las vallas y los guardias de seguridad parecían nerviosos. Los focos lanzaban destellos rojos y azules que se cruzaban. La banda atacó el segundo tema.

Fleur temía que alguien resultara malherido, o que incluso muriera... Uno de los utileros se puso a su lado a mirar el concierto.

—¿Siempre es así? —preguntó ella.

—Qué va. Supongo que es porque estamos acostumbrados a Estados Unidos, pero este público está dormido.

Después del espectáculo esperó con Stu en el garaje subterráneo, que había sido acordonado por la policía vienesa, y contó las limusinas. La banda salió, los cinco sudando a mares. Barry la tomó por el brazo.

—Tengo que hablar contigo.

A medida que la llevaba hacia la primera limusina ella empezó a protestar. Stu le lanzó una mirada de advertencia y ella recordó su principal función: mantener alegres a los miembros de la banda. Traducido a ese momento, significaba mantener alegre a Barry Noy.

Subió a la limusina y él la hizo sentar a su lado. Oyó el tintineo de las cadenas y Simon Kale subió con ellos. Ella recordó cómo había blandido ese peligroso machete en el escenario y lo miró con desconfianza. Simon encendió un cigarrillo y se volvió para mirar por la ventanilla.

La limusina abandonó el garaje y avanzó entre una multitud de fans que no paraban de gritar. De pronto una chica pudo colarse entre el cordón policial y corrió hacia el coche, levantándose la camiseta para mostrar sus pechos de adolescente. Un policía la atrapó. Barry no prestaba atención.

—Así pues, ¿qué te he parecido esta noche? —Alcanzó una lata de Budweiser.

—Estuviste fantástico, Barry —replicó ella con toda la sinceridad que pudo reunir—. Fantástico.

—¿No crees que he estado un poco ausente? Es que el público estaba como muerto.

—Qué va, no, no estabas nada ausente. ¡Estuviste genial!

—Sí, tienes razón. —Se acabó la cerveza y arrugó la lata en la mano—. Me habría gustado que Kissy estuviera aquí, pero no quiso venir a Europa conmigo. ¿No te parece que está como un cencerro?

—Tienes toda la razón, Barry.

En el asiento de enfrente se oyó un resoplido.

—¿A qué se dedica Kissy? —preguntó Fleur.

—Ella dice que es actriz, pero yo no la he visto nunca en la televisión ni nada. Mierda, me estoy volviendo a deprimir.

Si había algo que ella no necesitara, era un Barry Noy deprimido.

—Entonces será por eso. Las actrices que intentan conseguir trabajo no se pueden permitir dejar la ciudad cuando quieren. Podrían perderse su gran oportunidad.

—Sí, quizá tengas razón. Oye, siento de veras eso de la venérea que tienes.

Simon Kale la miró y ella pensó que había algo de interés en aquella expresión.

—Gracias —dijo con afectada tristeza—. Hago lo que puedo para sobreponerme.

Debería haber estado preparada para el jaleo en la recepción del hotel, pero no lo estaba. El hotel tenía órdenes de no facilitar ninguna información, pero había chicas por todas partes. Cuando los miembros del grupo avanzaron hacia los ascensores, tras una barrera de gorilas, vio que Peter Zabel agarraba por el brazo a una pelirroja pechugona. Frank LaPorte valoraba a una rubia pecosa y luego hizo un gesto que comprendía también a su compañera mascadora de chicle. El único en ignorar a aquella multitud de mujeres fue Simon Kale.

—No me lo puedo creer —murmuró Fleur.

Stu la oyó.

—Todos esperamos que no hablen inglés. De este modo tampoco tendremos que hablar con ellas.

—¡Es asqueroso!

—Es rock and roll, nena. Los músicos son reyes mientras puedan permanecer en las alturas. —Stu rodeó con el brazo a una rubia de pelo encrespado y se dirigió hacia los ascensores. Antes de entrar, volvió a llamarla—. Pégate a Barry. Me ha dicho que le gustas. Y comprueba los documentos de identidad de esas chicas que han ido con Frank. Me han parecido muy jóvenes, y no quiero más líos con la policía. Luego contacta con esa Kissy y asegúrate de que se encuentre con nosotros en Múnich mañana. Dile que le pagaremos doscientos cincuenta por semana.

—¡Oye, que eso son cincuenta más de los que yo gano!

—Pero tú eres prescindible, nena.

Las puertas del ascensor se cerraron.

Se apoyó en una columna. El mundo del rock and roll.

Era la una de la madrugada y estaba exhausta. Se iba a olvidar de Frank y sus *groupies*. Con toda probabilidad se merecían mutuamente. También iba a olvidarlo todo respecto a Barry y su estúpida Kissy. Se iba a ir a la cama. Por la mañana le diría a Parker que tenía razón, que no podía aguantar un trabajo como ese.

Pero cuando se cerraron tras ella las puertas del ascensor se encontró avanzando por el pasillo del piso de la suite de Frank LaPorte.

Las dos chicas que le acompañaban pudieron demostrar que no eran menores, así que les dio las buenas noches y se fue. Volvió al ascensor y fue al piso de la suite de Barry. Mientras se arrastraba por el pasillo pensó en la bonita habitación que la estaba esperando. Agua caliente, sábanas limpias y calor.

El guardia la dejó entrar y ella comprobó con alivio que todo el mundo conservaba la ropa puesta. Las tres chicas, ninguna de las cuales parecía particularmente feliz, jugaban a las cartas. Barry estaba tumbado en el sofá viendo la televisión. La cara se le iluminó cuando la vio.

—¿Qué tal, Fleur? Pensaba que se te había olvidado. Me disponía a llamar a tu habitación. —Cogió la cartera de la mesilla de centro y rebuscó hasta que sacó un papel que le tendió—. Ahí tienes el número de Kissy. ¿Qué te parece si la llamas desde tu habitación? Yo voy a intentar dormir un poco. Y llévate a un par de estas tías cuando salgas, por favor.

Ella apretó los dientes.

—¿Dos en particular?

—No sé. Las que hablan inglés, supongo.

Quince minutos más tarde, Fleur entraba en su propia habitación. Se quitó la ropa y miró con melancolía hacia la cama. Luego cogió el teléfono. Mientras esperaba contestación a la llamada, miraba el papel que tenía en la mano. Kissy Sue Christie. Uf.

Una voz contestó al quinto tono. Se le notaba el acento sureño y un enfado mayúsculo.

—Barry, te juro por Dios...

—No soy Barry —dijo Fleur con rapidez—. ¿Señorita Christie?

—Sí.

—Soy Fleur, la nueva secretaria de gira de los Neon Lynx.

—¿Barry le ha pedido que me llamara?

—Pues...

—No se preocupe. Solo quiero que le dé un recado.

A partir de ahí, en una voz suave y velada que rezumaba generaciones de exquisita educación sureña, Kissy Sue Christie detalló una lista de instrucciones concernientes a Barry Noy y su anatomía. El contraste entre aquella voz y las instrucciones obscenas fue demasiado para Fleur, que al final se echó a reír.

—¿La estoy divirtiendo? —preguntó la voz con frialdad.

—Discúlpeme, pero es muy tarde y yo estoy tan cansada que apenas puedo mantener los ojos abiertos. Y usted... bueno, está diciendo todo lo que he venido pensando todo el día. Ese hombre es...

—Esputo de sapo —concluyó Kissie Sue.

Fleur volvió a reír y luego se controló.

—Discúlpeme por llamar tan tarde. Solo cumplo órdenes.

—No pasa nada. ¿Qué me ofrece ahora Stu para que vaya allí? La última vez eran doscientos semanales.

—Ahora ha subido a doscientos cincuenta.

—¿De verdad? Bueno, el caso es que me gustaría ir a Europa. Incluso dispondré de unos días de vacaciones dentro de poco. Los únicos lugares que conozco aparte de Carolina del Sur son

Nueva York y Atlantic City, pero la verdad, Fleur, preferiría abstenerme para siempre de los hombres antes que volver a acostarme con Barry Noy.

Fleur se sentó en la cama y pensó.

—¿Sabes, Kissy? Se me está ocurriendo algo que quizá sea una manera...

El despertador de Fleur sonó a las seis y media de la mañana. Esperó que el embotamiento habitual le dificultara las cosas, pero no se produjo. Si bien había dormido solo cuatro horas, había sido un descanso reparador y profundo. Nada de bandazos ni vueltas en la cama, nada de corazón desbocado. Ningún sueño sobre personas a las que amaba...

Se sentía...

Competente.

Se incorporó sobre la almohada y valoró la situación. Tenía un trabajo terrible con gente horrorosa: consentidos, groseros, inmorales... Pero había sobrevivido al primer día y había hecho un buen trabajo. Mejor que bueno: había hecho un gran trabajo. No le habían tirado nada por la cabeza y había sido capaz de controlar al personal, Barry Noy incluido. Le iba a demostrar a Parker Dayton... Alto ahí. Ya no le importaba lo que pensara Parker Dayton. Ni Alexi, ni Belinda ni nadie. La única opinión que le importaba era la suya propia.

La llegada de la banda a Múnich fue frenética e increíble, y Stu no paraba de gritarle a Fleur. Esta vez ella también le contestaba gritando, lo que lo entristeció, porque según decía no entendía qué motivos tenía Fleur para ponerse tan nerviosa. Los conciertos de las dos noches siguientes fueron una repetición del concierto de Viena, con chicas desmayándose en las vallas y con un ejército de *groupies* esperando en la recepción del hotel.

Justo antes del último concierto, Fleur envió una limusina al aeropuerto para recoger a la largamente esperada Miss Christie, pero el vehículo volvió de vacío, para su desesperación. Le dijo a Barry que habían retrasado el vuelo y pasó las dos horas siguientes, mientras la banda tocaba, intentando infructuosamente rastrear la pista de Kissy. Finalmente tuvo que decírselo a Stu, quien le gritó y le dijo que tal vez ella podría explicarle ese marrón a Barry. Después del concierto.

Barry se lo tomó como era de esperar.

Ella intentó calmarlo con algunas promesas que tal vez no podría mantener y luego se arrastró hasta su habitación. Por el camino se cruzó con Simon Kale en el pasillo. Llevaba pantalones grises y una camisa de seda negra de cuello abierto con una cadenilla de oro alrededor del cuello. Era la indumentaria más conservadora que había visto, aparte Parker, desde que se había unido al circo Neon Lynx, pero ella sospechó que llevaba una navaja automática oculta en algún bolsillo.

Se durmió en cuestión de segundos después de recostar la cabeza en la almohada, y una hora más tarde la despertó una llamada del gerente del hotel. Según decía, los clientes se estaban quejando del ruido procedente del piso 15.

—No he logrado localizar a Herr Stu Kaplan, señorita, de manera que confío en que usted pueda solucionar este percance.

Tenía una idea aproximada de lo que se encontraría cuando subió al ascensor y encontró a Herr Stu Kaplan sin sentido en la cabina con una botella de coñac vacía y la mitad de su bigote de Fu Manchú rasurado.

Le llevó media hora de ruegos y halagos reducir la multitud que había en la fiesta a veinte personas. Eso era lo máximo que podía hacer. Pasó por encima de Frank LaPorte con el teléfono y se metió en un baño para llamar a recepción y pedirles que volvieran a poner guardias en los ascensores. Cuando salió, vio que Barry se había ido con un par de chicas, y decidió que ya podía volver a su habitación. Pero como estaba completamente despejada y el día siguiente era de descanso, pensó que bien se merecía algo de diversión... o por lo menos una copa antes de irse a dormir.

Tras una breve lucha con el tapón de corcho, se sirvió champán en una copa. Peter la llamaba para hablarle de la OPEP, para disgusto de las chicas que requerían sus atenciones. Justo empezaba la segunda copa de champán cuando oyó unos golpes furiosos en la puerta. Fleur gruñó, dejó la copa y cruzó la suite.

—¡La fiesta ha terminado! —dijo a la puerta cerrada.

—¡Déjame entrar de una puñetera vez! —La voz era femenina y parecía bastante desesperada.

—¡No puedo! —dijo Fleur—. Son las directrices contra incendios.

—Fleur, ¿eres tú?

—¿Cómo sabes... ? —En ese momento se dio cuenta de que la voz tenía un marcado deje sureño. Sacó el pestillo y abrió la puerta.

Kissy Sue Christie irrumpió en la habitación.

Parecía un confite toda ella. Rizos de regaliz, boca de manzana caramelizada y ojos de gominola. Llevaba pantalones de cuero negro y una camisola de un rosa eléctrico con un tirante roto. Excepto unos generosos pechos, todo en ella era pequeño. También estaba algo descompensada, sobre todo porque le faltaba un zapato de tacón de aguja. Aun así, por descompensada que estuviera, Kissy Sue Christie tenía exactamente el aspecto que Fleur siempre había querido tener.

Kissy echó el pestillo a la puerta y luego la miró.

—Fleur Savagar —dijo—. Por el teléfono tuve la extraña sensación de que eras tú, aunque no me dijeras el apellido. Soy bastante clarividente. —Comprobó que la puerta estuviera bien cerrada—. Hay un piloto de la Lufthansa a quien quiero dar esquinazo. Tenía que haberme presentado aquí más pronto, pero inesperadamente me retrasaron. —Miró alrededor—. Dime que soy una chica con suerte y que Barry no está aquí.

—Eres una chica con suerte.

—Supongo que sería mucho pedir que haya resultado electrocutado o afectado de alguna otra manera definitiva esta noche...

—Sería mucho pedir. —Fleur recordó sus obligaciones de pronto—. ¿Dónde está tu equipaje? Telefonearé a recepción y haré que te lleven a tu habitación.

—Mi habitación ya está ocupada. —Sujetó el tirante roto de la camisola rosa—. ¿Hay algún sitio donde podamos hablar? Y no rechazaría el ofrecimiento de una copa.

Fleur cogió la botella de champán, dos copas y a Kissy.

El único espacio libre era el baño, así que ambas se encerraron allí y se sentaron en el suelo. Mientras Fleur servía el champán Kissy se quitó el zapato que le quedaba.

—La verdad, cariño, creo que cometí un error dejándole que me acompañara hasta la habitación.

—¿El piloto de Lufthansa?

Kissy asintió.

—Empezó como un mero flirteo, pero se me ha ido un poco de las manos. —Dio un delicado sorbo a su copa y luego se relamió el labio superior con la punta de la lengua—. Ya sé que te parecerá extraño, pero tal como te decía soy bastante clarividente, y tengo la certeza de que vamos a ser amigas. Me parece que también debería advertirte desde el principio que tengo un pequeño problema con la promiscuidad.

Parecía una conversación de lo más interesante, así que Fleur se instaló más confortablemente contra el lateral de la bañera.

—¿Como cuánto, de pequeño?

—Eso depende de tu punto de vista. —Kissy recogió las piernas y se apoyó contra la puerta—. ¿A ti te gustan los tíos buenos?

Fleur volvió a llenar su copa y pensó.

—Me parece que en el momento actual me estoy tomando un respiro respecto a los hombres. Soy como neutral, ¿entiendes?

Los ojos de gominola se le hicieron enormes.

—¡Ay, pues no, lo siento!

Fleur contuvo la risa. No sabía si era por el champán, por Kissy o por lo tarde que era, pero de pronto se había hartado de tanto autodesprecio. Le sentaba bien volver a reírse.

—A veces pienso que los tíos buenos me han arruinado la vida —dijo Kissy, afligida—. Me digo que voy a corregirme, pero después levanto la vista y ahí lo tengo, un pedazo de tío que se cruza en mi camino. Hombros grandes y anchos, caderas estrechas... Y ya está, el corazón no me permite pasar de largo.

—¿Como Lufthansa?

—¡Oh, tiene un hoyuelo justo aquí...! —Se señaló un punto de la barbilla—. ¡Qué hoyuelo! Tuvo un efecto en mí, aunque el resto no vale gran cosa. ¿Ves? Ese es mi problema, Fleur: siempre, siempre me encuentro con algo. Y eso tiene un coste muy elevado para mí.

—¿A qué te refieres?

—Al desfile, por ejemplo.

—¿Desfile? ¿Qué desfile?

—Mmm... el de Miss América. Mis padres me educaron desde que nací pensando en el concurso de Atlantic City.

—¿Y no conseguiste participar?

—Oh, sí que lo conseguí. Gané el título de Miss Carolina del Sur sin problema. Pero la noche anterior al desfile de Miss América cometí una indiscreción.

—¿Un tío bueno? —sugirió Fleur.

—Dos. Y los dos eran jueces del concurso. No al mismo tiempo, claro. Bueno, o no exactamente. Uno era senador de Estados Unidos y el otro jugador de los Dallas Cowboys. —Los párpados se le cerraron ante el recuerdo—. Ay, ay, ay, Flor, ¡vaya tío!

—¿Y os pillaron?

—En el acto. Y te voy a decir una cosa: a mí me echaron, pero ellos se quedaron. Los dos. ¿Te parece justo? ¿Está bien que hombres así hagan de jueces en el mayor desfile de belleza del mundo?

A Fleur le pareció de lo más injusto, y así se lo dijo.

—Pero supongo que todo estaba planeado. Cuando volvía a Charleston conocí a un conductor de camión que se parecía a John Travolta. Me ayudó a llegar a Nueva York y encontrar un lugar donde estar segura. Encontré un trabajo en una galería de arte mientras esperaba mi gran oportunidad, pero tengo que decirte que está tardando en llegar.

—La competencia es muy dura —dijo Fleur mientras le rellenaba el vaso.

—No se trata de competencia —refunfuñó Kissy—. Yo tengo un talento excepcional. Entre otras cosas, nací para interpretar obras de Tennessee Williams. A veces creo que escribió todos esos papeles de mujeres locas exclusivamente para mí.

—Pero entonces ¿cuál es el problema?

—Primero, cuando tengo que presentarte a una audición. Los directores me echan un vistazo y ya es que ni siquiera me dejan intentarlo. Dicen que no doy el físico que buscan, lo que es otra manera de decir que soy demasiado baja y que mis tetas son demasiado grandes y que todo eso hace que parezca una frívola. Eso es lo que me preocupa. Hubiese sido Phi Beta Kappa de haber permanecido en el instituto hasta el último curso. Lo que te estoy diciendo, Fleur, es que las mujeres como tú, con piernas, pómulos y todas las bendiciones de Dios, no os podéis imaginar la suerte que tenéis.

Hacía mucho tiempo que Fleur no estaba guapa y al oír esto casi se atragantó.

—Pero ¡si eres la cosa más bonita que he visto nunca! ¡Toda mi vida he querido ser bonita y menuda como tú!

Esto les pareció de pronto lo más divertido del mundo y estallaron en carcajadas. Fleur advirtió que la botella estaba vacía, así que salió en misión de abastecimiento. Cuando volvió con una nueva botella no encontró a nadie en el baño.

—¿Kissy?

—¿Se ha ido ya? —Susurró desde detrás de la cortina de la ducha.

—¿Quién?

Kissy apartó la cortina y salió.

—Alguien quiso utilizar el váter. Creo que era Frank, que es un cerdo total, en mi opinión.

Volvieron a colocarse en los sitios de antes. Kissy se remetió varios rizos de color regaliz tras la oreja y miró a Fleur con aire pensativo.

—¿Estás lista para hablar?

—¿Qué quieres decir?

—Bueno, estoy sentada en el suelo de un baño con una de

las modelos más famosas del mundo en su momento, así como una prometedora actriz. Una mujer que desapareció de la faz de la tierra después de algunos rumores interesantes sobre su relación con uno de los tíos más buenos de nuestro gran país. No soy ninguna obtusa.

—Eso lo tengo muy claro. —Fleur pasó el dedo por el borde de la alfombrilla de baño.

—¿Entonces? ¿Somos o no somos amigas? Yo te he explicado algunos de los mejores episodios de mi vida y tú no me has dicho ni mu sobre la tuya.

—Pero ¡si acabamos de conocernos! —Y ya al decirlo supo que había herido a Kissy, aunque tampoco sabía muy bien por qué.

Los ojos de Kissy se llenaron de lágrimas, lo que les daba un aspecto meloso y blando, como gominolas azules dejadas al sol.

—¿Y crees que eso importa? Lo que se está formando ahora es una amistad que durará toda la vida. La confianza tiene que existir.

Se limpió las lágrimas con el dorso de la mano, alcanzó la botella y echó un trago directamente a morro. Luego miró a Fleur a los ojos y se la tendió.

Fleur pensó en los secretos ocultos en ella durante tanto tiempo. Veía la soledad, el miedo y la autoestima que había perdido por el camino. De los últimos tres años —casi tres años y medio—, lo único que le quedaba por mostrar era una educación universitaria un tanto ecléctica. Kissy le estaba enseñando una salida. Pero la honestidad era peligrosa y Fleur no se permitía ningún riesgo desde hacía mucho tiempo.

Lentamente alcanzó la botella y bebió un largo trago.

—Es una historia un tanto complicada —dijo por fin—. Creo que comenzó antes de que yo naciera...

Le llevó cerca de dos horas explicarlo todo. En algún momento entre el viaje a Grecia con Belinda y su primer trabajo como modelo, ella y Kissy escaparon del aporreo de la puerta del baño desplazándose a la habitación de Fleur. Kissy se acurrucó en una de las dos camas dobles, mientras Fleur se apoyaba contra el cabezal de la otra. Mantuvo sobre el pecho la botella, que la ayudaba a avanzar en su historia. Kissy en ocasiones interrumpía con terribles y concisas descalificaciones de las personas implicadas, pero Fleur permanecía casi distanciada. El champán desde luego ayudaba cuando se trataba de sacar a la luz los más sórdidos secretos.

—¡Es desolador! —exclamó Kissy cuando Fleur acabó su narración—. No sé cómo puedes contar esta historia sin indisponerte.

—Me he hecho así, Kissy. Si vives con esto durante el tiempo suficiente, incluso la tragedia parece comedia.

—¡Es como en *Edipo rey*! —Kissy se secaba las lágrimas—. Yo formé parte del coro cuando estaba en el instituto. Creo que representamos la obra en todas las ciudades del estado. Para estas cosas hay que encontrar una llave.

—¿A qué te refieres?

—¿Recuerdas las características de un héroe trágico? Es una persona de alta estatura a la que destruye un sino trágico, como el orgullo desmedido. Lo pierde todo. Y luego experimenta una catarsis, una limpieza interior a través del sufrimiento. Vale para el héroe como para la heroína —añadió con agudeza.

—¿Te refieres a mí?

—¿Y por qué no? Tú eres alta y desde luego, por lo que me has explicado, te han destruido.

—¿Y cuál es mi sino trágico?

Kissy pensó un momento y luego dijo:

—Unos padres apestosos.

Entrada ya la mañana siguiente, después de las duchas, las aspirinas y el café del servicio de habitaciones, oyeron que llamaban a la puerta. Kissy abrió y soltó un grito. Fleur miró justo a tiempo de ver cómo la Belle de la Confederación se lanzaba a los inhóspitos brazos de Simon Kale.

Los tres desayunaron en el comedor giratorio de lo alto de la Olympia Tower de Múnich, donde disfrutaron de una vista de los Alpes, a más de cien kilómetros. Mientras comían, Fleur escuchó la historia de la duradera amistad de Kissy y Simon. Los había presentado uno de los compañeros de clase de Simon en Juillard, no mucho después de la llegada a Nueva York de Kissy. Simon Kale, tal como Fleur iba descubrir, era un músico de formación clásica y de talante tan amenazador como Santa Claus.

Reía mientras se limpiaba la boca con la servilleta.

—Tendrías que haber visto a Fleur quitándose de encima al rey Barry con esa historia de que tiene una enfermedad venérea. Estuvo fantástica.

—Porque de ti no podía esperar ninguna ayuda, ¿verdad? —Kissy le dio puñetazos en el brazo, por malo—. En lugar de eso, seguro que la miraste con esa expresión de me-meriendo-a-las-chicas-blanquitas, solo para divertirte.

Simon se hizo el ofendido.

—Hace ya años que no me meriendo ninguna chica blanca, Kissy, y me duele que sugieras tal perversión.

—Simon es discretamente gay —le dijo Kissy a Fleur. Y en un susurro claramente audible, añadió—: No sé lo que pensarás tú, Fleurinda, pero yo considero la homosexualidad como un insulto personal.

Cuando el desayuno hubo acabado, Fleur decidió que le gustaba Simon Kale. Bajo su mirada amenazadora había un hombre amable y simpático. A medida que iba contemplando los gestos delicados que hacía, cada vez estaba más segura de que habría estado más cómoda en el cuerpo de un alfeñique de cincuenta kilos. Quizá por eso le gustaba. Ambos vivían en cuerpos en los que no se sentían como en casa.

Cuando volvieron al hotel, Simon se excusó y Kissy y Fleur se dirigieron a la suite de Barry. La habían limpiado después de la fiesta de la noche anterior, y Barry era otra vez su único huésped. Cuando entraron lo encontraron paseándose nerviosamente. Se alegró tanto de ver a Kissy que apenas escuchó las razones que ella pergeñaba para excusarse por la tardanza, y pasaron bastantes minutos hasta que se dio cuenta de que Fleur también estaba allí. Le dejó muy claro con una mirada muy poco sutil hacia la puerta que su presencia ya no era necesaria. Fleur fingió no darse por enterada.

Kissy se inclinó hacia él y le susurró algo al oído. Barry la escuchó con expresión cada vez más asustada. Cuando Kissy acabó, miraba al suelo como un niño pillado en falta.

Luego miró a Fleur, y luego a Kissy, y luego otra vez a Fleur.

—Pero ¿esto qué es? —se lamentó—. ¿Una mierda de epidemia, o qué?

Las dos semanas de vacaciones del trabajo en la galería concluyeron para Kissy, y ella y Fleur se despidieron entre lágrimas en Heathrow, con Fleur prometiéndole que le telefonearía esa misma tarde, y que Parker Dayton cargara con la factura. Cuando volvió al hotel, estaba deprimida por primera vez desde que había empezado a trabajar. Ya echaba en falta el sentido del humor tan peculiar de Kissy y su no menos peculiar visión de la vida.

Unos días después llamó Parker con una oferta de trabajo. La quería a su lado en Nueva York por un salario que casi doblaba el que cobraba en esos momentos. Presa del pánico, colgó y llamó a Kissy, a la galería.

—No sé por qué te sorprende tanto, Fleurinda —dijo Kissy—. Hablas con él por teléfono dos o tres veces al día y está tan satisfecho con tu desempeño como todo el mundo. Puede ser un tanto rarito, pero de tonto no tiene un pelo.

—Yo... es que no estoy preparada para volver a Nueva York. Es demasiado pronto.

El sonido de un resoplido viajó a través de cinco mil kilómetros de cable oceánico.

—No querrás volver a empezar con tus gemidos, ¿verdad? La autocompasión te mata la libido.

—Mi libido no existe.

—¿Lo ves? ¿Qué te he dicho?

Fleur retorció el cable del teléfono.

—No es tan sencillo, Kissy.

—¿Quieres volver al mismo punto en que te encontrabas hace un mes? El tiempo de las ostras ha pasado, Fleurinda. Es hora de volver al mundo real.

¡Kissy hacía que pareciera tan fácil...! Pero ¿cuánto tiempo podría pasar en Nueva york antes de que la prensa la descubriera? Y Parker seguía sin merecer toda su confianza. ¿Qué ocurriría si su trabajo con él no salía bien? ¿Qué haría entonces?

Le crujió el estómago y recordó que no comía nada desde la noche anterior. Era otro cambio que ese trabajo había provocado en su vida. Los tejanos ya le iban anchos, y el pelo le había crecido por debajo de las orejas. Todo estaba cambiando.

Colgó y fue hacia la ventana del hotel. Echó a un lado las cortinas para observar la húmeda calle de Glasgow. Un corredor esquivaba un taxi bajo la lluvia. Recordó cuando corría todos los días, hiciera el tiempo que hiciese. La más valiente, la más rápida, la más fuerte... Ahora dudaba que pudiera correr a lo largo de una manzana sin pararse a recuperar el aliento.

—¡Oye, Fleur, has visto a Kyle? —Era Frank, con una lata de Budweiser a las nueve de la mañana.

Fleur cogió su parka y pasó apresuradamente por su lado. Recorrió todo el pasillo hasta el ascensor, y luego se abrió paso entre la multitud de hombres de negocios trajeados de la recepción.

La lluvia helada y persistente era la propia de enero, y cuando llegó a la esquina ya había mojado los gruesos extremos de su melena y se introducía bajo el cuello de la parka. Al cruzar la calle, los pies chapotearon en el interior mojado de sus zapatillas baratas. No tenían protecciones ni acolchados que se adaptaran a las formas del pie.

Se sacó las manos de los bolsillos y miró hacia el cielo plúmbeo. Una larga manzana urbana se extendía ante ella. Solamente una manzana. ¿Podría llegar tan lejos?

Empezó a correr.

18

El apartamento de Kissy estaba situado sobre un restaurante italiano del Village. La decoración interior se le asemejaba mucho: colores acaramelados, una colección de ositos de peluche y un póster de Tom Selleck pegado a la puerta del baño con cinta adhesiva. Cuando Kissy le enseñaba a Fleur cómo funcionaba la ducha provisional le llamó la atención una huella de carmín en el póster.

—Kissy Sue Christie, ¿es tu pintalabios eso que veo en Tom Selleck?

—Y si lo es, ¿qué pasa?

—Por lo menos podrías haber apuntado a su boca.

—¿Y qué tiene eso de divertido?

Fleur se echó a reír. Kissy había dado por hecho que Fleur sería su compañera de apartamento, y ella le estaba más que agradecida. A pesar de su éxito con los Neon Lynx, su autoconfianza era como mucho temblorosa, y la carcomían las dudas sobre su decisión de volver a Nueva York.

Parker le había concedido a regañadientes una semana para que se instalara antes de ir a trabajar, y ella se forzó a abandonar el refugio de su amiga para reencontrarse con la ciudad que antes había amado. Era a principios de febrero, y Nueva York pasaba por su peor época, pero igual la encontró bonita. Y lo mejor era que nadie la reconocía.

Salió a correr todos los días de esa semana, y no podía avanzar más que unos centenares de metros antes de parar para recuperar el aliento, pero cada día se sentía más fuerte. A veces pasaba por lugares que había visitado junto a Belinda, y eso la hacía experimentar un sentimiento cortante y agridulce. Pero en su nueva vida no había sitio para sentimentalismos equivocados. Se estaba labrando el futuro, y no iba a cargar con la ropa sucia del pasado. Se puso a prueba asistiendo a una retrospectiva de Errol Flynn, pero no sintió ninguna sensación particular al ver a ese espadachín en la pantalla.

El día antes de empezar a trabajar, Kissy le tiró a la basura toda la ropa.

—No vas a llevar esos horribles harapos, Fleur Savagar. Pareces una indigente.

—¡Me gusta parecer una indigente! ¡Devuélveme mi ropa!

—Demasiado tarde.

Fleur acabó cambiando sus viejos tejanos por otros que se adaptaban mejor a su recuperada delgadez y compró una provisión de tops modernos y variados: una camiseta campesina mexicana, un suéter de universidad y algunos de cuello alto. Kissy puso cara de circunstancias y dejó un ejemplar de *Vístete para el éxito* expuesto sospechosamente en la mesa de centro.

—Te equivocas —dijo Fleur—. Voy a trabajar para Parker Dayton, no para Xerox. El mundo del espectáculo tiene un código de indumentaria más *casual*.

—Una cosa es *casual* y otra poco elegante.

Cansada ya de aquella discusión, Fleur quiso cortar por lo sano:

—¡Vete a darle un beso a Tom Selleck!

No le llevó mucho tiempo comprobar que Parker quería que lo diera todo y más a cambio del generoso sueldo que ella le había exigido. Los días se transformaban en noches, y dicha conversión afectaba también a los fines de semana. Visitó la mansión pintada de morado de Barry Noy en los Hamptons para consolarlo por la ruptura con Kissy. Escribía comunicados de prensa, estudiaba contratos y ponía en circulación convocatorias para los promotores. Las clases de gestión, finanzas y leyes a las que había asistido empezaron a dar fruto. Descubrió que tenía talento para la negociación.

Sabía que no podría permanecer en el anonimato para siempre, pero el hecho de vestir poco ostentosamente y permanecer lejos de cualquier lugar relacionado con el mundo de la moda le permitió pasar inadvertida durante casi seis semanas. En marzo, sin embargo, cambió su suerte. El *Daily News* anunció que la ex Niña Brillante estaba de vuelta en Nueva York trabajando para la agencia Parker Dayton.

Las llamadas de teléfono empezaron a hacerse más frecuentes y unos cuantos periodistas se asomaron por la oficina. Pero lo que todos deseaban era la vuelta de la Niña Brillante, la que firmaba contratos para anuncios de perfume, la que iba a fiestas maravillosas y la que había tenido una aventura con Jake Koranda que había levantado una polvareda.

—Ahora llevo una vida nueva —declaró con gentileza— y no voy a hacer más comentarios.

Por mucho que insistieron desde varios medios ella rehusó dar más detalles.

Apareció un fotógrafo para retratar la nube rubia de la agitada cabellera de la Niña Brillante y su indumentaria de alta costura. Lo que obtuvo fue tejanos anchos y una gorra de los Yankees. Después de dos semanas, por aburrimiento, la historia dejó de tener atractivo. La fabulosa Niña Brillante había pasado a formar parte de las noticias de ayer.

A lo largo de los siguientes tres meses, Fleur aprendió quiénes eran los productores de discos y consiguió seguir la pista de los ejecutivos de la televisión en sus cambios de responsabilidades en los puestos directivos. Era lista y fiable. Respondía a la confianza que se depositaba en ella, y la gente empezó a pedir que fuera ella quien se encargara de sus asuntos. A mediados de verano se había enamorado de todo el negocio dedicado a la fabricación de estrellas.

—Es fantástico tirar de los hilos de la gente en lugar de sentir que mueven los míos —le dijo a Kissy un caluroso domingo de agosto por la tarde, ambas sentadas en un banco de Washington Square con sendos helados de cucurucho. El parque ostentaba su mosaico de personajes habitual: turistas, hippies supervivientes y chicos escuálidos con grandes casetes sobre los hombros.

Tras seis meses en Nueva York, el cabello de Fleur había crecido hasta la mandíbula en un peinado de corte recto que brillaba al sol estival. Estaba bronceada y demasiado delgada para los shorts que apenas se le aguantaban en las huesudas caderas. Kissy frunció el ceño tras su cucurucho.

—Tenemos que comprarte algo de ropa que no sea vaquera.

—No empieces otra vez. Estamos hablando de mi trabajo, no de moda.

—Por el hecho de vestir algo decente no vas a convertirte otra vez en la Niña Brillante.

—Te estás imaginando cosas.

—Crees que por ir bien vestida vas a arruinar de algún modo todo lo que has construido por ti misma. —Se ajustó los pasadores de plástico rojo, que tenían forma de labios—. Apenas te miras nunca en un espejo. Unos segundos para el pintalabios y otro par de segundos para pasarte un cepillo por el pelo. Eres una campeona del mundo en evitar tu propio reflejo.

—Tú ya te miras bastante por las dos.

Pero Kissy había puesto la directa y Fleur no iba a distraerla.

—Estás luchando una batalla perdida, Fleurinda. La vieja Fleur Savagar no le llega ni a la suela de los zapatos a la nueva. El mes que viene cumplirás veinticuatro, y tu rostro tiene algo que no tenía a los diecinueve. Ni siquiera esta ropa horrible puede ocultar que tienes mejor cuerpo que cuando eras modelo. Lamento ser la mensajera de malas noticias, pero de mona hasta el aburrimiento te has convertido en una belleza clásica.

—Vosotros los sureños siempre tan melodramáticos.

—Bueno, pues no te doy más la lata. —Kissy rodeó la capa de frambuesa con la lengua—. Me alegra que te guste tu trabajo. Hasta parece que te gusten las partes más feas, como tener a Parker por jefe o tratar a tipejos estilo Barry Noy.

Fleur atrapó con la boca un trozo de *chip* de chocolate antes de que le cayera en la falda.

—Eso casi me asusta, porque la verdad es que me gusta estar pendiente de cosas diversas, de todo lo que va sucediendo sin cesar. Cada vez que soluciono una nueva crisis, me siento como si una de las monjas estuviera a punto de ponerme una estrella dorada.

—Te estás convirtiendo en una de esas personas tan temibles que obtienen resultados por encima de los esperados.

—Eso me hace sentir bien. —Miró hacia el otro lado de la plaza—. Cuando era una niña, pensaba que mi padre me dejaría ir a casa si conseguía ser la mejor en todo. Cuando todo eso se derrumbó, perdí la fe en mí misma. —Dudó—. Creo... creo que estoy empezando a recuperarme.

La confianza en ella misma era demasiado frágil como para soportar una inspección, incluso si quien la llevaba a cabo era su mejor amiga, y ahora hubiera deseado no mostrarse tan abierta. Afortunadamente, los pensamientos de Kissy fueron por otro camino.

—No entiendo cómo es que no echas en falta actuar.

—Ya viste *Eclipse*. Nunca iba a ganar un premio de la Academia. —A diferencia de Jake y su guión.

—Pues estuviste genial en ese papel —insistió Kissy.

Fleur hizo una mueca.

—Tenía un par de escenas buenas. El resto fue más o menos correcto. Nunca me sentí cómoda.

Por deferencia a la sensibilidad de Kissy, no mencionó que también había encontrado todo el proceso de la filmación, y lo que conllevaba, mortalmente aburrido.

—En la profesión de modelo sí que pusiste el corazón, Fleurinda.

—Puse mi determinación, no mi corazón.

—Sea como sea, eras la mejor.

—Gracias a una combinación afortunada de cromosomas. El hecho de ser modelo no tuvo nada que ver con quien yo era. —Recogió las piernas para salvarlas del impacto con un *skate-*

board. Uno de los *dealers* que había por allí dejó de hablar para mirarla. Ella miró al infinito—. La noche que Alexi y yo tuvimos nuestra escena, me dijo que no era más que un elemento de decoración bonito y grande. Me dijo que no sabía hacer nada por mí misma.

—Alexi Savagar no es más que un insufrible estrafalario. Menudo imbécil.

Fleur sonrió al oír a Kissy descalificar a Alexi con tanta contundencia.

—Tal vez. Pero también tenía razón. Yo ni sabía quién era. Y creo que todavía no lo sé, o no completamente, por lo menos. Pero estoy en el buen camino. Me he pasado más de tres años huyendo de mí misma. Durante la travesía obtuve una formación universitaria de primera categoría. Pero ya no huyo más.

Y era verdad, ya no huía. Algo había cambiado en su interior. Algo que finalmente la llevaba a querer luchar por sí misma.

Kissy hundió en la papelera el final de su cucurucho.

—Ya me gustaría tener tu motivación —dijo.

—¿De qué hablas? —preguntó Fleur—. Siempre andas arreglándote el horario en la galería para disponer de tus horas y poder asistir a las audiciones. Vas a clase por la tarde. Los papeles llegarán, Magnolia. Le he hablado de ti a un montón de gente.

—Lo sé y te lo agradezco, pero creo que ya es hora de aceptar que eso no va a suceder. —Kissy se limpió los dedos en sus cortísimos shorts rosa—. Los directores no van a dejarme actuar más que en papeles de tía sexy, y en eso soy fatal. Soy una actriz seria, Fleur.

—Sé que lo eres, cariño. —Fleur puso toda la convicción que pudo en sus palabras, pero no resultaba fácil. Kissy, con su boca provocativa, con sus pechos compactos y restos de frambuesa en la barbilla, era perfecta para papeles de chica sexy.

—Me han subido el sueldo en la galería. —Tal como lo decía, parecía que hubiera contraído una enfermedad terminal—. Quizá si tuviera un trabajo más desagradable me esforzaría más. No me tendría que haber licenciado en historia del arte. Se ha convertido en mi manta de seguridad. —Los ojos se le fueron tras un estudiante de buena fachada que pasaba por allí, pero no podía prestarle la debida atención—. Me llevo un rechazo tras otro, y ya estoy harta. En la galería hago un buen trabajo y se me reconoce. Quizá con eso tendría que sentirme satisfecha.

Fleur le apretó la mano.

—¡Oye! ¿Qué ha pasado con Miss Pensamiento Positivo?

—Pues creo que ya no piensa más.

A Fleur le parecía horrible la idea de una Kissy derrotada, pero, dada su propia historia, no estaba en disposición de criticarla. Se levantó del banco.

—Vámonos. Si jugamos bien nuestras cartas todavía llegaremos al comienzo de *Dos hombres y un destino* que emiten en la tele antes de que tengamos que vestirnos para nuestras citas.

Metió lo que quedaba del cono y la servilleta en la basura.

—¡Buena idea! ¿Cuántas veces la habremos visto ya?

—Cinco o seis. He perdido la cuenta.

—No se lo habrás dicho a nadie, ¿verdad?

—¿Estás loca? ¿Crees que quiero que todo el mundo piense que somos unas pervertidas?

Salieron del parque, con una docena de pares de ojos masculinos siguiéndolas.

Las carreras diarias de Fleur ya habían afirmado sus músculos, y a medida que los kilos de más se evaporaban su sexualidad resurgía de una larga hibernación. El agua corriendo sobre su cuerpo en la ducha, sentir el tacto suave del suéter al ponérselo... Los actos más habituales se convertían en experiencias sensuales. Quería que la abrazara alguien que se afeitara, alguien con bíceps y vello en el pecho, alguien que dijera groserías y bebiera cerveza. Su cuerpo estaba hambriento de contacto masculino. Como parte de su campaña de automejora empezó a salir con un actor joven y agradable llamado Max Shaw, que aparecía en una obra de Tom Stoppard que se representaba en un teatro independiente. Era un guapo de Hollywood, un rubio zancudo cuyo único defecto irritante era su tendencia a usar expresiones un tanto rebuscadas. Se lo pasaban bien juntos y ella lo deseaba.

Se puso unos tejanos y un chaleco negro que había comprado en las rebajas de Ohrbach para su cita en la noche de su vigésimo cuarto cumpleaños. Él había planeado ir a una fiesta, pero ella le dijo que había tenido una semana muy cargada y prefería algo más íntimo. Max no era tonto: media hora después se encontraban en su piso.

Él le sirvió un vaso de vino y se sentó junto a ella en la superficie de espuma que hacía las funciones tanto de cama como de sofá. Fleur encontró molesto el olor a colonia que desprendía. Los hombres tenían que oler a jabón y camisa limpia. Como Jake.

Pero los recuerdos de su primer amante traicionero no eran más que grilletes cubiertos de polvorientas telarañas. Resultaba fácil desprenderse de ellos y desaparecieron en cuanto besó a Max. Al cabo de un rato ya estaban desnudos.

Él pulsó los botones correctos y ella obtuvo la liberación que buscaba, pero luego se sintió vacía. Le dijo que tenía una cita por la mañana temprano y que no podía quedarse. Una vez fuera del piso, empezó a temblar. En lugar de sentirse revitalizada como Kissy tras uno de sus encuentros casuales, Fleur sintió como si hubiera renunciado a algo importante.

Se vio con Max unas cuantas veces más, pero cada uno de esos encuentros la dejaba más y más deprimida, de modo que finalmente cortó la relación. Algún día encontraría al hombre al que podría entregarse de todo corazón. Hasta entonces, iba a mantener las relaciones como algo ocasional y enfocaría sus energías en el trabajo.

Llegó la Navidad y luego el Fin de Año. Cuanto más trabajaba con Parker, más disconforme estaba con su manera de dirigir el negocio. Olivia Creighton, por ejemplo, había pasado la mayor parte de los años cincuenta como reina de las películas de serie B, especializándose en vestidos desgarrados y en ser rescatada por Rory Calhoun. Pero esos días habían pasado y Parker, junto con el mánager personal de Olivia, un hombre llamado

Bud Sharpe, habían decidido capitalizar la fama que restaba de su nombre en el mundo de la publicidad, aunque Olivia seguía deseando actuar.

—¿Y ahora qué tienes para mí? —La actriz suspiró al teléfono cuando oyó la voz de Fleur—. ¿Un anuncio de laxantes?

—Condominios en Florida. La compañía necesita una imagen más glamurosa y saben que tú eres la indicada para eso. —Fleur lo intentaba, pero no podía mostrarse más entusiasta que la propia Olivia.

—¿Qué ha ocurrido con esa nueva película de Mike Nichols? —preguntó Olivia tras un momento de silencio.

Fleur jugueteó con el bolígrafo que había encontrado sobre la mesa.

—No era ningún papel principal y Bud no lo ha considerado apropiado para ti. No pagaban suficiente. Lo siento.

Fleur había discutido con Bud y Parker sobre Olivia, pero no había podido convencerlos de que dejaran que hiciera una aparición en la obra de Nichols.

Después de colgar deslizó los pies en los mocasines que había abandonado bajo la mesa y fue a ver a Parker. Llevaba un año trabajando para él y gradualmente había ido asumiendo tanta responsabilidad que su jefe se apoyaba en ella para todo. Aun así, cuando Fleur le cuestionaba algo no se lo tomaba nada bien. El nuevo disco de los Lynx era un fracaso, Barry se mostraba cada vez más perezoso y Simon había empezado a hablar de montar su propio grupo, pero Parker se comportaba como si el éxito de los Lynx fuera a durar para siempre y utilizaba a Fleur para tranquilizar a los demás clientes. Aunque estaba adquiriendo una valiosa experiencia por la negligencia de su jefe, no creía que esa fuera manera de llevar una agencia.

—Tengo una idea que quisiera comentarte. —Se sentó en el lujoso sofá de color burdeos situado frente a la mesa. La cara de Parker pareció más arisca de lo habitual.

—¿Por qué no me envías un informe?

—Porque creo en el contacto personal.

—Pero es que a mí me gustan tus brillantes sugerencias de

universitaria. —Su voz rezumaba cinismo—. Sirven estupenda-
mente como papel higiénico.

Iba a ser uno de esos días. Probablemente se había peleado
con su mujer.

—¿De qué se trata esta vez? —preguntó—. ¿Más tonterías
sobre informática? ¿Un nuevo sistema de archivos? ¿Una mierda de boletín informativo para nuestros asociados?

Ella ignoró su acritud.

—Es algo más importante. —Adoptó sus maneras más jovia-
les—. He estado pensando en lo que ocurre cuando negociamos
un contrato para nuestros mejores clientes. Primero tenemos que
dejarlo todo claro con el mánager personal del cliente. Después,
una vez que nuestro abogado lo ha revisado, es el mánager personal quien lo estudia, y se lo pasa a un mánager de negocios,
quien a su vez se lo pasa a otro abogado. Una vez que el acuerdo
se ha establecido, viene el publicista, y luego...

—Ve al grano, que me estoy muriendo de viejo.

Esculpió una columna en el aire con su mano.

—Aquí está el cliente. Aquí estamos nosotros. Obtenemos el
diez por ciento por encontrarle un trabajo al cliente. El mánager
personal obtiene un quince por ciento por orientar la carrera del
cliente, el mánager de negocios el cinco por ciento por gastos de
tramitación, el abogado otro cinco por ciento por estudiar la letra pequeña y el agente de prensa obtiene dos o tres mil pavos al
mes por hacer publicidad. Todo el mundo saca tajada.

La silla de alto respaldo de Parker crujió cuando cambió de
postura.

—Cualquier cliente que sea lo bastante grande como para tener un equipo como este tributa con el tipo impositivo alto, así
que todas estas comisiones se deducen.

—Pero aun así tienen que pagarse. Compara esto con tu manera de operar con los Lynx. Eres tanto su agente como su mánager personal. Les hacemos la publicidad y el pastel no se divi-
de en tantas partes. Con una expansión inteligente, podemos
hacer que este tipo de servicio esté al alcance de nuestros mejores clientes. Podríamos cargar una comisión del veinte por cien-

to, el doble de la que obtenemos ahora, por un quince por ciento menos de lo que el cliente paga a todas esas diferentes personas. Nosotros rendimos más, el cliente paga menos y todo el mundo se queda contento.

Parker le hizo un gesto despectivo.

—Los Lynx son algo especial. Sabía desde el principio que tenía una mina de oro y que no podía dejarla escapar. Pero llevar adelante una operación a la escala que mencionas sería demasiado caro. Aparte de eso, la mayoría de clientes no querrían que sus negocios se centralizaran de esta manera, por mucho que cueste menos. Es algo que los dejaría demasiado expuestos a una mala administración, por no mencionar al desfalco.

—En el encargo se incluirían auditorías regulares. Pero la cuestión es que el sistema actual también permite la mala gestión. Tres cuartas partes de esos mánagers se preocupan más de su propio margen de ganancias que de los intereses del cliente. El de Olivia Creighton es un ejemplo perfecto. No le gusta nada hacer anuncios, pero Bud Sharpe no la ha dejado aceptar ninguno de los papeles que le han ofrecido porque no le pagan tanto como los anuncios publicitarios. A Olivia todavía le quedan unos años buenos, de manera que eso es una gestión muy corta de miras.

Parker había empezado a mirarse el reloj y ella sabía que ya no iba a hacerle caso, pero aun así se lanzó:

—Con este tipo de organización podemos hacer dinero, y para los clientes sería más eficiente. Si sabemos discriminar bien, el hecho de que te represente Parker Dayton puede convertirse en un símbolo de estatus. Podríamos ser una «agencia caviar» con grandes clientes haciendo cola en nuestra puerta.

—Fleur, te lo voy a decir una vez más, y muy en serio: no quiero ser William Morris. No quiero ser ICM. Me gustan las cosas tal como están.

No tenía que haber malgastado sus energías. Pero cuando volvía a su despacho no podía dejar de darle vueltas a su idea. Si alguien honesto y fiable se hubiera hecho cargo de sus intereses cuando tenía diecinueve años, ahora no le faltarían dos millones de dólares.

Pensó en su «agencia caviar» durante todo ese día y durante toda la semana siguiente. El montaje de una operación como la que imaginaba elevaba mucho los costes con respecto a una agencia estándar. La naturaleza del proyecto requería un asesoramiento de prestigio y un equipo diversificado y bien pagado. Solamente ponerlo todo en marcha costaría una fortuna. Sin embargo, cuanto más pensaba en el asunto, mayor era su certeza de que la persona indicada podría hacerlo funcionar. Por desgracia, la persona indicada solamente disponía de cinco mil dólares en su cuenta y andaba escasa de valentía.

Esa tarde había quedado con Simon Kale para un *tandoori* en el Indian Pavillon.

—¿Tú qué harías si no fueras asquerosamente rico y necesitaras dinero de verdad? —le preguntó a bocajarro.

Él cogió unas semillas de hinojo del bol que tenía delante.

—Yo limpiaría apartamentos. De verdad, Fleur, es imposible encontrar la ayuda conveniente. Yo pagaría una fortuna por alguien en quien pudiera confiar.

—Te hablo en serio. ¿Tú qué harías si solamente dispusieras de cinco mil dólares en el banco y necesitaras mucho más? Varios ceros más.

—¿Vale el tráfico de estupefacientes?

Ella lo miró con enfado.

—Bien, entonces... —Escogió otra semilla de hinojo—. Yo diría que la manera más rápida sería telefonear a esa puta de Gretchen Casimir.

—Eso no es ninguna opción. —Hacer de modelo no entraba en su esquema. Si lo hacía (no si lo hiciera, sino si lo hacía) sería totalmente por su cuenta.

—¿Y la prostitución de lujo?

—Las medias de rejilla no me sientan nada bien.

Él se quitó una semilla que se le había quedado en la manga de la camisa de seda gris.

—Si te pones tan quisquillosa, lo indicado tal vez sería que sablearas a un amigo podrido de dinero.

Ella le sonrió.

—Tú me lo dejarías, ¿verdad? No tendría más que pedírtelo.

—Cosa que, naturalmente —dijo él con expresión de desagrado—, tú no harás.

Ella se incorporó por encima de la mesa para besarlo en la mejilla.

—¿Tienes alguna otra idea? —le preguntó.

—Mmm... Peter, supongo. Es tu mejor apuesta, visto todas esas ridículas restricciones que te planteas.

—¿Te refieres a nuestro Peter Zabel? ¿El guitarrista de Neon Lynx? ¿Cómo podría ayudarme?

—¿Lo preguntas en serio? Eras tú quien pasabas todas esas llamadas a sus agentes de bolsa. Peter sabe más sobre hacer dinero que nadie que yo conozca. A mí me ha conseguido una fortuna en metales preciosos y en asuntos de *new stocks*. No me puedo creer que no te hiciera alguna recomendación.

Faltó poco para que Fleur volcara su vaso de agua.

—¿Me estás diciendo que habría tenido que tomármelo en serio?

—Fleur, Fleur, Fleur.

—Pero ¡si es un idiota!

—Seguro que su banquero no está de acuerdo con esa opinión.

Pasó otra semana antes de que Fleur reuniera el coraje necesario para llamar a Peter y exponerle la situación en términos vagos.

—¿Tú qué crees? Hipotéticamente, ¿podría una persona hacer algo con solo los cinco mil que tiene ahorrados?

—Depende de si esta persona está dispuesta a perderlos o no —dijo Peter—. A grandes ganancias, grandes riesgos. Hablamos de comercio de materias primas: moneda, petróleo, trigo. Si el azúcar baja un penique por libra, pierdes el nido donde tienes guardados los huevos. Es muy arriesgado. Puedes acabar en una situación peor a la que afrontas ahora.

—Sí, ya lo suponía. —Y luego comprobó horrorizada que era ella misma quien continuaba hablando—: No me importa. Dime lo que tengo que hacer.

Peter le explicó lo básico, y ella empezó a pasar todo su tiempo libre con la cabeza inmersa en los libros y artículos que le había recomendado sobre comercio de materias primas. Leía el *Journal of Commerce* en el metro y se dormía con *Barron's* apoyado en la almohada. Todas esas clases de economía y empresa la ayudaron a entender lo básico, pero ¿tendría el valor suficiente para hacerlo? No. Pero aun así, lo haría.

Siguiendo los consejos de Peter, invirtió dos mil en semillas de soja, compró un contrato para propano licuado y, después de estudiar partes meteorológicos, invirtió el resto en zumo de naranja. En Florida se sufrieron heladas asesinas y las semillas de soja se pudrieron por las lluvias excesivas, pero el propano licuado se cotizó por las nubes. Acabó con siete mil. Esta vez los dividió entre cobre, trigo durum y más semillas de soja. El cobre y el trigo no fueron bien, pero la soja le permitió alcanzar los nueve mil dólares.

Reinvirtió hasta el último centavo.

El primero de abril, Kissy consiguió el papel de Maggie en una producción de *La gata sobre el tejado de cinc*. Bailaba por todo el apartamento cuando le dio la noticia a Fleur.

—¡Me había dado por vencida! Y entonces llamó esa chica que había estado en algunas de mis clases de interpretación. Recordaba una escena que yo había hecho... ¡No puedo creerlo! Comenzamos los ensayos la semana que viene. No hay dinero y no es ninguna producción importante que pueda atraer a ningún pez gordo, pero por lo menos volveré a actuar.

Cuando empezaron los ensayos, los días transcurrían sin que pudieran coincidir, y cuando lo hacían Kissy estaba distraída. Ni un solo tío bueno pasó por el apartamento y Fleur acabó acusándola de celibato.

—Estoy almacenando energía sexual —replicó Kissy.

El día del estreno Fleur estaba tan nerviosa que no podía comer. No quería ver a Kissy humillada, pero no existía manera humana de que su menuda y vivaracha compañera de piso pudiera encarnar un personaje tan denso como Maggie. Kissy era carne de comedia, por mucho que ella no quisiera reconocerlo.

Un montacargas izó a Fleur hasta un gélido *loft* del Soho con tuberías y pintura descascarillada. En el pequeño escenario de un extremo solo había una gran cama de bronce. Fleur intentó convencerse de que eso era un buen presagio tratándose de Kissy.

El público estaba formado por otros actores en busca de trabajo y por artistas hambrientos, sin ningún agente de reparto a la vista. Un chico barbudo que olía a aceite de linaza se inclinó desde la fila de atrás.

—¿De quién eres amiga, del novio o de la novia?

—Eh... de la novia —contestó.

—Ya me lo imaginaba. Oye, me encanta tu pelo.

—Gracias. —A esas alturas, el pelo ya le caía sobre los hombros y atraía más la atención de lo que ella hubiera deseado, pero cortarlo hubiera sido una debilidad.

—¿Quieres que salgamos algún día?

—No, gracias.

—Vale, tía, no pasa nada.

Por fortuna la obra empezó justo entonces. Fleur inspiró y cruzó los dedos mentalmente. El público oyó el sonido de una ducha fuera del escenario y Kissy hizo su entrada con una bata de otros tiempos. Tenía un acento tan empalagoso como el jazmín en verano. Se quitó la bata y se desperezó. Los dedos le formaron pequeñas garras en el aire. El hombre que se sentaba junto a Fleur se removió en el asiento.

Durante dos horas el público atendió a la actuación de Kissy, que merodeaba y resoplaba y se abría paso a arañazos por el escenario. Con un erotismo oscuro y desesperado y con una voz empalagosa como el perfume barato, irradiaba la frustración sexual de Maggie *la Gata*. Fue una de las más fascinantes interpretaciones que Fleur hubiera visto nunca: provenía directamente del alma de Kissy Sue Christie.

Cuando la obra acabó, Fleur estaba agotada. Ahora entendía el problema de Kissy de una manera que hasta entonces no había captado. Si Fleur, la mejor amiga de Kissy, no se había creído que pudiera ser una actriz dramática seria, ¿cómo podía esperar convencer a un director?

Fleur se abrió camino entre el público.

—¡Has estado increíble! —exclamó cuando llegó al lado de Kissy—. Nunca había visto nada semejante.

—Ya lo sé —respondió Kissy con una risita—. Ven y dime lo maravillosa que he estado mientras me cambio de ropa.

Fleur la siguió al camerino y allí Kissy le presentó a las demás mujeres del reparto. Fleur habló con todas y luego tomó asiento al lado del tocador de Kissy y le repitió otra docena de veces lo maravillosa que había estado.

—¿Estáis todas visibles? —preguntó una voz masculina del otro lado de la puerta—. Necesito recoger los vestidos.

—¡Soy la única que queda, Michael! —gritó Kissy—. Pasa. Aquí hay alguien que quiero que conozcas.

La puerta se abrió. Fleur se volvió.

—Fleurinda, ya me habrás oído hablar de nuestro diseñador de vestuario y futuro modisto de la *beautiful people*. Fleur Savagar, éste es Michael Anton.

Todo se detuvo como un fotograma dañado en un proyector. Llevaba una camisa de raso violeta y unos pantalones de lanilla holgados y sujetos con tirantes. A sus veintitrés años no era mucho más alto que cuando lo había visto por última vez, por debajo del metro setenta. Tenía un pelo brillante y rubio que le caía en largos mechones hasta la barbilla, hombros estrechos, una pequeña caja torácica y rasgos delicadamente esculpidos.

Kissy se dio cuenta de que allí ocurría algo raro.

—¿Os conocíais de antes?

Michael Anton asintió. Fleur inspiró profundamente antes de decir, con toda la suavidad de que fue capaz:

—Este es uno de tus momentos célebres, Kissy. Michael es mi hermano Michel.

—¡Qué me dices! —La mirada de Kissy iba de una a otra cara—. ¿Tendría que tocar música de órgano o algo por el estilo?

Michel se metió una mano en el bolsillo del pantalón y se apoyó en la puerta.

—¿Y qué tal unas notas con el *kazoo*?

Se movía con una gracia lánguida de buena cuna y con la seguridad de alguien nacido con sangre aristocrática. Igual que Alexi. También con aquellos ojos de un azul jacinto.

Fleur agarró con más fuerza el bolso antes de preguntarle:

—¿Sabías que estaba en Nueva York?

—Sí, lo sabía.

No podía soportar estar allí con él ni un minuto más.

—Tengo que irme. —Le dio un beso rápido en la mejilla a Kissy y salió del camerino sin apenas hacerle un gesto con la cabeza.

Kissy la alcanzó en la calle.

—¡Fleur! ¡Espera! No tenía ni idea...

Ella forzó una sonrisa.

—No te preocupes. Es que ha sido impactante, nada más.

—Michael es... Realmente es fantástico.

—Y yo... yo me alegro mucho. —Distinguió un taxi y se colocó al borde de la acera para pararlo—. Vuelve a tu fiesta con los del reparto, Magnolia. Ya verás cómo te ovacionan cuando entres.

—Creo que lo mejor sería que fuera a casa contigo.

—De ningún modo. Esta será tu gran noche, y tú vas a disfrutar de cada minuto.

Se metió en el taxi, le dijo adiós con la mano y cerró la puerta. Cuando el coche arrancó, se reclinó en el asiento y dejó que toda la vieja amargura la inundara.

En las semanas siguientes Fleur intentó olvidarse de Michel, pero una tarde se encontró caminando por la calle Cincuenta y cinco Oeste y mirando los números sobre las puertas de las tiendas, ahora cerradas. Encontró la dirección que buscaba. La situación era buena, pero la parte frontal de la tienda tenía ventanas mal iluminadas... y los más bonitos vestidos que había visto nunca.

Michel se oponía a las tendencias de la moda, según la cual

las mujeres vestían esmóquines y corbatas y podían hasta parecer hombres. La pequeña ventana mostraba cuatro vestidos abrumadoramente femeninos que parecían sacados de pinturas del Renacimiento. Cuando vio las sedas, los jerséis y la *crêpe de Chine* elegantemente drapeada, no pudo evitar pensar en cuánto tiempo había pasado sin gastar en ropa decente. Esas prendas exquisitas la reprendían.

La primavera dio paso al verano y este al otoño. La compañía de teatro de Kissy quebró, de manera que ella se unió a otro grupo que actuaba casi exclusivamente en Nueva Jersey. Fleur celebró su veinticinco cumpleaños logrando que Parker le concediera otro aumento de sueldo. Invirtió lo que ganó de más en granos de cacao.

Perdía más a menudo que ganaba, pero cuando venían las ganancias eran sustanciosas. Estudió duro para aprender de sus errores, y los cinco mil iniciales se cuadruplicaron, y luego volvieron a cuadruplicarse. Cuanto más dinero hacía, más complicado le parecía volver a meterse en operaciones arriesgadas, pero se forzaba a no abandonarlas. Cuarenta mil dólares le resultaban tan inútiles como los primeros cinco mil.

Llegó el invierno. Empezó su idilio con el cobre que le llevó a ganar casi treinta mil dólares en seis semanas, pero tanto estrés empezaba a producirle ardor estomacal. La ternera subió, el porcino bajó. Ella siguió invirtiendo y reinvirtiendo, y mordiéndose las uñas con ahínco.

A primeros de junio, un año después de su primera incursión en el mundo financiero, comprobó sus balances y apenas se pudo creer lo que vio. Lo había conseguido. Sin nada más que unos nervios templados, había acumulado suficiente para empezar con su negocio. Al día siguiente lo puso todo en certificados de depósito a treinta días en Chase Manhattan.

Unos días más tarde, entraba al piso cuando oyó el teléfono. Pasó sobre unos zapatos de tacón de Kissy, cruzó la estancia y descolgó el aparato.

—Hola, *mon enfant*.

Habían pasado más de cinco años desde la última vez que había oído este tratamiento familiar. Aferró el auricular e inspiró lenta y profundamente antes de decir:

—¿Qué quieres, Alexi?

—¿No te agrada la cortesía?

—Tienes exactamente un minuto. Luego te cuelgo.

Él suspiró, como si se sintiera herido.

—Muy bien, *chérie*. Llamaba para felicitarte por tus recientes éxitos financieros. Tu actuación ha sido un tanto alocada, pero al éxito no hay que discutirle nada. Por lo que tengo entendido hoy has empezado a buscar un sitio para la oficina.

Fleur sintió un escalofrío.

—¿Cómo lo sabes?

—Ya te lo dije, *chérie*. Sigo de cerca todo lo que afecta a las personas que me importan.

—Yo a ti no te importo —repuso ella con voz ahogada—. Déjate de juegos.

—Sí, sí me importas. Me importas especialmente. He esperado mucho tiempo para esto, *chérie*. Ruego que no me decepciones.

—¿Mucho tiempo para qué? ¿De qué estás hablando?

—Vigila tu sueño, *chérie*. Vigílalo, no vaya a ser que te ocurra lo que a mí con el mío.

19

Fleur apoyó los codos en la barandilla y contempló las escuálidas matas de la duna mecidas por la brisa del crepúsculo. La casa de playa de Long Island, una estructura angular de vidrio y madera gastada por las inclemencias del tiempo, se mezclaba con la arena y el agua. Estaba contenta de que la hubieran invitado allí a pasar el fin de semana del Cuatro de Julio. Necesitaba salir de la ciudad un rato y también necesitaba distraerse de la cinta magnetofónica mental que no paraba de repetir las palabras de Alexi: «Vigila tu sueño.» Él no había olvidado lo que le había hecho a su Royale (algo que ella daba por descontado) y quería vengarse. Pero aparte de mantenerse alerta, no sabía qué más podía hacer al respecto.

Dejó a un lado sus preocupaciones y pensó en el edificio de cuatro pisos que había arrendado para instalar sus nuevas oficinas. Si las reformas seguían su curso, esperaba hacer el traslado a mediados de agosto, pero antes tenía que formar un equipo. Si todo iba tal como preveía y no se producían contratiempos serios, tenía suficiente dinero para mantener la agencia a flote hasta primavera. Por desgracia, un negocio como el suyo necesitaba por lo menos un año para considerarse establecido, de manera que el riesgo existía. De todos modos, en principio eso únicamente implicaba que tendría que trabajar más duro, algo que, según había comprobado, se le daba bien.

Había esperado poder contar con el salario de Parker un tiempo más, pero cuando este había descubierto lo que Fleur se traía entre manos, la había despedido. Había sido un trance amargo. Los Lynx se habían disuelto y Parker había delegado una parte demasiado grande del negocio en Fleur. Ahora la culpaba por las desesperadas martingalas que tenía que hacer con los clientes despechados.

Fleur había decidido ampliar la cartera de clientes de su «agencia caviar» más allá de músicos y actores para incluir a un selecto grupo de escritores, quizás incluso artistas... La única premisa sería que ella los considerara susceptibles de llegar a lo más alto. Ya tenía como clientes a Rough Harbor, el grupo de rock que Simon Kale estaba formando, y había sustraído a Olivia Creighton de las pegajosas garras de Bud Sharpe. Y luego estaba Kissy. Los tres ofrecían el potencial de ganancias que ella buscaba, pero tres clientes no eran bastantes para mantenerla a flote durante el período de consolidación.

Se colocó las gafas de sol en lo alto de la cabeza y pensó en Kissy. Aparte de su papel hipnóticamente comedido como Irena en una producción independiente de *El jardín de los cerezos* y de una intervención muy breve (una frase) que Fleur le había conseguido en una *soap opera* de la CBS, nada más había ocurrido desde *La gata sobre el tejado de zinc*, y Kissy había dejado de presentarse a audiciones. En tiempos recientes demasiados hombres habían pasado por su dormitorio, cada uno más musculado que el anterior, cada uno también más estúpido. Kissy necesitaba una plataforma de lanzamiento y Fleur todavía no se las había ingeniado para encontrarle alguna. No era un buen presagio si para probarse a sí misma solo disponía hasta la primavera.

A través de las puertas de vidrio distinguió a Charlie Kincannon, su anfitrión durante ese fin de semana. Charlie había apoyado la producción de *El jardín de los cerezos*. Había sido entonces cuando Fleur lo había conocido. Era obvio que estaba colado por Kissy, pero ella lo ignoraba a pesar de lo listo, sensible y exitoso que era. Prefería a perdedores devoradores de embutido.

Las puertas se abrieron y Kissy salió al entarimado de la terraza. Se había vestido para la fiesta con un mamaluco a rayas rojas y azules, grandes pendientes plateados con forma de corazón y sandalias planas y rosa con correas entrelazadas entre los dedos. Parecía una niña de siete años con pechos.

—Se está haciendo tarde, Fleurinda, y los invitados de como se llame empiezan a aparecer. ¿No vas a cambiarte de ropa? —Sorbió su piña colada y dejó en la pajita un rastro de carmín.

—Enseguida. —Los shorts blancos que Fleur se había puesto encima del bañador mostraban una salpicadura de mostaza y tenía el pelo rígido por el salitre del mar. Como Charlie Kincannon había apoyado diversos montajes alternativos en Broadway, esperaba establecer varios contactos esa noche, y necesitaba tener un aspecto decente. Primero, sin embargo, alcanzó la piña colada de Kissy y tomó un sorbo—. Me gustaría que dejaras de llamarle «como se llame». Charlie Kincannon es un hombre muy simpático, y eso por no mencionar que además es muy rico.

Kissy arrugó la nariz.

—Sal con él si tanto te gusta.

—Pues quizá lo haga. Me gusta, Kissy. De verdad que me gusta. Es el primer hombre de los que andan rondándote que no come plátanos y se queda mirando embobado el Empire State Building.

—Muy bien. Te lo regalo con todas mis bendiciones. —Kissy reclamó su piña colada—. Me recuerda a un ministro baptista al que conocí. Quería salvarme, pero le daba miedo que no me enrollara con él si lo hacía.

—Pues con Charlie Kincannon no te estás «enrollando» precisamente. Si de verdad tienes tanta necesidad de hacerte la supersexy, resérvate para el escenario. Así de paso las dos ganaremos algo de dinero.

—Estás hablando como una auténtica chupasangres. Desde luego vas a ser una agente fantástica. Por cierto, ¿te has fijado en esos chicos en la playa esta tarde, y en las tonterías que hacían para llamar tu atención?

—¿A cuál te refieres, al del biberón o al de la espada de *La guerra de las galaxias?* —Si hiciera caso a Kissy, habría acabado por creer que todos los hombres del mundo la deseaban. Se limpió la arena de las piernas y se dirigió al interior de la casa—. Voy a ducharme.

—Y ponte algo decente... Bah, déjalo. Pierdo el tiempo, como siempre.

—Ahora soy una mujer de negocios. Tengo que parecer seria.

—Ese estúpido vestido negro que te has comprado te hace parecer muerta, no seria.

Fleur la ignoró y siguió su camino. La casa tenía techos angulares, puertas correderas y un mobiliario minimalista japonés. Localizó al dueño sentado en un sofá color arena, mirando con expresión malhumorada en las profundidades de lo que parecía un bourbon doble.

—¿Podría hablar un momento contigo, Fleur?

—Claro.

Hizo a un lado su ejemplar de *El regreso de Conejo* para que pudiera sentarse junto a él. Charlie Kincannon le recordaba a un personaje que podría haber interpretado Dustin Hoffman: el tipo de hombre que, a pesar de todo el dinero que posee, se las apaña para parecer un tanto desacompasado con el resto del mundo. Llevaba el pelo corto y sus facciones eran agradables, si bien algo irregulares, con ojos castaños y serios enmarcados por gafas de concha.

—¿Ocurre algo? —preguntó ella.

Él removía el hielo en el vaso.

—Lamento parecer un adolescente, pero ¿qué probabilidades crees que tengo con Kissy?

Ella respondió con una evasiva:

—Es difícil de saber.

—En otras palabras, no tengo ninguna posibilidad.

Le pareció tan triste y adorable que quiso ayudarlo.

—No es culpa tuya. Kissy es algo destructiva en este momento. Eso conlleva que le cuesta ver a los hombres como personas.

Él pensó en eso y su expresión pareció hacerse más seria todavía.

—Nuestra situación es un intercambio de papeles muy interesante para mí. Estoy acostumbrado a que las mujeres sean las agresoras. Ya sé que no soy un objeto sexual, pero normalmente obvian este detalle porque soy rico.

Fleur sonrió y pensó que todavía le gustaba más. Sin embargo, tenía una amiga a la que respetar.

—¿Qué esperas exactamente de ella?

—¿A qué te refieres?

—¿Esperas una relación seria, o solo se trata de sexo?

—¡Claro que quiero una relación seria! El sexo puedo conseguirlo donde quiera.

Pareció tan ofendido que Fleur se dio por satisfecha. Volvió a considerar la cuestión.

—No sé si funcionará, pero aparte de Simon eres el único hombre que parece haberse enterado de lo inteligente que es Kissy. Quizá captarías su atención si ignoraras su cuerpo y te concentraras en su mente.

Él la miró con ceño.

—No quisiera parecer machista, pero resulta difícil ignorar el cuerpo de Kissy, especialmente si tienes una pulsión sexual tan desarrollada como la mía.

Ella sonrió, comprensiva.

—Bueno, he hecho lo que he podido.

Los invitados habían empezado a llegar. Distinguió la voz de un hombre con un acento peculiar.

—La casa es fantástica. ¡Mirad qué vistas!

Ella se tensó y volvió la cabeza a tiempo de ver a Michel entrando en la sala. Formaba parte del grupo de trabajo de Kissy, así que tenía que haber sabido que estaría en la lista de invitados. Las esperanzas que había depositado en el fin de semana se desvanecieron.

Se habían encontrado en otro par de ocasiones durante el año transcurrido desde que habían vuelto a coincidir, y siempre intercambiaban el mínimo de palabras imprescindibles. El acompañante de Michel era un hombre joven y musculoso de negra melena que le caía sobre los ojos. Un bailarín, decidió, puesto que los pies automáticamente se le quedaban en la primera posición.

Las puertas de cristal eran la vía de escape más cercana. Le hizo a su hermano un gesto breve con la cabeza, se excusó ante Charlie y salió fuera.

La luna brillaba, Kissy había desaparecido y la playa estaba desierta. Fleur necesitaba unos minutos para ponerse la armadura antes de volver al interior para aclararlo todo. Se aproximó a la orilla y luego empezó a caminar por la arena fría y húmeda, alejándose de la casa. Tenía que controlarse mejor para no salir corriendo, pero cada vez que veía a Michel sentía como si de pronto la devolvieran a la infancia.

Se dio un golpe en el pie con una piedra que sobresalía de la arena. Había caminado hasta más lejos de lo que quería, de manera que se volvió para regresar. Justo en ese momento un hombre salió de entre las dunas, a unos cincuenta metros de ella. Al ver que se quedaba quieto, y al verse ella sola en la playa desierta, se puso en alerta. Él permaneció allí, perfilado contra la noche. Era un hombre alto y fornido, y no parecía querer ocultar su interés por ella. Fleur miró con ansia hacia las luces distantes de la casa, pero estaba demasiado lejos y nadie la oiría si pedía auxilio.

El hecho de vivir en Nueva York la había convertido en una paranoica. Lo más probable era que se tratara de un invitado a la fiesta de Charlie, alguien que necesitaba un poco de aire fresco de la misma manera que ella. A la luz de la luna, apenas podía distinguir una abundante cabellera a lo Charles Manson y también un bigote más abundante todavía. La letra de *Helter Skelter* empezó a reproducirse en su cabeza. Apretó el paso y se acercó más a la orilla.

Él tiró a un lado la lata de cerveza que tenía en la mano y empezó a andar en su dirección. Sus zancadas eran largas y sigilosas. Todo el cuerpo de Fleur se puso en estado de máxima alerta. Fuera o no fuera una paranoica, no tenía intención de averiguar qué quería aquel hombre. Así que echó a correr.

Al principio solo oía su propia respiración, pero pronto oyó también las pisadas en la arena a su espalda. El corazón se le desbocó. Aquel hombre la perseguía, tenía que ponerse fuera de su alcance. Se dijo que podía hacerlo, tenía músculos fuertes. Lo único que debía hacer era acelerar el ritmo.

Siguió por la arena compactada junto a la orilla. Extendió la zancada y movió más los brazos. Corría con la mirada fija en la casa, que seguía desesperadamente lejos. Si se dirigía hacia las dunas iba a hundirse en la arena, pero a su perseguidor le ocurriría lo mismo. Boqueó. Él no podría aguantar mucho más ese ritmo. Sí, ella podía hacerlo. Aceleró.

Él también.

Le ardían los pulmones y perdió velocidad. Se esforzaba por recuperar el aliento. La palabra «violación» le rondaba la cabeza. ¿Por qué no abandonaba su perseguidor?

—¡Déjeme en paz! —gritó.

Pero las palabras le salieron entrecortadas, apenas comprensibles, y al pronunciarlas perdió un aliento precioso.

El hombre gritó algo, muy cerca... El pecho le dolía de una manera insoportable. Él le tocó el hombro y ella gritó. Inmediatamente cayó, y él tras ella. Mientras caían sobre la arena, ella entendió por fin qué gritaba su perseguidor:

—¡Flower!

Y le cayó encima. Ella quiso coger aire bajo su peso, y sintió el sabor de la arena. Con las últimas fuerzas que le quedaban le soltó un puñetazo. Oyó una exclamación. El peso del cuerpo disminuyó y los cabellos del hombre le rozaron la mejilla cuando se incorporó encima de ella. Sentía aquella respiración agitada en la cara y volvió a pegarle.

Él retrocedió y ella se incorporó sobre las rodillas para seguir dándole puñetazos ciegos, pegando allí donde alcanzaba: un brazo, el cuello, el pecho... Y cada golpe iba acompañado de un sollozo.

Finalmente se escudó con los dos brazos y se hizo un ovillo.

—¡Para ya, Flower! ¡Soy yo! ¡Soy Jake!

—¡Ya sabía que eras tú, hijo de puta! ¡Déjame en paz!

—No pienso dejarte hasta que te calmes.

Ella tomó aire contra la camiseta de Jake.

—Ya estoy calmada...

—No, no lo estás.

—¡Sí que lo estoy! —Logró controlar la respiración y hablar en tono menos exaltado—. Estoy calmada, en serio.

—¿Seguro?

—Sí, seguro.

La fue soltando gradualmente.

—De acuerdo, entonces. Sabía...

Ella le dio un puñetazo en la cara.

—¡Serás cabrón...!

—¡Ay! —aulló él levantando la mano.

Con el siguiente golpe le alcanzó en el hombro.

—¡Eres un arrogante odioso!

—¡Para ya! —le aferró el puño—. Si vuelves a pegarme te juro que...

Ella dudaba que fuera a agredirla, pero la subida de adrenalina empezaba a diluirse, las manos le dolían y temblaba tanto que pensaba que iba a vomitar si hacía otro movimiento brusco.

Él se quedó agazapado en la arena, frente a ella. El pelo, largo y descuidado, le caía hasta los hombros, y el bigote le oscurecía la boca, excepto el labio inferior. Con una camiseta Nike que no le llegaba a la cintura, shorts marrones gastados y pelo largo de vagabundo, solo le faltaba llevar un cartel de «Mataría por comer».

—¿Por qué no me has dicho que eras tú? —acertó a decir Fleur cuando recuperó un poco el resuello.

—Creía que me habías reconocido.

—¿Cómo quieres que te reconozca? Todo está oscuro, y tú pareces sacado de un cartel de busca y captura.

Le soltó la muñeca y ella se puso en pie. No tendría que haber sido de ese modo, con sus shorts blancos manchados de mostaza, ni con el nudo de la coleta deshaciéndose. Cuando se imaginaba encontrarse con él siempre se veía vestida de punta en blanco, con alhajas y diamantes, en las escaleras del casino de Montecarlo, cogida del brazo de un príncipe europeo.

—Estoy rodando una nueva entrega de Caliber —explicó—.

Bird Dog se queda ciego, así que tengo que aprender a utilizar los Colts por el sonido. —Se frotó el hombro al levantarse—. ¿Desde cuándo practicas el boxeo?

—Desde que vi a un hombre con aspecto de asesino en serie salir de detrás de una duna.

—Si me sale un morado en el ojo...

—Ojalá.

—Basta ya, Fleur...

Nada estaba saliendo tal como ella lo había imaginado. Hubiera querido mostrarse fría y distante, actuar como si apenas lo recordara.

—Así que ruedas una nueva película de Caliber, ¿eh? ¿A cuántas mujeres pegas esta vez?

—Bird Dog se está volviendo más sensible.

—Debe de ser todo un desafío para ti.

—Oye, no me fastidies, ¿vale?

En la cabeza de Fleur estaban estallando recuerdos y se veía de nuevo aquella noche, en el terreno frente a la casa de Johnny Guy Kelly, acabando una conversación que de hecho apenas había comenzado. Escupió las palabras sin mover apenas la mandíbula:

—Me utilizaste para acabar tu película. Yo no era más que una chica tonta e infantil que no se quería quitar la ropa, pero la máquina del amor del señor Big Shot se encargó del asunto. Hiciste que me alegrara de quitármelo todo. ¿Pensaste en mí cuando te dieron ese Oscar?

Quería ver la culpa en sus ojos. En cambio, él contraatacó:

—Eras la víctima de tu madre, no mía... O al menos no tanto. Tienes que arreglarlo con ella. Y mientras lo haces, recuerda que no fuiste la única en salir mal parada. Yo perdí mucho más de lo que imaginas.

Eso la enfureció.

—¿Tú? ¿De verdad te quieres hacer el perjudicado?

El puño se le apretó por su cuenta y se echó atrás por propia iniciativa. No pensaba volver a pegarle, pero aquella mano tenía voluntad propia.

Él la atrapó antes de que llegara a destino.

—No te atrevas.

—Creo que lo mejor sería que no la tocaras —se oyó una voz familiar entre las dunas. Ambos se giraron y vieron a Michel allí plantado. Parecía un chaval que accidentalmente había ido a parar junto a unos gigantes.

Jake relajó la mano que sujetaba el puño de Fleur, pero no del todo.

—Esta es una fiesta privada, amigo, de manera que lo mejor será que desaparezcas.

Michel se acercó. Iba vestido con un blazer de madrás y una camiseta de malla amarilla. Las mechas rubias de su peinado le rozaban la delicada mejilla.

—Volvamos a la casa, Fleur.

Ella miró a su hermano y comprendió que de algún modo se había erigido en su paladín. Daba risa. Allí plantado, era media cabeza más bajo que ella y se enfrentaba a Jake Koranda, un hombre rápido de reflejos y expresión amenazadora.

Los labios de Jake se fruncieron.

—Esto es entre ella y yo. Lárgate, si no quieres hacerlo con una patada en el culo.

Parecía una frase de una película de Caliber, y faltó poco para que Fleur detuviera en ese punto la confrontación. Pero no lo hizo. Michel, su paladín. ¿De verdad estaba dispuesto a defenderla?

—Me encantaría largarme... —dijo Michel con suavidad—. Pero Fleur se viene conmigo.

—Ni lo sueñes —respondió Jake.

Michel metió las manos en los bolsillos de sus shorts y no se movió. Sabía que físicamente no tenía ninguna posibilidad, de modo que había decidido esperar.

Bird Dog no estaba acostumbrado a enfrentarse a un rival que hablara tan bajito y luciera rasgos tan delicados. Miró a Fleur desde su altura y le preguntó:

—¿Es amigo tuyo?

—Es... —tragó saliva— es mi hermano. Michael An...

—Soy Michel Savagar.

Jake los estudió a ambos y luego dio un paso atrás. La comisura del labio se le retorcía.

—Deberías habérmelo dicho antes. Tengo por norma no estar nunca en un lugar con más de un Savagar al mismo tiempo. Nos vemos, Fleur.

Y se fue caminando por la playa.

Fleur estudió la arena, luego levantó la cabeza y miró a su hermano.

—Podía haberte dado una paliza.

Michel se encogió de hombros.

—¿Por qué lo has hecho? —añadió ella con calma.

Él miró más allá, hacia el oscuro océano.

—Eres mi hermana —dijo por fin—. Defenderte es mi responsabilidad como hombre. —Y se dirigió hacia la casa.

—Espera. —Lo siguió impulsivamente. La arena intentó retenerla como una vieja herida, pero se liberó de ella. Los bonitos vestidos que había visto en la tienda de Michel le venían a la cabeza. ¿Quién era él en realidad?

Él la esperó, pero Fleur no supo qué decir. Se aclaró la garganta.

—¿Quieres...? ¿Quieres que vayamos a algún sitio y hablemos?

Se produjo un silencio.

—De acuerdo —respondió él finalmente.

No dijeron palabra mientras él conducía su viejo MG hasta un restaurante de carretera en Hampton Bays, donde sonaban canciones de Willie Nelson y la camarera les trajo almejas, patatas fritas y jarras de cerveza. Insegura, Fleur empezó a contarle su educación en el *couvent*.

Por su parte, él le habló de sus días de escuela y del amor que sentía por la abuela. Así se enteró Fleur de que Solange le había dejado el dinero que le había permitido levantar su negocio. Pasó una hora, y luego otra. Ella le explicó lo que se sentía siendo una marginada, y él le habló del terror que experimentó cuando supo que era gay. Más tarde, cuando el neón azul que anunciaba el local iluminaba con intermitencias la cabeza de Michel, Fleur se reclinó en el gastado banco y empezó a relatarle la historia de Errol Flynn y Belinda.

Él la miraba con ojos cada vez más oscuros, cada vez más amargos.

—Eso explica muchas cosas —dijo.

Hablaron de Alexi y se entendieron a la perfección. Se había hecho tarde y el restaurante empezaba a cerrar.

—¡Estaba tan celosa de ti! —dijo Fleur por fin—. Creía que tenías todo lo que a mí se me negaba.

—Y yo quería ser tú —repuso él—. Quería estar lejos de ellos.

Se oyó ruido de platos en la cocina. La camarera los miraba. Fleur intuía que Michel quería decirle algo más, pero que le costaba decidirse.

—Dime.

Él clavó los ojos en la raída mesa.

—Quiero diseñar para ti —dijo—. Siempre lo he deseado.

Por la mañana se puso un biquini naranja, se sujetó el pelo en un moño flojo y se cubrió con un corto albornoz blanco. En el salón no había nadie, pero por los ventanales vio que Charlie y Michel se habían instalado en la terraza con la prensa dominical. Sonrió al comprobar que el atuendo de Michel consistía en unas bermudas y una camisa verde esmeralda. Después de tantos años de rencor mal dirigido, había recibido el regalo inesperado de un hermano. Aún le resultaba demasiado extraño y difícil de aceptar.

Fue a la cocina y se sirvió un café.

—¿Qué tal si me pones otra taza a mí?

Se volvió y vio a Jake en la puerta, con la larga melena mojada por la ducha. Llevaba una camiseta gris y un bañador gastado que parecía el mismo de seis años antes, cuando Belinda lo había invitado a una barbacoa en el jardín. Ella ya se había hecho a la idea de que el encuentro de la noche anterior no había sido casual. Jake era uno de los invitados a la fiesta. Con seguridad sabía que ella iba a estar y había ido en su busca.

—Si quieres café, sírvete una taza —dijo, mientras le daba la espalda.

—Mi intención anoche no era asustarte. —La rozó con el brazo al alcanzar la cafetera. Olía a jabón Dial y dentífrico mentolado—. No estaba lo que se dice sobrio. Lo siento, Flower.

—Yo también lo siento. —Ella cruzó los brazos—. Siento no haberte partido la cara.

Él se apoyó en la encimera y tomó un sorbo de café.

—Lo hiciste bien en *Eclipse*. Mejor de lo que esperaba.

—Ah, vaya. Gracias.

—¿No quieres dar un paseo por la playa?

Iba a decir que no cuando oyó que bajaba por las escaleras otro de los invitados de Charlie. Pensó entonces que ese paseo le serviría para decirle lo que tanto necesitaba.

—Vamos, pues.

Pasaron al exterior por una puerta lateral, evitando al grupo que estaba en la terraza. Fleur se quitó las zapatillas. La brisa alborotaba la melena de Jake. Ninguno de los dos habló hasta que llegaron a la orilla.

—He hablado un rato con tu hermano esta mañana —dijo Jake—. Michael es un buen chico.

¿De verdad creía que podría borrar esos años de un plumazo, con esa facilidad?

—¿Te refieres a que es un buen chico para ser diseñador de moda?

—No me harás caer en tus provocaciones, por mucho que lo intentes.

Eso ya se vería.

Jake se sentó en la arena.

—Bueno, Flower, vamos a dejarlo claro.

Las palabras ácidas se agitaban en el interior de Fleur, con toda la rabia y la amargura listas para rebosar. Pero mientras miraba a un padre y un hijo que remontaban una cometa china con una cola azul y amarilla, se dio cuenta de que no podría expresar nada de eso. No si quería mantener aunque fuera un atisbo de dignidad.

—No quedan cicatrices —dijo entonces—. No eras tan importante. —Se obligó a sentarse junto a él en la arena—. Y el que ha tenido que vivir con lo que hizo eres tú.

Jake entornó los ojos, deslumbrado por el sol.

—Si no fue tan importante, ¿por qué abandonaste una carrera que te permitía ganar una fortuna? ¿Y por qué yo no he sido capaz de escribir nada desde *Eclipse de domingo por la mañana*?

—¿No has escrito nada? —Sintió una punzada de satisfacción.

—Supongo que no habrás visto muchas obras de teatro nuevas con mi nombre, ¿verdad? Lo mío es un caso ejemplar de síndrome del escritor bloqueado.

—Pues qué pena. —Lanzó una valva hacia el agua.

—Lo mejor del caso es que escribía a raudales antes de que tu madre y tú aparecieseis.

—Espera, espera... ¿Me estás culpando a mí?

—No. —Suspiró—. Soy un cretino, eso es todo.

—Por fin algo en lo que eres bueno de verdad.

La miró a los ojos.

—Lo que pasó entre nosotros aquel fin de semana no tuvo nada que ver con *Eclipse*.

—No me vengas con esas. —A su pesar, las palabras brotaron—. Esa película lo significaba todo para ti, y yo estaba estropeando tu gran oportunidad. Una niña de diecinueve años con un caso de amor adolescente desviado absurdamente. Tú eras un hombre hecho y derecho, sabías cómo comportarte.

—Tenía veintiocho. Y créeme si te digo que esa noche no me pareciste una niña, en absoluto.

—¡Mi madre era tu amante!

—Si te sirve de consuelo, no llegamos a consumarlo.

—No quiero saberlo.

—Todo lo que puedo alegar en mi defensa es que fui un desastre a la hora de juzgar caracteres.

Fleur conocía a su madre lo suficiente como para creer que Belinda se lo había puesto fácil, pero eso no le importaba.

—Y si realmente fuiste don Inocente, ¿cómo es que no has sido capaz de escribir desde entonces? No puedo saber qué hay en las lóbregas profundidades de tu mente, pero debe de haber alguna conexión entre tu bloqueo como escritor y lo que le hiciste a aquella estúpida niña de diecinueve años.

Él se levantó.

—¿Desde cuándo se supone que estoy nominado para la santidad? Diecinueve años y con el aspecto que tenías... De niña, nada. —Y sin más se despojó de la camiseta y corrió hasta el agua.

Se lanzó contra una ola y siguió nadando. Siempre en tan buena forma. La gran estrella del cine. Hijo de puta. Quería desquitarse, y cuando por fin vio que él se detenía, se desabrochó el albornoz y dejó que cayera. Debajo llevaba el pequeño biquini naranja que Kissy le había comprado, y se aseguró de que él dispusiera de una vista privilegiada mientras ella ejecutaba un perfecto paso de pasarela hacia el agua, colocando directamente un pie delante de otro para que las caderas se contonearan. En la orilla, levantó los brazos para sujetar un mechón que se había soltado de los pasadores, tensando casualmente las extremidades, de manera que las piernas parecían todavía más largas.

Con el rabillo del ojo comprobó si Jake estaba mirando. Sí, lo estaba. Bien. Que se fuera consumiendo a fuego lento.

Se lanzó al agua y nadó un rato. Luego salió y volvió a donde él estaba sentado. Tenía el albornoz en el regazo, y cuando ella se inclinó para recuperarlo él lo desplazó lo justo para dejarlo fuera de su alcance.

—Permite que un tipo como yo se tome un descanso. Llevo tres meses trabajando con caballos, y este es un cambio de decorado apropiado.

Ella volvió a incorporarse y se marchó. Jake Koranda estaba tan muerto para ella como esa abuela a la que nunca había conocido.

Jake estuvo mirando a Fleur hasta que entró en la casa de la playa. La bonita chica de diecinueve años que lo había hecho caer en barrena no le llegaba a la suela del zapato a esa mujer. Se había convertido en la fantasía de cualquier hombre. ¿Era su imaginación, o en verdad su pequeño trasero estaba más alto que nunca sobre aquellas piernas increíbles? Tenía que haberle devuelto el albornoz para no tener que torturarse mirando su cuerpo en ese ridículo biquini naranja que se mantenía unido por diminutos cordeles. Podría haberse comido ese biquini de tres buenos mordiscos.

Se dirigió hacia el agua para enfriarse. El tipo que había estado remontando la cometa había visto a Fleur desde que apareciera entre las dunas, y ahora se volvía desde la orilla para gozar de una buena vista. Siempre había sido así: los hombres tropezando entre ellos mientras ella pasaba, inconsciente de la polvareda que levantaba. Era como el patito feo que no se miraba en un espejo para darse cuenta de que se había convertido en un cisne.

Nadó un rato y luego volvió a la playa. El albornoz de Fleur seguía allí, sobre la arena. Al recogerlo, percibió el mismo olor ligeramente floral que desprendía la noche anterior, cuando se revolvía contra él. Se había comportado como un auténtico idiota, y ella se había defendido con uñas y dientes. Siempre lo hacía, de un modo u otro.

Hundió los pies en la arena. La música empezó a sonar en su cabeza. Otis Redding. Creedence Clearwater Revival. Ella le había traído de vuelta los sonidos de Vietnam. Jake nunca olvidaría la noche en que, de rodillas en el césped frente a la casa de Johnny Guy, la había tenido empapada y sollozando entre sus brazos. Ella había abierto un agujero en su muro defensivo (un muro que él creía seguro). Desde entonces había sido incapaz de escribir una sola línea por miedo a que toda la estructura se viniera abajo. Escribir había sido su único medio de expresión, y si no lo hacía le parecía estar viviendo tan sólo media vida.

Mientras contemplaba la casa de la playa, pensó si la mujer en que se había convertido Fleur podría tener la llave para abrir la cárcel en la que había caído.

20

Unos sueños eróticos y oscuros llenaban las noches de Fleur desde su vuelta a la ciudad. Pensaba que tal vez aquel combate de lucha libre en la playa había recargado de algún modo su batería sexual. Era toda una ironía: anhelaba ávidamente el contacto con un hombre, pero en esos momentos la tensión era demasiado fuerte como para buscarse un amante.

Una tarde, dos semanas después de la fiesta en la playa, estaba sentada en una silla de respaldo recto en la tienda de Michel mientras él la cerraba. Al principio se habían inventado excusas para hablarse. Él la llamó para saber si la habían afectado los embotellamientos a la vuelta de Long Island, y ella lo llamó para pedirle consejo sobre un vestido que quería regalar a Kissy por su cumpleaños. Finalmente, abandonados los subterfugios, pasaron a disfrutar abiertamente de la mutua compañía.

—Anoche he estado repasando tu contabilidad. —Se quitó de la falda algo de serrín—. Estás en las últimas. Tus finanzas son un auténtico lío.

Él apagó las luces delanteras del establecimiento.

—Soy un artista, no un hombre de negocios. Por ese motivo te contraté.

—Sí, eres mi cliente más reciente —repuso Fleur sonriendo—. Nunca se me había ocurrido representar a un diseñador, pero ahora me encanta. Tus vestidos son el trabajo más innovador que esta ciudad ha visto en años. Y yo he de lograr que la gente los quiera. —Sus manos acariciaron una bola de cristal imaginaria—. Veo fama, fortuna y una gestión administrativa brillante en tu futuro. —Y como pensamiento estimulante, añadió—: Y también veo un nuevo amor.

Él se colocó detrás de ella y tiró de la cinta de goma que le sujetaba la coleta. Fleur había pasado el día con los carpinteros en la casa adosada y estaba hecha un desastre.

—Tú concéntrate en la fama y la fortuna y deja a mis amantes en paz —le dijo—. Ya sé que no te gustó Damon, pero...

—Es un imbécil y un quejica. —Damon era el bailarín moreno que acompañaba a Michel en la noche de la fiesta playera de Charlie—. Tu selección de hombres es peor que la de Kissy. Sus tíos buenos son solamente tontos. Los tuyos además son falsos.

—Eso fue porque lo intimidaste. Pásame el cepillo. Pareces Bette Davis en versión cutre. Y esos tejanos me están poniendo histérico. De verdad, chica, no creo que pueda seguir soportando esta ropa que llevas. Ya te he enseñado los diseños...

Ella sacó el cepillo del bolso.

—Date prisa y arréglame el peinado. Tengo que encontrarme con Kissy. Solo he pasado para decirte que financieramente estás fastidiado. Y lo del *merchandising* también lo llevas fatal. Aun así, te perdono. Ven a cenar con nosotras mañana, en la casa adosada.

—¿No estarás olvidando algunas necesidades básicas para organizar cenas, como paredes y muebles, por ejemplo?

—Es una cena informal. —Se levantó, le dio un beso y se fue.

Cuando salió a la calle Cincuenta y cinco Oeste pensó que tal vez Michel habría notado lo nerviosa que estaba por lo que iba a anunciarles en su cena informal.

Había alquilado la casa de ladrillo rojo del Upper West Side con opción a compra. Dada la extraña división de la finca —horizontal en lugar de vertical— la había obtenido a buen precio, y había sido capaz de adoptar en su provecho esa característica. Pensaba instalar la vivienda en la parte trasera, más pequeña, y utilizar la sección frontal, más amplia, como espacio para oficinas. Si todo iba bien, podría mudarse el próximo mes, a mediados de agosto.

—No hay riesgo de que nadie confunda esto con La Grenouille —dijo Michel mientras se sentaba con cautela en una silla plegable que Fleur había colocado frente a una mesa formada por dos caballetes y unas láminas de contrachapado en lo que pronto sería su oficina.

Kissy miró con ceño los pantalones pirata blancos y la camisa de campesino griego que llevaba Michel.

—A ti no te dejarían entrar en La Grenouille de Manhattan, así que deja de quejarte.

—En cambio, según mis informaciones, a ti sí te dejan entrar —le respondió Michel—, con un tal señor Kincannon.

—Más un grupo de sus risibles amigos —puntualizó Kissy arrugando la nariz.

Aunque se veía con Charlie Kincannon con frecuencia, apenas lo mencionaba, lo que no concordaba con los planes del financiero de ganarse su corazón.

Fleur abrió las cajas de comida preparada y empezó a servir pollo al limón y gambas especiadas.

—Me hubiera gustado que te mudaras aquí conmigo, Kissy. El ático ya está acabado, de manera que dispondrías de un espacio privado, por no mencionar dos veces más sitio que en nuestro apartamento. Hay cocina, las cañerías funcionan... Incluso tendrías una entrada separada en el vestíbulo, así que ni siquiera podría criticar tus elecciones de cama, porque no los vería.

—A mí me gusta mi casa. Y te he dicho mil veces que las mudanzas me ponen nerviosa. No me meto en ninguna a menos que me vea absolutamente obligada.

Fleur se rindió. Kissy se valoraba tan poco en esos días que no sentía que mereciera nada más de lo que tenía, y no había persuasión alguna que pudiera hacerla cambiar de opinión.

Kissy se limpió la boca con una servilleta de papel.

—¿A qué viene tanto misterio? Dijiste que querías que Michel y yo estuviéramos aquí para anunciarnos algo. ¿Qué te traes entre manos?

Fleur señaló el vino.

—Sirve, Michel. Tendremos que hacer un brindis.

—¿Beaujolais con comida china? De verdad, Fleur...

—No critiques y limítate a llenar los vasos. —Él llenó los vasos y Fleur levantó el suyo, con la determinación de aparentar una confianza que no sentía—. Esta noche bebemos a la salud de mis clientes favoritos, así como del genio que va a poneros a los dos en lo más alto. Es decir, yo. —Entrechocaron los vasos y tomaron un sorbo—. Michel, ¿por qué nunca has organizado una muestra de tus diseños?

Él se encogió de hombros.

—En mi primer año sí lo hice, pero me costó una fortuna y no vino nadie. Mis obras no son como las de la Séptima Avenida y mi nombre no es conocido.

—Exacto. —Miró a Kissy—. Y a ti nadie te deja hacer audiciones para la clase de papeles que deseas por la imagen que proyectas.

Kissy echó una gamba a un lado del plato y asintió con indecisión.

—Lo que necesitáis para despegar en vuestra carrera es una plataforma, y sé cómo obtenerla. —Fleur dejó el vaso—. De nosotros tres, ¿quién sigue disponiendo de la mejor posición para atraer la atención de los medios?

—Y dale —gruñó Kissy.

Michel constató una obviedad:

—Tú. Es obvio.

—Pues lo siento, pero no estoy nada de acuerdo —repuso Fleur—. La novedad de mi vuelta duró una semana o algo así, pero luego he pasado más de dos años en Nueva York sin tener ninguna publicidad. Ni siquiera a Adelaide Abrams le importó que volviera. Los diarios no quieren saber nada de Fleur Savagar, que es un aburrimiento total. A quien quieren es a la Niña Brillante.

Les enseñó el diario, abierto por la página de la columna de chismorreo de Adelaide.

Kissy leyó en voz alta.

Se ha visto a la superestrella Jake Koranda paseando por las playas el fin de semana del Cuatro de Julio en compañía nada menos que de la Niña Brillante, Fleur Savagar. Koranda, que descansaba del rodaje en Arizona de su última película de la saga Caliber, era un invitado en la casa de veraneo del magnate de la industria farmacéutica Charles Kincannon. Según nuestras informaciones, la NB y Koranda se comían con los ojos. Hasta ahora ni la oficina de la Costa Oeste de Koranda ni la esquiva Niña Brillante han hecho ningún comentario. Esta última, por cierto, se ha estado labrando un nombre en Nueva York en los últimos años como agente de talentos.

Kissy puso expresión de disgusto.

—Lo siento, Fleurinda. Sé lo mucho que odias que te restrieguen el pasado por la cara. Y una vez que Abrams le pone el ojo a una historia, ya no la suelta. No sé quién le habrá ido con el cuento, pero...

—He sido yo —dijo Fleur—. Yo se lo he contado.

Los dos la miraron.

—Pero ¿por qué? —le preguntó su hermano.

Fleur inspiró hondo y levantó su vaso.

—Saca esos diseños que habías estado guardando para mí, Michel. La Niña Brillante está de vuelta, y os llevará con ella.

Si permanecía sobria el dolor se le hacía más difícil de soportar. Belinda lo había descubierto al dejar de beber. Puso una casete en la pletina. La habitación se llenó de Barbra Streisand cantando *The Way We Were* y Belinda se recostó en los cojines de raso de la cama mientras las lágrimas bajaban por sus mejillas.

Todos los rebeldes habían muerto. Primero Jimmy en aquella carretera de Salinas, y luego Sal Mineo brutalmente asesinado. Y finalmente Natalie Wood. Los tres actores principales de *Rebelde sin causa* habían muerto antes de tiempo, y Belinda temía ser la próxima.

Ella y Natalie tenían casi la misma edad. Natalie también había amado a Jimmy, que se burlaba de ella durante el rodaje de la película porque para él no era más que una niña. Jimmy Dean, el chico malo que jugaba con los sentimientos de Natalie.

La muerte aterrorizaba a Belinda, pero aun así conservaba una reserva secreta de píldoras en un joyero antiguo, junto al dije giratorio de oro que Errol Flynn le había regalado. No podría soportar vivir así mucho más tiempo, aunque en su interior guardaba un rescoldo de optimismo. Sí, las cosas podían mejorar. Alexi podía morir.

¡Echaba tanto en falta a su niña! Alexi la había amenazado con internarla en un sanatorio si intentaba contactar con Fleur. Un sanatorio para alcohólicos crónicos, por mucho que ella llevara casi dos años sin probar ni gota de alcohol. Aunque Alexi nunca salía ya de la casa, ella apenas lo veía. Dirigía sus negocios desde unas habitaciones del primer piso y trabajaba a través de una serie de sombríos asistentes que vestían trajes oscuros. Si se los cruzaba por los pasillos raramente le dirigían palabra. Los días y las noches se juntaban en una amalgama, se extendían por delante y por detrás en una línea sin fin, cada uno exactamente igual al anterior. Así, ya no tenía ninguna razón para continuar viviendo, salvo la esperanza de que Alexi muriera.

En los viejos tiempos, cuando entraba en un baile o en un restaurante del brazo de Alexi, se convertía en la mujer más importante de la sala. La gente la buscaba para halagarla. Le decían lo guapa y divertida que era. Sin Alexi, las invitaciones habían cesado.

Recordaba su época en California como madre de la Niña Brillante. Se había cargado de energía hasta irradiar luz propia. Todo lo que tocaba se convertía en especial. Había sido la mejor época, con diferencia.

La canción llegó a su fin. Se levantó de la cama y apretó el botón del rebobinado para que volviera a sonar. La música impidió que oyera que se abría la puerta, y no supo que Alexi había entrado hasta que se volvió.

Había pasado casi un mes desde que la había visitado por última vez. Belinda esperaba llevar el cabello bien peinado y que no se le notara el llanto en los ojos enrojecidos. Se toqueteó nerviosamente la parte delantera del vestido.

—Estoy... estoy hecha un guiñapo.

—Pero siempre bella —replicó él—. Arréglate para mí, *chérie*. Esperaré.

Por este motivo era tan peligroso. No por sus terribles crueldades, sino por su terrible ternura. Ambas cosas eran intencionadas y, a su manera, también enteramente sinceras.

Mientras él se acomodaba en el asiento más confortable de la habitación, ella recogió lo que necesitaba y fue al baño. Cuando salió, lo encontró tendido en la cama y con todas las luces apagadas, excepto una al otro extremo de la estancia. En esa penumbra se disimulaba la palidez malsana de Alexi, así como la red de finas líneas que se reunían en las comisuras de los ojos de Belinda.

Llevaba un camisón blanco muy sencillo. Las uñas de los pies estaban limpias de esmalte y se había frotado la cara a conciencia para borrar todo rastro de maquillaje. También se había recogido el pelo con una cinta.

Se tendió de espaldas en la cama sin decir palabra. Él le subió el camisón hasta la cintura. Ella mantuvo las piernas bien juntas mientras él la acariciaba y lentamente le quitaba las bragas. Cuando le empujó las rodillas ella gimió como si estuviera asustada, y él la recompensó con una de las profundas caricias que tanto gustaban a Belinda. Ella intentó volver a juntar las piernas para complacerlo, pero él había empezado a besar el interior de sus muslos, de modo que cerró los ojos. Era el pacto tácito al que habían llegado. Ahora que las amantes adolescentes lo habían dejado, ella interpretaba el papel de novia fría y asustadiza y él le permitía que cerrara los ojos: así podía recordar a Flynn y soñar con James Dean.

Lo habitual era que se marchara en cuanto había acabado, pero esta vez se quedó quieto. El brillo del sudor era perceptible sobre la piel fláccida del pecho de Alexi.

—¿Estás bien? —preguntó Belinda.

—¿Podrías pasarme el batín, *chérie*? Tengo unas pastillas en el bolsillo.

Ella hizo lo que le pedía y miró hacia otro lado mientras él sacaba el frasco de pastillas. En lugar de hacerlo más débil, la enfermedad había reforzado su poder. El bastión que había instalado en el primer piso y el ejército de ayudantes vigilantes que cumplían sus órdenes lo habían hecho invulnerable.

Belinda fue a ducharse. Cuando salió él seguía allí, sentado y con una copa en la mano.

—Te he pedido un whisky. —Con su copa apuntó hacia un vaso en una bandeja de plata.

¡Qué típicamente suyo! La crueldad después de la ternura, en una urdimbre de contradicciones que habían dirigido su vida durante más de veinticinco años.

—Sabes muy bien que ya no bebo.

—¡Pero bueno, *chérie*, a mí no tienes por qué mentirme! ¿Crees que no sé nada de las botellas vacías que tu criada encuentra escondidas en el fondo de las papeleras?

No existían tales botellas. Esa era su manera de amenazarla para asegurarse de que hiciera lo que le ordenaba. Recordaba las fotografías del sanatorio que le había mostrado, un grupo de horribles edificios grises en lo más remoto de los Alpes suizos.

—¿Qué quieres de mí, Alexi?

—Eres una estúpida. Una estúpida irremediable. No puedo entender qué pudo llevarme a quererte alguna vez. —Algo le palpitaba cerca de la sien—. Te voy a enviar lejos —dijo abruptamente.

Belinda sintió un escalofrío. Aquellos horribles edificios grises se sustentaban como grandes piedras frías en la nieve. Pensó en las pastillas que tenía escondidas en su viejo joyero.

«Todos los rebeldes han muerto ya.»

Él cruzó las piernas y tomó un sorbo de su bebida.

—Me basta con mirarte para deprimirme. Ya no quiero tenerte cerca.

La muerte con las pastillas vendría sin dolor. No sería como el agua salada que se había cerrado sobre la cabeza de Natalie, ni como el terrible dolor que Jimmy había sentido al morir. Ella simplemente se iría a la cama y se sumiría en el sueño eterno.

Los penetrantes ojos eslavos de Alexi Savagar atravesaron su piel como puñales.

—Voy a enviarte a Nueva York —dijo—. Lo que hagas una vez estés allí ya no me concierne.

La niña resucitada

21

El vestido de raso bronceado abrazaba su cuerpo con su cuello alto, brazos desnudos y falda al bies. Fleur quería peinarse con una raya en medio y hacerse un moño bajo, a la española, como una bailaora, pero Michel se lo desaconsejó.

—La gran melena rubia veteada es la marca de la casa de la Niña Brillante. Y eso es lo que hoy tienes que llevar.

Fleur acababa de mudarse a sus nuevas instalaciones, pero Michel le había dicho que para vestirse fuera al apartamento, donde Kissy podría supervisarla. Su amiga se asomó por la puerta de la habitación.

—La limusina espera fuera.

—Deseadme suerte —dijo Fleur.

—No vayas tan deprisa —le dijo Kissy, obligándola a volverse hacia el espejo—. Mírate.

—Venga, Kissy, que no tengo tiempo...

—Déjate de tonterías y mírate en el espejo.

Fleur lo hizo. El vestido era exquisito. En lugar de disimular su estatura, el diseño de Michel la acentuaba. El corte en diagonal de la falda se iniciaba a medio muslo y cruzaba todo el cuerpo, con lo que ofrecía atisbos hechizantes de largas piernas a través de los volantes de *point d'esprit* negro que cubrían el espacio.

Alzó la mirada. A unas semanas de su veintiséis cumpleaños,

en su rostro se percibía la madurez. Catalogó sus partes, una a una (los ojos verdes y muy separados, las cejas remarcadas con lápiz, la boca que se extendía) y luego, por un instante, todo se unió: su rostro por fin pareció pertenecerle.

Una vez pasado ese momento, la impresión se desvaneció y se volvió para marcharse.

—Es solo una muestra de lo que un fabuloso vestido y un buen maquillaje pueden conseguir.

Kissy pareció disgustada.

—Jo, no tienes arreglo. Nunca te ves a ti misma.

—No seas tonta.

Recogió el bolso y corrió escaleras abajo, hacia la limusina. Justo antes de subir miró arriba, hacia la ventana, y vio que Michel y Kissy se habían asomado para verla. Les ofreció la mueca más descarada del repertorio. La Niña Brillante estaba de vuelta.

Pero no contaba con Belinda.

Adelaide Abrams soltó el brazo de Fleur y señaló con la cabeza la entrada de la Orlani Gallery, donde Belinda seguía envuelta en la piel de marta, tan frágil y bonita como una mariposa. Fleur luchaba por dominar el torbellino de emociones que la embargaba. Respiró profundamente una, dos veces, viendo que Belinda se acercaba. Fleur, que no había visto a su madre en seis años, sentía como si estuviera rompiéndose en añicos.

Belinda extendió una mano y presionó la otra contra el cuerpo de su vestido, como si estuviera tocando algo escondido allí.

—La gente está mirando, cariño. Por las apariencias, al menos.

—Ya no actúo de cara a la galería.

Fleur dio media vuelta y se apartó del perfume Shalimar, de la vista de las líneas delicadamente marcadas, como nervaduras de una hoja de otoño, en las comisuras de los ojos azules de su madre.

Mientras avanzaba por la galería, sonreía automáticamente e intercambiaba unas palabras aquí y allá con gente que reconocía. La reportera de *Harper's* incluso le hizo una pequeña entrevista. Pero durante todo el rato se estuvo preguntando por qué tenía que pasar precisamente esa noche. ¿Cómo habría podido saber Belinda que la Niña Brillante iba a reaparecer?

Se suponía que Kissy y Michel iban a llegar pronto. Su aparición era el objetivo de todo aquel montaje, pero la impensable presencia de Belinda lo embrollaba todo.

—¿Fleur Savagar? —Un joven vestido de negro se detuvo ante ella para entregarle una larga caja de florista—. Un envío para usted.

Adelaide Abrams apareció a su lado como por arte de magia.

—¿Un admirador?

—No lo sé. —Fleur abrió la caja y dejó a un lado el papel protector. Contenía una docena de rosas blancas de tallo largo. Levantó la cabeza y miró al otro extremo de la galería. Sus ojos se encontraron con los de Belinda y con parsimonia empezó a sacar una rosa de la caja.

Belinda arrugó la frente y sus hombros cayeron. Miraba la rosa blanca. Luego se volvió hacia la puerta y salió de la galería.

Adelaide escudriñó el interior de la caja.

—Viene sin tarjeta.

—Sé quién las envía —dijo Fleur sin dejar de mirar la entrada vacía.

—Sus iniciales no serán J. A., ¿verdad? —preguntó Adelaide.

Fleur le dedicó una sonrisa radiante.

—Los admiradores secretos están hechos para ser secretos. Sobre todo los que se toman muy en serio proteger su vida privada.

Adelaide la miró con una mueca de picardía.

—Eres una buena chica, Fleur, a pesar de tus lapsus ocasionales.

Cuando Adelaide desapareció, Fleur volvió a meter la rosa en la caja. El empalagoso olor le anegaba la nariz y se le pegaba en la garganta. Fleur había estado esperando algo así desde la llamada de Alexi. Así le hacía saber que no había olvidado nada.

Volvió a colocar la tapa y dejó la caja sobre un asiento. Hubiera deseado echarla al cubo de basura más cercano, pero no podía permitírselo con Adelaide Abrams rondando por allí. Que pensara que se las enviaba Jake. Ya era mayorcito y podía cuidar de sí mismo. A Fleur, por otra parte, también le convenía aquella publicidad, y no tendría ningún escrúpulo en utilizarlo del mismo modo que él la había utilizado.

Vio a Michel y Kissy esperando en la entrada. Su hermano llevaba un esmoquin blanco con una camiseta de nailon negra. Había vestido a Kissy con una versión rosa y plata de un vestido de fiesta de fin de curso, perfectamente proporcionado para su talla. Ella iba de su brazo, con aire femenino, indefenso, y con los labios ligeramente fruncidos, como en una versión de Betty Bop.

Fleur se fue abriendo paso entre la multitud y permitió que los presentes vieran adónde se dirigía. Cuando llegó a la entrada, besó a los dos y le susurró a Michel que Belinda acababa de irse. Él la miró, intrigado. Ella enarcó las cejas.

La entrada de Kissy y Michel, combinada con el recibimiento que Fleur les dispensó, había atraído la atención, tal como ella quería. Los de *Women's Wear Daily* fueron los primeros en entrevistarlos y Fleur se encargó de hacer las presentaciones. Tanto Michel como Kissy actuaron muy bien, con aburrimiento y sofisticación por parte de él y con frivolidad y exuberancia rosa y plata por parte de ella. Cuando hubieron acabado con *WWD*, *Harper's* y también con Adelaide Abrams, los tres se desplazaron a lo largo de la galería y fueron charlando con cuantas personas se encontraban. Fleur presentaba a su hermano como Michel Savagar en lugar de Michael Anton. Tras la decisión de trabajar juntos él había decidido dejar de ocultarse bajo un nombre que no era el suyo. Michel permaneció en su papel de tipo distante y misterioso, mientras que Kissy hablaba como una cotorra y Fleur dirigía las conversaciones según convenía.

—¿No te parece que mi hermano es el diseñador más fantástico...? Mi hermano es el diseñador del vestido. Me alegro de que te guste. Mi hermano tiene un talento increíble. Estoy intentando que comparta ese don, pero es tan tozudo...

Respondía a las preguntas sobre la identidad de Kissy con una sonrisa.

—Es escandalosa. Es adorable. ¿No te parece? El vestido que lleva también es de Michel.

Cuando preguntaron en qué trabajaba Kissy, Fleur hizo revolotear la mano y dijo:

—Trabaja como actriz de vez en cuando, pero es más una afición que otra cosa.

Las miradas de envidia de las mujeres oscilaban entre el increíble raso bronceado de Fleur y la recreación del vestido de baile de fin de curso de Kissy.

—¡Mi hermano tiene a tantas mujeres rogándole que les confeccione la ropa...! —suspiró—. Pero ahora mismo solo trabaja para Kissy y para mí. En confianza, os diré que estoy intentando que esto cambie.

Varias personas hicieron comentarios sobre el aspecto de Belinda. Fleur contestó con tanta brevedad como le fue posible y luego cambió de tema. Le hablaba a todo el mundo de su nueva agencia: Fleur Savagar y Asociados, gestión de famosos. Les entregaba invitaciones para la apertura de la sede, que según calculaba iba a producirse en las próximas semanas. Un célebre y atractivo cardiólogo la invitó a cenar al día siguiente. Ella aceptó. Él era encantador y ella necesitaba una ocasión para enseñar el vestido recto entallado de seda azul que había diseñado Michel.

Cuando por fin subieron a la limusina tras la fiesta, Fleur tenía un agudo dolor de cabeza y Michel le tomó la mano.

—Estás agotada. No tienes por qué implicarte tanto, ¿sabes?

—Pues sí tengo. Esta publicidad no habríamos podido obtenerla ni pagando. Por otro lado, ya es hora de que me las apañe para convivir con quien soy, y eso incluye a la Niña Brillante.

Pensó en las rosas que había dejado en la galería, y de pronto entendió su mensaje tan bien como si Alexi le hubiera enviado una carta. Él había mantenido a Belinda fuera de la vida de Fleur durante todos esos años. Ahora se la reenviaba.

Una semana después empezaron las llamadas. Normalmente se iniciaban alrededor de las dos de la madrugada. Cuando Fleur contestaba, oía música de fondo a bajo volumen: Barbra Streisand, Neil Diamond, Simon and Garfunkel... Pero la persona que llamaba se mantenía en silencio. Fleur no tenía pruebas de que aquellas llamadas fueran de Belinda. No le llegaba por arte de magia a través de la línea ningún aroma a Shalimar. Aun así, tenía esa certeza.

Colgaba sin decir palabra, pero esas llamadas empezaban a afectarla, y esperaba que Belinda apareciera en cualquier momento.

Fleur hizo que Michel cerrara su tienda y contrató a los que habían diseñado la tienda Kamali para que reconvirtieran el espacio con mejores áreas de exposición, una fachada más elegante y el nombre de Michel Savagar sobre la entrada, en grandes letras rojas sobre un fondo violeta intenso.

Ella y Kissy se convirtieron enseguida en parte integral de la escena social de Nueva York. Allá donde fueran, lucían los bonitos diseños de Michel. Comían en Orsini's y luego se dejaban ver en David Webb para elegir alguna baratija de dieciocho kilates que una de ellas devolvía luego porque «no me convence del todo». Se paraban en Helene Arpels para comprar unos nuevos zapatos de tacón y luego iban a bailar al Club A o a Regine's. Tanto cuando iban a comer como de compras o a bailar, siempre lucían vestidos de seda que flotaban como espuma de mar alrededor de sus caderas, un trazo evanescente de punto azul con costura lateral, un vestido de noche que resplandecía con sus lentejuelas rojas. En cuestión de días, todas las personas con inquietudes en el mundo de la moda neoyorquina empezaron a preguntar por los vestidos de Michel Savagar. Tal como había esperado Fleur, todavía los anhelaron más cuando supieron que no se ofrecían al público en general.

Fleur y Kissy alimentaban los rumores sobre Michel.

—Lo paradójico es que mi abuela lo arruinó con todo ese dinero que le dejó —le había explicado Fleur a Adelaide Abrams en un banquete en Chez Pascal en el que también lució un vestido de seda con estampado de nenúfares—. Normalmente, las personas que no tienen que ganarse la vida se convierten en perezosas.

Al día siguiente se sinceraba con la chismosa esposa del dueño de unos almacenes:

—A Michel le da miedo que el comercio ahogue su creatividad. Pero sí que está trabajando, sí. Y yo también tengo planes... ¡Oh, hablo demasiado, no me hagas caso!

Kissy era menos sutil:

—Estoy segura de que está organizando una colección en secreto —le decía a todo el mundo. Y luego fruncía los labios y se toqueteaba la falda del modelo que llevara ese día—. No sé por qué no confía en mí para decírmelo. Su mejor amiga es su hermana, claro, pero yo voy luego y puedo guardar un secreto tan bien como cualquiera.

Mientras Fleur y Kissy corrían la voz sobre el idealismo de Michel y la indiferencia hacia el éxito comercial, él trabajaba dieciocho horas al día para controlar cada detalle de una colección que financiaba con el dinero que le quedaba de Solange Savagar.

Fleur sobrevivía a base de cuatro horas de sueño diarias. Cada minuto que no invertía en hacer de mujer anuncio para su hermano estaba en la oficina entrevistando a candidatos a formar parte de su equipo, o preparaba la fiesta de inauguración, o controlaba a los trabajadores. Diversos actores la solicitaron para que los representara, pero ninguno reunía las cualidades especiales que ella buscaba.

Los trabajos de renovación del edificio habían ido de maravilla, a pesar de los retos que había representado la estructura. Sus oficinas ocupaban la parte frontal de la casa, más grande, y la vivienda la parte posterior, más pequeña. Decoró los espacios de oficina en blanco y negro, con detalles grises y azules. Su despacho privado y el área de recepción se acondicionaron en la parte delantera de la planta baja, mientras que otros despachos se instalaron alrededor de un balcón del piso superior. Añadió barandillas tubulares de barco y columnas negras *art déco* con collares de cromo para bordear el balcón, junto con una escalinata abierta y curvada por la que parecía que Fred Astaire y Ginger Rogers bajarían bailando en cualquier momento.

Las dos primeras personas contratadas fueron Will O'Keefe, un alegre pelirrojo de Dakota del Norte que era un publicista experimentado y agente de talentos, y David Bennis, de pelo gris y aspecto profesoral, que iba a hacerse cargo de la dirección de negocios y financiera, así como de darle a la agencia un aire de estabilidad. También contrató a una madre soltera llamada Riata Lawrence como directora de oficina. Por ahora no disponía de suficientes clientes como para mantenerlos ocupados a todos, pero eran parte de la fachada de éxito que tenía que crearse, junto con sus oficinas bellamente decoradas y su guardarropa de alta costura.

Una semana antes de la fiesta de inauguración, Will entró en el despacho de Fleur pasando por encima de la última tela descartada. Como no abrían oficialmente hasta después de la inauguración, ella llevaba unos tejanos y una camiseta naranja de Mickey Mouse en lugar de la ropa para ejecutiva que le había diseñado Michel.

—Volvéis a salir en la columna de Abrams —dijo Will—. Aunque en esta ocasión no te concierna tan directamente.

Fleur tomó el periódico y leyó.

Belinda Savagar pasó la tarde de ayer en la tienda de hombres de Yves Saint Laurent ayudando a su enamorado de treinta años Shawn Howell a escoger nuevos juegos de cama de raso de YSL. ¿Qué pensará de todo esto su marido y magnate industrial francés, Alexi Savagar?

Fleur no había visto a Belinda desde la velada en la Orlani Gallery, dos semanas antes, pero seguía recibiendo las llamadas de madrugada.

Al día siguiente, Will llevó el diario con la columna de Adelaide:

Shawn Howell se arrimaba a Belinda Savagar en la Elm Room de Tavern on the Green. ¿Quién dice que los romances de mayo y diciembre no funcionan? A Shawn y Belinda les va la mar de bien. Sin comentarios por parte de la Niña Brillante, Fleur Savagar. Y eso que ella y Shawn fueron pareja en su momento.

Bueno, pareja, lo que se decía pareja... Fleur había detestado a Shawn Howell desde la primera cita que les habían organizado.

Adelaide proseguía:

Los viejos enfrentamientos nunca mueren. Mamá y la Chica Brillante quizá se reconcilien por Navidad. Paz en la Tierra, chicas.

Fleur tiró el diario a la papelera.

Acababa de colgar el teléfono después de hablar con un actor al que no quería representar, cuando Will O'Keefe asomó la cabeza por la puerta de su despacho. Se notaba que su cara pecosa había palidecido.

—Tenemos un problema gordo. Ayer me llamó Olivia Creighton para reñirme por no haber recibido la invitación para la inauguración. Le envié otra y me olvidé del asunto hasta hace una hora, cuando llamó Adelaide Abrams con la misma queja. Fleur, lo he comprobado: nadie ha recibido nuestra invitación.

—Pero ¡eso es imposible! ¡Si las enviamos hace siglos!

—Eso mismo pensaba yo. —Su expresión se hizo más grave—. Acabo de hablar con Riata. Ella tenía las invitaciones encima de la mesa, en una caja. El día que iba a enviarlas, al volver de la comida se encontró con que no estaban, de manera que pensó que las había enviado yo. Por desgracia, no se preocupó de comprobarlo.

Fleur se hundió en el sillón nuevo de su despacho e intentó pensar.

—¿Quieres que llame a todo el mundo? —preguntó él—. ¿Quieres que explique lo que ha pasado y que les invite por teléfono? ¿O será mejor cambiar la fecha? Solo nos quedan cuatro días.

Fleur tomó una decisión.

—Nada de llamadas y nada de excusas. Que esta tarde se entreguen en mano nuevas invitaciones con flores de Ronaldo Maia. —Eso iba a costar una fortuna, pero intentar explicar lo ocurrido les haría quedar como unos incompetentes—. Lo que más me tranquilizará será que vuelvas a comprobar el resto de preparativos. Asegúrate de que no tenemos más sorpresas.

Will volvió al cabo de diez minutos. Nada más verlo, Fleur supo que no traía buenas noticias.

—Alguien canceló el servicio de catering la semana pasada. Y ya están ocupados con otra celebración el mismo día que la nuestra.

—¡Vaya, fantástico! —susurró Fleur. Se frotó los ojos y pasó el resto de la tarde buscando un nuevo servicio de catering.

Durante los días siguientes trabajó hasta caer exhausta, siempre pendiente de evitar nuevos desastres. No ocurrió nada fuera de lo normal, pero no podía relajarse. Pocas horas antes de la inauguración, por la tarde, tenía los nervios a flor de pie. Salió para una reunión rápida con un nuevo agente de reparto. Cuando volvió, un tiznado Will la recibió en la entrada.

—Hemos tenido un incendio.

Fleur se quedó patidifusa, pero al punto reaccionó.

—¿Hay alguien herido? ¿Ha sido muy grave?

—Podría haberlo sido. David y yo estábamos en la entrada cuando olimos el humo que venía del sótano. Apagamos las llamas con un extintor antes de que se extendieran.

—¿Y tú estás bien? ¿Dónde está David?

—Los dos estamos bien. Está limpiando.

—¡Gracias a Dios! ¿Cómo empezó? ¿Qué ha pasado?

Él se pasó el dorso de la mano por la mejilla ennegrecida.

—Lo mejor será que lo veas por ti misma.

Lo siguió hacia el sótano y se estremeció al pensar lo que habría podido ocurrir si el fuego se hubiese producido esa noche, con el local rebosante de invitados. Él le señaló la ventana rota, justo encima de unas maderas carbonizadas que los de las obras habrían olvidado quitar. Fleur se acercó a los escombros y empujó los cristales rotos con el pie.

—Lo han roto desde fuera.

—Yo he pasado por aquí esta mañana —dijo Will—, y no había ningún material combustible. Ni botes de pintura, ni disolvente, nada. Supongo que unos gamberros rompieron la ventana y tiraron algo dentro.

Pero no eran ni las cinco de la tarde, una hora en que los gamberros no solían prodigarse.

—Tenemos que ventilar esto —decidió ella—. Yo me encargo de la parte de arriba.

En una hora, se deshicieron de las maderas carbonizadas y habían perfumado todo el local con Opium para camuflar lo que quedaba del acre olor. Cuando Will se disponía a irse para vestirse, Fleur lo detuvo.

—De verdad os agradezco a ti y a David vuestro arrojo. Somos muy afortunados de que nadie haya resultado herido.

—Ya. —Se volvió para marcharse—. ¡Ah, me olvidaba! Han llegado flores mientras estabas fuera. Riata las ha puesto en agua. No llevaban tarjeta.

Fleur fue a su despacho. Las flores estaban en un jarrón cromado y alto, sobre su mesa.

Una docena de rosas blancas.

22

Fleur se detuvo a medio camino de la escalera de caracol y sonrió a sus invitados. Habían acudido diversos ejecutivos de la industria del espectáculo y de los medios de comunicación, junto con suficientes caras famosas como para mantener ocupados a los reporteros y fotógrafos a los que Will había invitado. Michel se había superado con el vestido de tubo de manga larga que le había diseñado. La parte superior relumbraba con amapolas que resaltaban sobre sus pequeños tallos marrones. Obedeciendo las órdenes de Michel, se había peinado con un moño bajo que había asegurado con un palillo enjoyado. La Niña Brillante era una personificación de su nombre.

El cuarteto de jazz que tocaba en el balcón acabó un tema y la gente fue volviéndose hacia la escalinata. Fleur, recurriendo a su bagaje como actriz y modelo, dio la impresión de que hacía ese tipo de presentaciones continuamente.

—Os doy la bienvenida a la apertura oficial de Fleur Savagar y Asociados, *management* de celebridades.

Los invitados aplaudieron con educación, pero a ella le pareció distinguir escepticismo en varios rostros. Presentó a Will y David, y luego habló con entusiasmo del grupo de Simon y del nuevo papel de Olivia Creighton en Dragon's Bay. Finalmente indicó a Michel que se le uniera en la escalinata.

—Me da mucha pena anunciar que mi talentoso hermano, Michel Savagar, a partir de noviembre compartirá sus increíbles diseños con el mundo, cuando exhiba su primera colección. —Había captado la atención de las mujeres y esta vez el aplauso fue más caluroso. A continuación fingió estar enfadada con él—. Por desgracia, esto significa que dejaré de ser su principal clienta.

—Tú siempre serás para mí la principal —dijo él, con más acento del habitual.

Eso debería haber hecho reír a Fleur, pero había sido ella quien le había sugerido que exagerara sus raíces francesas.

Los reporteros no paraban de tomar notas cuando ella anunciaba los detalles del pase. Dio las gracias a los invitados por asistir y el cuarteto de jazz volvió a tocar. Una nube de personas rodeó a Michel para felicitarlo. Fleur cogió una copa de champán y vio que se acercaba Kissy.

—Muy bien, Fleurinda. Has presentado a todos tus clientes. A todos, menos a mí.

—Para ti tengo otros planes, cariño. Ya lo sabes.

Kissy apartó la mirada de un atractivo productor musical.

—Olivia Creighton no quiere hablar de nada que no sea su nueva participación en *Dragon's Bay*. Son solo seis episodios, y ni siquiera tiene un papel protagonista.

—Estoy segura de que en cuanto acabe le darán uno. —Fleur tomó un sorbo de champán—. Las series nocturnas van muy bien y ella es perfecta para la televisión. Creo que puede ser tan grande como Joan Collins.

A Fleur le había llevado casi un mes convencer a los productores de *Dragon's Bay* de que le facilitaran una audición y luego le llevó unos cuantos días convencer a Olivia de que forzarla a hacer una era rebajarse menos que hacer anuncios de condominios. Pero tan pronto como los productores vieron su prueba, le ofrecieron el papel. El dinero no era nada del otro mundo, pero Fleur esperaba mejorarlo en una próxima ocasión. La belleza madura y sensual de Olivia, así como su confianza, tenían mucho atractivo para las mujeres de mediana edad. Fleur tenía la esperanza de que eso se tradujera en audiencias más altas para la serie.

El atractivo productor musical había desaparecido, con lo que Kissy pudo prestar por fin toda su atención a Fleur.

—Esta noche tienes un aspecto increíble. Tal vez un poco intimidante.

—¿De verdad? ¿A qué te refieres?

—Eres un poco como «la otra mujer» de las películas. La diosa-pendón, rubia y sofisticada, que quiere robarle el héroe a la heroína de mejillas sonrosadas.

—Fantástico. Una diosa-pendón que no tiene que preocuparse por las pequeñas cosas de la vida. Ni por las pequeñas ni por las grandes... como eso de que Alexi Savagar quiera destruirla.

Había contado tanto a Kissy como a Michel el episodio del fuego, pero sin mencionar la implicación de Alexi. Desde el momento en que Belinda había entrado en la Orlani Gallery, Alexi había estado jugando al gato y el ratón. Las invitaciones perdidas habían sido un mal asunto, pero nimio comparado con lo que había ocurrido por la tarde.

Kissy le dio un codazo.

—¿Has visto a Michel y Simon?

—Sí, es decepcionante.

Por su gran envergadura y su cabeza afeitada, Simon era el hombre que más llamaba la atención entre los asistentes. Eso era evidente para todo el mundo, excepto para Michel.

—Los dos tienen tan pésimo gusto en lo que se refiere a los hombres... —dijo Kissy—. Supongo que no debería sorprendernos que no se hayan prestado atención mutuamente.

—Ese imbécil de Damon no se va a apartar del lado de Michel.

Kissy frunció el ceño.

—Michel y Simon son dos tipos alucinantes. La tentación de jugar a las parejas es casi irresistible.

Fleur vio que en aquel momento Damon decía algo que hacía reír a su hermano.

—Sí, pero nosotras no tenemos que meternos en eso.

—Tienes razón.

—Michel no se mete en mi vida privada. Yo le debo la misma cortesía.

—Eres una buena hermana.

—Así que... ¿y si organizamos una pequeña fiesta-comida para dentro de unas semanas?

—Es exactamente lo que yo estaba pensando.

Con este asunto fijado en la agenda, Kissy escudriñó la asistencia.

—¿No me dijiste que habías invitado a Charlie Kincannon?

La pregunta parecía casual, pero a Fleur no se la engañaba tan fácilmente.

—Ajá.

—¿Y te dio la impresión de que vendría?

—No estoy segura. ¿No has hablado con él?

—Pues desde hace un par de semanas, no.

—¿Problemas?

—No sé —dijo Kissy, encogiéndose de hombros—. Me da que igual es gay o algo así.

—Por mucho que un hombre fabuloso te ignore, eso no lo convierte en gay.

—No veo qué tiene de fabuloso.

—Pues a Christie Brinkley sí que se lo parece. He oído que están saliendo.

Mentir a su mejor amiga era algo muy feo, pero como Kissy no quería tomar en serio a Charlie, Fleur había decidido que el fin justificaba los medios.

—¡Christie Brinkley! Pero ¡si le saca más de un palmo!

—Charlie tiene mucha confianza en sí mismo tras esa fachada de fabulosamente rico y estrambótico. No creo que le importen las apariencias.

—Pues no me importa en absoluto —dijo Kissy con desdén—. Además, esa Christie nunca me ha parecido tan atractiva.

—Claro. ¿Qué tienen de atractivo unos rasgos perfectos y un cuerpo magnífico?

—En el fondo crees que me merezco lo que tengo, ¿verdad?

—¡Y tanto que sí!

—No irás a creerte que me he enamorado de él, ¿verdad? ¡Borra esa expresión tan resabiada! Charlie no se interesa por mí de esa manera. Solo somos amigos.

Iba a sugerirle a Kissy que se dejara de tonterías cuando Will se acercó para llevarla ante un periodista. Cuando acabó de posar para los fotógrafos se encontró con Shawn Howell, quien con toda seguridad no figuraba en su lista de invitados. Su cara de ídolo de quinceañeras no era tan atractiva a los treinta como lo había sido a los veintidós, cuando Fleur había tenido que sufrirlo en los encuentros que Belinda les organizaba. Desde entonces la carrera de Shawn había languidecido. Se decía que debía un cuarto de millón de dólares a Hacienda.

—Hola, preciosidad. —Se olvidó de la mejilla para besarla directamente en la boca. Le empujó el labio inferior con la lengua—. No te importa que vengan un par de intrusos a tu fiesta, ¿verdad?

Una luz estroboscópica destelló junto a ellos.

—Pues por lo visto no.

—Oye, que es por asuntos profesionales, ¿eh? —Hizo una mueca y le pasó la mano por la espalda, como un colegial en busca del cierre del sostén—. Me han dicho que estás buscando clientela y yo necesito un nuevo agente, así que tal vez te ponga a prueba.

—No creo que formemos un buen equipo. —Y ya iba a apartarse de él cuando una intuición hizo que se detuviera—. ¿A qué te referías con «un par de intrusos»?

—Belinda te está esperando en tu despacho. Me ha pedido que te lo dijera.

Por un momento, Fleur estuvo tentada de escapar corriendo de su propia fiesta, pero ya no quería huir más, y menos cuando no existía escapatoria.

Belinda se encontraba en pie, de espaldas a la puerta, contemplando una litografía de Louise Nevelson que Fleur había comprado con los beneficios de una operación de bolsa. Fleur, al ver la línea recta de la espina dorsal de su madre, sintió la punzada de un deseo. Recordó cómo se lanzaba a los brazos de Belinda cuando esta aparecía a las puertas del *couvent*, cómo hundía la cara en el recodo del cuello. Belinda había sido su única defensora ante las monjas, y le había dicho y repetido hasta la saciedad que era la niña más bonita del mundo.

—Lo siento, mi niña —le dijo Belinda sin dejar de mirar la litografía—. Ya sé que no me quieres aquí.

Fleur fue a sentarse a la mesa de su despacho. Quería valerse de su autoridad para protegerse de la marea de emociones dolorosas que le daban ganas de correr al otro extremo de la estancia y abrazar fuerte a la persona que solía importarle más que ninguna.

—¿Por qué has venido?

Belinda se volvió. Llevaba un vestido azul marino con volantes y zapatos de raso franceses con lazos azul pálido atados alrededor de los tobillos. Era una ropa demasiado juvenil para una mujer de cuarenta y cinco años, pero a ella le quedaba perfecta.

—He intentado mantenerme al margen desde que vi aquellas rosas blancas en la Orlani... pero no he podido aguantar más.

—¿Qué significaron para ti esas rosas?

Belinda abrió el cierre adornado con gemas de su bolso de noche y rebuscó un cigarrillo.

—No tenías que haber destruido el Royal. —Sacó un encendedor dorado y lo manipuló con dedos inseguros—. Alexi te odia.

—No me... importa. —La voz se le entrecortó y se maldijo por eso—. Alexi no significa nada para mí.

—Quería decírtelo —susurró Belinda—. No sabes cuántas veces quise hablarte de tu verdadero padre. —Con una expresión de añoranza, miró al otro lado del despacho—. Vivimos juntos durante tres meses en el Garden of Allah. Errol Flynn era una gran estrella, Fleur. Un inmortal. ¡Y tú te pareces tanto a él!

Fleur puso la mano sobre la mesa.

—¿Cómo pudiste mentirme? ¡Todos esos años! ¿Por qué no podías decirme la verdad en lugar de dejar que me torturara pensando que mi padre me había apartado de su lado?

—Porque no quería herirte, mi niña.

—Tus mentiras son más dañinas que la verdad. Durante todo ese tiempo me culpabilicé de que Alexi no me quisiera en la familia.

—Pero mi niña, si te hubiera dicho la verdad me habrías odiado.

Su madre tenía un aspecto frágil e indefenso. Fleur no sabía si soportaría seguir escuchándola.

Intentó controlarse.

—¿Por qué te ha enviado aquí Alexi? Sé que lo ha hecho.

Belinda soltó una risita nerviosa.

—Pues porque cree que no soy buena para ti. Qué tontería, ¿verdad? Cuando vi las rosas en la galería esa noche entendí que quería que fuera hacia ti. Y por ese motivo me he mantenido apartada.

—Hasta hoy.

—No he podido aguantar más. Tengo que saber si podemos empezar de nuevo. ¡Te he extrañado tanto, mi niña!

Fleur se quedó rígida y la miró. Poco a poco su madre se encogió.

—Ahora me iré. Ten cuidado con Alexi. —Caminó hasta la puerta—. Y recuerda que nunca quise hacerte daño. Te quiero demasiado para eso.

Ni siquiera después de todo ese tiempo Belinda entendía que lo que había hecho estaba mal. Fleur se agarró al borde de la mesa y dijo:

—Me prostituiste.

Belinda pareció confundida.

—El hombre era Jake Koranda, mi niña. Nunca te habría ofrecido a ningún otro.

Por un momento vaciló y finalmente se fue.

Para cuando el último invitado se hubo marchado, Fleur estaba exhausta, pero la fiesta de inauguración había sido un éxito, de manera que el titánico esfuerzo había valido la pena. Desde el vestíbulo pasó a la parte trasera del edificio, donde había acondicionado la vivienda. Olió el eucalipto que había puesto en cestos de mimbre, el único elemento decorativo que podía permitirse en esos momentos, dado el estado de sus finanzas. Entró en el salón, encendió las luces y se dejó caer en el sofá de segunda mano. Un chal de cachemira intentaba disimular el estado de decrepitud del mueble. La apacible estancia empezó a suavizar la tensión acumulada en su cuerpo.

La extensión de altas ventanas de armadura metálica que cerraba la vivienda provenía de una antigua hilatura de Nueva Inglaterra. A través de ellas distinguía el pequeño y hundido jardín con su encaje de ramas de árboles. La *Pyracantha* con sus bayas naranja trepaba por la pared de ladrillo. Algún día esa habitación casi vacía sería un auténtico refugio. Imaginaba una cálida combinación de mobiliario de nogal, alfombras mullidas y mesas de anticuario adornadas con flores.

La sala de estar en el primer piso era una estancia abierta limitada por una barandilla. Fleur subió descalza. Miró hacia abajo, hacia la cocina y la zona de comedor. En el suelo desgastado por los años, la mesa de cerezo que Michel le había ofrecido como regalo de inauguración de la casa. Ahora estaba rodeada de sillas de lo más heterogéneo, pero algún día tendría viejas sillas de madera y gruesas alfombras hechas a mano.

Apagó las luces de la sala y se dirigió hacia el dormitorio. Por el camino se abrió la cremallera del vestido y se despojó de él. Con el sujetador y los pantis caminó por el suelo desnudo de su cuarto, hasta el vestidor. El ajuar de alta costura más bonito de Nueva York se encontraba almacenado en un dormitorio donde solo había una cómoda de segunda mano, una butaca que crujía y una cama de matrimonio sin cabecera. Encendió la luz del vestidor y colgó el vestido. Contemplando las bonitas prendas que Michel le había confeccionado, se quitó los pasadores del pelo. Sacudió la cabeza para soltarlo y algo en la periferia de su campo de visión le llamó la atención. Soltó un grito y se volvió.

Jake estaba acostado en su cama.

Él levantó el brazo y se cubrió los ojos.

—¿Es necesario que hagas tanto ruido?

Los adornos enjoyados del peinado se le escurrieron entre los dedos. Avanzó a trompicones hacia la cama, con el cabello alborotado.

—¿Qué demonios estás haciendo aquí? ¡Fuera! ¡Vete! ¿Cómo has entrado? Te juro que...

—Tu secretaria me ha allanado el camino. —Bostezó—. Según cree, soy mejor actor que Bobby de Niro.

—No, no lo eres. Tú lo único que sabes hacer es gruñir y entornar los ojos. —Se apartó el pelo de la cara—. ¡Y no tienes ningún derecho a valerte de tu encanto para camelarte a mi secretaria! —Primero el fuego en el sótano, luego Belinda y ahora eso. Dio una palmada en el colchón—. ¡Sal de aquí! ¡Esta es mi casa!

Él encendió la luz de al lado de la cama y el cuerpo de Fleur —el mismo que rechazaba despertarse para ningún hombre de los que frecuentaba— volvió a la vida. Aunque él ya no llevaba el bigote, ni el pelo largo del día de la fiesta en la playa, no podía decirse que tuviera un aspecto más civilizado. Sí, parecía rudo y masculino e infinitamente deseable.

Y él, apoyándose en el codo, llevó a cabo su propia inspección, lo que hizo que Fleur recordara que solo vestía un sujetador color vainilla y unos pantis de raso a juego. La comisura de la boca se le torció.

—¿Toda tu ropa interior tiene este aspecto?

—Excepto mis braguitas con ositos. Y ahora mueve el culo y sal de mi cama.

—Tal vez podrías ponerte la bata. Ya sabes, una de franela, una que huela a beicon frito...

—No.

Él se sentó y sacó sus largas piernas por un lado de la cama.

—Entiendo que te moleste que no asistiera a tu fiesta, pero

es que esas reuniones no son un lugar que me convenga. De todos modos, ha sido un detalle que me invitaras.

—Yo no te invité.

Tal vez lo había hecho Will. Tomó la bata de una silla que había junto a la cama y se la puso.

Jake se le acercó.

—¿Es demasiado tarde para cambiar de opinión sobre la bata?

Ella recordó lo que Kissy le había dicho sobre las diosas-pendones rubias. Cruzó los brazos e intentó dar la talla.

—¿Qué quieres, exactamente?

—Proponerte un acuerdo profesional, pero no parece que estés de humor para hablar. —Se levantó y se desperezó—. Podemos hablarlo por la mañana mientras me das de desayunar.

—¿Qué clase de acuerdo profesional?

—Por la mañana. ¿Dónde quieres que duerma?

—En un banco del parque.

—Gracias, pero prefiero esta cama. Es un colchón muy bueno, muy firme.

Ella le dirigió una mirada gélida y se esforzó en decidir cómo podía manejar la situación. Por mucho que lo intentara, no podía ignorar ese comentario sobre un acuerdo profesional, pero obviamente él no iba a soltar prenda esa noche.

—Utiliza la habitación que hay al final del pasillo —dijo por fin—. La cama es demasiado corta para ti y el colchón tiene bultos, pero si golpeas la pared es posible que los ratones te dejen en paz.

—¿Estás segura de que no te sentirás sola?

—No, qué va. Estoy intentando acostumbrarme a dormir sin compañía, para variar.

Los ojos de Jake se achicaron.

—Siento estropear tu loable empeño.

—No pasa nada —sonrió—. Las chicas necesitamos un descanso de vez en cuando.

Eso lo dejó sin réplica, y se fue.

Ella se metió en el baño para lavarse la cara. ¿Qué negocio

podría tener en la cabeza? ¿Acaso querría que lo representara? Solo de pensarlo se mareaba. El nombre de Jake Koranda en su cartera de clientes le otorgaría credibilidad instantánea. Solamente con eso, todas las preocupaciones sobre el futuro de la agencia desaparecerían.

Pero se obligó a volver a la realidad. Una superestrella difícilmente se implicaría en un nuevo *management* únicamente porque la directora fuera una antigua amante. A menos que se sintiera culpable y quisiera hacerle ese favor...

Pero eso era más que improbable. Se echó agua en la cara y buscó una toalla. De todos modos... si lograba que Jake la contratara, sería un paso de gigante para convertir Fleur Savagar y Asociados en un referente del *management* para famosos.

La más valiente, la más rápida, la más fuerte...

A la mañana siguiente la despertó el intenso aroma a café recién hecho procedente de la cocina. Se puso el chándal gris más viejo que encontró y se hizo una coleta. Fue a la cocina y se encontró a Jake sentado a la mesa, con las piernas extendidas delante de él y una taza de café en las manos. Fleur fue a la nevera y se sirvió un vaso de zumo de naranja. Tenía que moverse con tacto.

—Yo haré las tostadas si tú te encargas de los huevos —dijo.

—¿Seguro que podrás asumir semejante responsabilidad? Por lo que recuerdo, la cocina no es tu punto fuerte.

—Por eso te digo que hagas los huevos.

Sacó un estuche de huevos y los puso en la encimera junto con un bol de acero inoxidable. Luego tomó una piña, la dejó sobre la madera de cortar y con una cuchilla la partió en dos de un solo golpe.

—Ten cuidado.

—Estoy practicando para cosas mayores. —Señaló un cajón en la parte baja de la cocina—. Si Bird Dog necesita un delantal, ahí hay uno. Ignora el volante rosa.

—Eres encantadora.

Ninguno de los dos volvió a abrir la boca hasta que estuvieron sentados a la mesa, frente a frente. Fleur casi no podía tragar la tostada. A la luz del nuevo día todavía parecía más improbable que Jake quisiera firmar con ella como representante, pero tenía que asegurarse. Tomó un sorbo de café.

—Pero ¿tú no tenías una casa increíblemente cara en algún lugar del Village?

—Sí, pero por allí pasa demasiada gente para molestarme, así que a veces desaparezco. Esa es una de las cosas que quería hablar contigo. ¿Podríamos llegar a algún acuerdo con respecto al desván?

—¿El desván?

—Tu encargada de oficina me lo enseñó anoche, cuando me acompañó a visitar el edificio. Es un espacio estupendo, discreto e independiente. Y yo necesito un lugar donde pueda ocultarme y trabajar. Un lugar en el que nadie pueda pensar que va a encontrarme.

No se lo podía creer. No era que Jake la quisiera como agente, no: ¡la quería como asistenta! El disgusto hizo que se atragantara. Echó a un lado la servilleta.

—Estás tan acostumbrado a que todo el mundo te ponga alfombras que crees que yo también voy a hacerlo, ¿verdad? —Se levantó de la silla y señaló hacia la puerta—. No vas a vivir en mi casa. Nunca. Y ahora vete. Me pone enferma mirarte.

Él bajó la vista hacia el triángulo de tostada de su plato.

—Lo tomaré como un definitivo quizá.

—No te hagas el gracioso. Me has...

—Déjame acabar. Anoche te dije que deseaba establecer un acuerdo profesional contigo. Siéntate y come estos excelentes huevos revueltos mientras hablamos del asunto.

Ella se sentó, pero no probó los huevos.

Jake empujó el plato y se limpió la boca con la servilleta.

—No puedo seguir así. La película de Caliber ya está acabada, y me tomo seis meses de descanso para volver a escribir. Si no arreglo este asunto ahora, nunca lo haré. Quiero que me representes.

Ella no dio crédito a sus oídos. ¿Quería que ella fuera su agente? Se sintió revivir. La relación que habían mantenido en el pasado podía volver las cosas muy difíciles, pero ella era lo bastante fuerte como para enfrentarse a él.

—Sí, por qué no, podría ser tu representante. Desde luego te haría la vida más fácil. Tal como habrás oído decir, ofrezco un *management* total a un grupo selecto de clientes. Puedo hacerme cargo de todos tus negocios y asuntos legales, pactar las condiciones de rodaje, ocuparme de la publicidad...

Él le hizo un gesto con la mano para contenerla.

—Para todo eso ya tengo a gente muy competente.

Ella se quedó quieta.

—Pero entonces... ¿qué me ofreces, exactamente?

—Quiero que te encargues de todo lo que escribo.

Ella lo miró.

—Vaya chollo.

—Si quieres que mi nombre figure en tu cartera de clientes, ese será tu cometido.

—Pero ¡si no has escrito nada desde *Eclipse*! —Tenía ganas de gritar—. Tu nombre en mi cartera de clientes como escritor provocará risa.

Agarró el plato y lo llevó al fregadero.

—Fuiste tú quien me bloqueó, muchacha. Ahora tienes que desbloquearme.

Ella soltó de golpe el plato, que resonó y se rompió.

—Por favor, ¿cómo es posible que sigas con eso?

—El problema empezó cuando apareciste tú.

—Eso no es ninguna respuesta.

La silla de Jake gimió sobre el suelo.

—Pues será toda la respuesta que vas a conseguir.

Ella no intentó ocultar su enfado.

—¿Y cómo se supone que tengo que desbloquearte? ¿Llevándote a cuestas?

—Si eso es lo que te parece que funciona...

Antes que abofetearlo prefirió levantarse para servirse más café.

—Necesito ayuda para trabajar este bloqueo. No sé qué lo provocó, pero en todo caso ocurrió cuando estábamos rodando *Eclipse*.

Ella tiró a la basura el plato roto.

—Para ti escribir no es ninguna necesidad. Seguro que no precisas el dinero.

—Escribir es mi vida, Flower. La interpretación también me satisface y me ha hecho rico, pero escribir es lo que me permite respirar. —Se volvió hacia otro lado, como si por el simple hecho de revelar esos detalles ya se estuviera comprometiendo—. No pretendo vivir pegado a ti. Lo que quiero es algo de privacidad. Y huelga decir que si vuelvo a escribir tu agencia obtendrá una buena pieza.

—Eso es mucho «si». ¿Y por qué tienes que escribir en mi casa?

Él quiso restar importancia a esa pregunta.

—Es así, y ya está.

El mismo Jake de siempre. Extendía pequeñas muestras de sí mismo frente a ella y luego las recogía, antes de que Fleur pudiera observarlas bien. Pero incluso cuando una docena de pensamientos envenenados recorría su mente, sabía que ya la había atrapado. Tenía que aprovechar aquella oportunidad, a pesar de los evidentes riesgos que ello suponía... Imaginaba las sonrisas desdeñosas de la gente si corría la voz de que había aceptado representar a un escritor que ya no escribía. Todo el mundo diría que Jake le dejaba utilizar su nombre porque dormían juntos. Repararían en que no confiaba en ella para manejar los asuntos concernientes a las películas, sino únicamente los de una carrera literaria que estaba en el dique seco desde hacía años. Les parecería que Fleur intentaba montar un negocio desde el dormitorio.

Pero ¿qué ocurriría si conseguía que volviera a escribir? ¿Qué pasaría si conseguía romper ese bloqueo y permitía que surgiera otra obra de Koranda? Entonces las habladurías no la preocuparían, y tampoco que se le acabara el dinero. Era una apuesta que no podía rechazar. No obstante, tenía que asegurarse de que no iba a pagar un precio personal por volver a involucrarse con el hombre que tanto la había herido.

Los rumores se iniciaron dos días después, pero no concernían a Jake. El lunes a mediodía, cuando Fleur salía de la oficina para ir a comer con un cantante de talento al que quería representar, recibió una llamada del vicepresidente de una cadena de comunicación al que había conocido hacía poco tiempo.

—Circulan rumores sobre ti que creo deberías conocer —le dijo—. Hay alguien que se dedica a recordarle a la gente lo que ocurrió con los contratos que tenías como modelo y que no cumpliste porque te marchaste del país.

Ella se frotó los ojos y procuró parecer despreocupada.

—Eso son noticias muy antiguas. ¿No hay cotilleos de actualidad?

—Ya, pero es un dato muy feo para tus relaciones públicas, sobre todo para alguien que intenta poner en marcha un negocio basado en la confianza del cliente.

No tenía que darle más detalles. Las implicaciones estaban claras. Si en una ocasión había incumplido contratos, tarde o temprano volvería a hacerlo. Cuando pensaba en cómo podía haber resurgido ese asunto solo se le ocurría un nombre: Alexi. Él y sus maniobras.

El joven cantante no acudió a la cita, y Fleur no tuvo problemas para interpretar aquel mensaje. Llegó a la oficina con tiempo suficiente para responder a una llamada de Olivia Creighton.

—He oído unas historias terribles sobre ti, Fleur. Estoy segura de que no son ciertas y sabes muy bien cuánto te adoro, pero después de lo que pasó con la pobre Doris Day y todo su dinero, toda precaución es poca para una mujer. No me siento cómoda con la inestabilidad.

—Te entiendo.

Fleur pensó en las seis copas Baccarat y en la caja de Pouilly Fuissé que Olivia le había enviado justo la semana anterior para celebrar su contrato en *Dragosn's Bay*. Ahora el tiempo de las celebraciones había pasado. Concretó una comida en la que Olivia pudiera hablar con David Bennis. Con esas coderas de cuero y esa pipa humeante era la viva imagen de la estabilidad. Fleur tenía la esperanza de que pudiera tranquilizar a Olivia, pero cuando iba hacia la oficina de David no le gustó comprobar que estaba volviendo a utilizar a alguien para resolver sus propios problemas.

Ese mismo día, más tarde, encontró a Michel en el segundo piso de una fábrica remodelada en Astoria, donde las costureras trabajaban en las prendas de la colección que diseñaba. Faltaban menos de siete semanas y él estaba exhausto por el esfuerzo de tenerlo todo a punto en tan poco tiempo. En esta situación, Fleur hubiera deseado no tener que añadir nuevas preocupaciones, pero no podía posponer por más tiempo ponerlo al corriente. A esas alturas, Alexi seguro que sabía lo importante que era para ella el éxito de la colección de Michel. No necesitaba una bola de cristal para figurarse dónde intentaría dar su siguiente golpe.

Michel tensó la bufanda que Fleur llevaba como complemento de su vestido de cachemira blanco. Casi tenía que ponerse de puntillas, porque ella calzaba los zapatos de tacón de aguja que formaban parte de su vestuario de trabajo desde que había comprendido que la estatura a veces obraba a favor suyo. Le habló de las invitaciones perdidas y del fuego provocado. Michel escuchó en silencio y luego le apretó el brazo.

—A partir de esta noche pondré este taller bajo vigilancia las veinticuatro horas. —Michel parecía sobrecogido—. ¿De verdad crees que estas muestras pueden interesarle?

—Estoy segura. Destruirlas antes de que puedas exhibirlas es la manera que tiene de hacernos más daño.

Él miró alrededor, por todo el taller.

—Pero si superamos esto, encontrará otro flanco para atacarnos.

—Sí, lo sé. —Fleur se acarició la barbilla—. Esperemos que se aburra. No hay mucho más que nosotros podamos hacer.

Jake se instaló en el desván unos días después de la fiesta de inauguración, pero durante la primera semana no pasó demasiado tiempo allí. Prefería quedarse en su casa del Village y asistir a los ensayos del reestreno de una de sus antiguas obras. Una vez Fleur oyó sus pasos por la noche, tarde, cuando ya se dormía. Dos días después oyó el sonido del grifo. Lo que nunca oía era el golpeteo de una máquina de escribir.

Para su consternación, enseguida se propagó la noticia de que iba a representar los futuros trabajos literarios (de momento inexistentes) de Jake. Lo último que podían desear en la oficina del actor en California era que ella triunfase en un terreno en que ellos habían fracasado, así que suponía que podían ser los responsables de la filtración. Eso, unido a las continuas historias sobre su incumplimiento de contratos en su etapa como modelo, estaba erosionando la imagen de credibilidad que había conseguido labrarse. Un actor bien establecido y un escritor en ciernes habían estado a punto de firmar, pero se habían echado atrás, mientras que Olivia parecía cada vez más asustada.

En la segunda semana de octubre pareció que Jake empezaba a pasar más noches en su desván, pero Fleur nunca lo veía, y ni siquiera en una ocasión había oído la máquina de escribir. Siguiendo la teoría de que el ejercicio favorece la creatividad y de que por lo menos lo sacaría de la cama por la mañana, empezó a deslizarle notas por debajo de la puerta invitándolo a unirse a ella en su *footing* diario. Una fresca mañana de otoño, tres semanas después de que formalizaran su acuerdo, lo encontró esperándola en la puerta del edificio.

Llevaba un suéter gris de la UCLA, pantalones de chándal azules y unas Adidas gastadas. Cuando la vio, su labio malévolo se curvó en una sonrisa, con lo que el corazón de Fleur padeció un preocupante sobresalto. Cuando no era más que una muchacha, con solo verlo se derretía. Pero ahora solo significaba para ella un acuerdo financiero. Nunca iba a permitir que volviera a acercársele de aquel modo. Salvó los tres escalones delanteros de un salto y pasó como una exhalación por su lado.

—¡Oye! —exclamó él por detrás—. ¿No has oído hablar de algo llamado calentamiento?

—Yo no lo necesito. Ya vengo caliente... —Miró por encima del hombro y añadió—: ¿Crees que podrás aguantar el ritmo, vaquero?

—No he conocido a ninguna mujer que me adelante.

—Pues permíteme ponerlo en duda, porque a mí me parece que estás viviendo una vida muy indolente.

Él recuperó terreno y se puso a su lado.

—Jugar al baloncesto tres veces a la semana con un grupo de quinceañeros urbanitas que me llaman «señor» no es exactamente llevar una vida indolente.

Ella sorteó un charco y se dirigió hacia Central Park.

—Me sorprende que puedas aguantar, con la edad que tienes.

—No, no puedo. Tengo las rodillas fundidas y ya no puedo saltar, así que normalmente me sacan del partido antes de que acabe el tercer cuarto. Si cuentan conmigo es solo porque les compré los uniformes.

Evitaron un camión que bloqueaba la acera, y Fleur pensó en lo mucho que le gustaba el humor corrosivo que gastaba Jake contra sí mismo. Junto con su cuerpo, era una de las mejores cualidades que poseía. Su cuerpo y su masculinidad atinada. Y su cara. A Fleur le gustaba aquella cara. Lo que no le gustaba era ese comportamiento manipulador y esa moralidad del tres al cuarto. Se la había llevado a la cima, y luego la había empujado cuesta abajo. Pero no podía estar continuamente pensando en el pasado. Él tenía trabajo que hacer y ella ya lo había dejado a solas bastante tiempo.

—No he oído ningún ruido de máquina de escribir en el piso de arriba desde que te mudaste.

—No me presiones, ¿vale? —repuso con expresión sombría.

Ella pensó por un momento y decidió arriesgarse.

—El sábado por la noche doy una cena. ¿Por qué no te vienes?

Empezaba a organizar la fiesta en que había pensado con Kissy durante la inauguración, la que iba a permitir a Michel y Simon conocerse mejor. El estar entre personas que congeniaban podría ser un buen primer paso para hacer que Jake se relajara. Y los demás se encargarían de distraerlo, así que no iba a tener que hacerlo ella.

—Lo siento, Flower, pero las cenas formales no son mi sitio.

—No será exactamente formal. Los invitados cocinan. Solamente estarán con Michel, Simon Kale y Kissy. También había invitado a Charlie Kincannon, pero va a estar fuera de la ciudad.

—¿De verdad conoces a alguien que se llama Kissy?

—Por lo que veo no te la presentaron en la fiesta de Charlie. Es mi mejor amiga. Aunque... —Dudó—. Lo mejor es no meterse en habitaciones oscuras con ella.

—Ese es un comentario interesante para hacerlo sobre una amiga. ¿Te importaría explicarte?

—Ya lo entenderás por ti mismo. —Dejaron atrás a una mujer que paseaba a un par de chihuahuas—. Y apresurémonos, que uno de nosotros tiene que trabajar hoy.

Corrieron un rato sin hablar. Finalmente Jake la miró.

—Mi publicista me envió algunos recortes de prensa y no los leí hasta hace poco. Tú y yo éramos la comidilla de la prensa del corazón neoyorquina a finales de verano.

—¿De verdad?

Esas columnas habían aparecido hacía más de dos meses. Ya se había preguntado cuánto tardaría en mencionárselas.

—No eres lo bastante buena actriz como para hacerte la inocente.

—¡Claro que lo soy!

Él la agarró por el brazo e hizo que parara.

—Fuiste tú quien sembró esas historias.

—Necesitaba la publicidad.

El pecho de Jake subía y bajaba en su camiseta mientras recuperaba el ritmo respiratorio.

—Ya sabes lo celoso que soy de mi vida privada.

—Técnicamente no violé tu privacidad, puesto que ninguna de las historias era cierta.

Ni siquiera esbozó una sonrisa.

—No me gustan los trucos baratos.

—Vaya, qué sorpresa. Creía que los habías inventado tú.

La boca se le curvó en una expresión poco amistosa.

—Mantén mi nombre lejos de los diarios, Fleur. Considéralo una advertencia.

Se volvió y echó a correr hacia el otro lado de la calle.

—¡Yo no soy tu publicista, ¿recuerdas?! —le gritó Fleur—. Todo lo que represento es tu patética carrera literaria.

Él aceleró el ritmo y no miró atrás.

23

Para sorpresa de Fleur, Jake fue el primero en llegar a la cena del sábado por la noche. Llamó a la puerta a las ocho en punto. Aunque ella había tenido la precaución de meter algunas Coronitas en la nevera, en realidad no esperaba que apareciera. Llevaba unos pantalones gris oscuro de aspecto pasable y una camisa gris de manga larga que hacía que sus ojos parecieran todavía más azules. Le puso un paquete de regalo en las manos mientras asimilaba los pantalones marfil de lana y la blusa de seda bronceada.

—¿Nunca tienes mal aspecto?

Ella miró el regalo.

—¿Debería llamar a los artificieros?

—No seas tan remilgada y ábrelo.

Ella le sacó el envoltorio y descubrió un ejemplar de la nueva edición de *La alegría de la cocina*.

—¡Vaya! Es justo lo que nunca he querido.

—Sabía que te gustaría.

La siguió a la cocina, y una vez allí ella puso el libro de cocina en la encimera. Teniendo en cuenta los recursos limitados con que contaba, le gustaba comprobar lo acogedora que era la decoración. Había pulido la vieja mesa de madera. En una tienda de antigüedades había encontrado un viejo bote de judías que había llenado de crisantemos para utilizarlo como pieza de decoración. En la misma tienda había adquirido un bonito juego de servilletas. Jake se acercó por detrás, y ella olió a camisa limpia y dentífrico. Se sobresaltó cuando sintió que aquellas manos levantaban su cabello por detrás y tocaban su cuello justo por encima de la blusa.

—Tranquila, que estás muy tensa.

Algo pequeño y frío se posó entre sus senos. Miró hacia abajo y vio una flor de esmalte azul y verde que colgaba de una fina cadenilla de oro. Pequeños diamantes titilaban desde los capullos como rocío. Cuando se volvió hacia él percibió algo tierno y desprotegido en su expresión. El presente desapareció y por un momento pareció que volvían al tiempo en que las cosas eran fáciles entre ellos.

—Es muy bonita —dijo—. No tenías que...

—No tiene importancia. Es un dondiego de día, que se abre por la mañana. Por lo que sé, para ti no es el mejor momento del día.

Y se volvió, con lo que el tiempo volvió a correr.

Aquella joya se deslizó entre los dedos de Fleur. Solo por un momento había bajado la guardia. No iba a dejar que volviera a pasar.

—¿Cómo es que no huele a comida? —dijo él—. ¿Debería preocuparme por eso?

—El cocinero todavía no ha llegado —respondió ella con suavidad.

Justo entonces sonó el timbre y ella fue a abrir.

—He traído mis propios cuchillos —dijo Michel. Esa noche llevaba unos pantalones de pinzas y una camisa de manga larga azul con lo que en algún momento había sido una corbata a rayas cosida diagonalmente sobre el pecho. Se dirigió directamente a la cocina.

—He encontrado estas uvas fantásticas en esa tienducha de Canal Street. ¿Has ido al mercado de pescado que te dije para comprar el halibut?

—Sí, señor, sí.

Cuando dejó la bolsa de la tienda de comestibles en la encimera, Fleur se dio cuenta de lo cansado que parecía y se alegró de haber planeado para él ese encuentro. Miró a Jake.

—Michel, ¿te acuerdas de Jake Koranda? Le he desarmado antes de que entrara, así que no te cortes a la hora de insultarlo.

Jake sonrió y estrechó la mano de Michel.

Simon llegó cinco minutos después. Por coincidencias del destino, había visto todas y cada una de las películas de Caliber y apenas reparó en Michel, a tal punto estaba ansioso por entablar conversación con Jake. Michel, entretanto, se preparaba para cocinar y daba cuenta a Fleur de una larga lista de infortunios que iban a arruinar su colección. En términos de celestineo, no se podía decir que los inicios de la reunión fueran demasiado prometedores.

Apareció Kissy y se dirigió a la cocina.

—Siento llegar tarde, pero Charlie me ha llamado desde Chicago justo cuando estaba saliendo.

—La cosa está mejorando, ¿eh? —dijo Fleur—. Por lo menos volvéis a hablar.

La expresión de Kissy se ensombreció.

—Creo que he perdido práctica. Ya puedo hacer lo que sea, que él... —Se interrumpió al reparar en Jake, que en ese momento se inclinaba sobre la encimera—. Madre mía...

Fleur rescató una cuchara que se le había caído a Michel.

—Kissy, te presento a Jake Koranda. Jake, Kissy Sue Christie.

Mirando a Jake, los ojos de Kissy se convirtieron en gominolas y la boca en manzana confitada. Jake hizo una mueca. Kissy parecía una golosina de parvulario.

—Es un placer —dijo ella con la sonrisa de «¿cómo te llamas, marinero?» de su repertorio, y Jake se hinchó como un gallo.

A Fleur todo esto debería haberla divertido. En cambio, se sintió como si volviera a tener trece años, más alta que las demás, patosa y torpe, con arañazos en los codos y tiritas en las rodillas, y con una cara demasiado grande para su cuerpo. Kissy, por su parte, parecía el sueño húmedo de un adolescente. Al poco rato ya estaba preparando una ensalada con Jake, mientras

Simon asumía el papel de barman. Fleur luchaba contra sus celos ayudando a Michel con uno de sus platos de autor: pescado con uvas en salsa de mantequilla y vermut.

Cuando Jake y Simon empezaron a hablar de caballos, Kissy se acercó su amiga.

—Es mejor en persona que cuando lo ves en la pantalla. Este hombre pertenece al Museo de los Tíos Buenos.

—Tiene un diente mellado —replicó Fleur.

—Seguro que es lo único que no conserva entero.

Todos menos Fleur se lo pasaban en grande. Michel y Simon empezaron a hablar por fin del espectacular plato de halibut que aquel había cocinado. Cuando la cesta del pan daba su segunda vuelta repasaron la lista de los mejores restaurantes, a lo que siguió una conversación distendida sobre la manera de encontrar un lugar de moda en el East Village. Kissy intentaba captar la atención de Fleur para que hiciera un brindis de felicitación, pero esta fingía no darse cuenta.

Kissy y Jake intercambiaban bromas como si se conocieran de toda la vida. Empezaron por comparar opiniones sobre un nuevo cantante que les gustaba. Pero ¿por qué no se metían en la cama y acababan de una vez?

A la hora de los postres, Fleur trajo una tarta de almendras francesa que había comprado esa misma tarde en su pastelería favorita. A todos les encantó, pero ella apenas pudo probar bocado. Sugirió que tomaran el café irlandés en el salón. Kissy se sentó en el sofá. En circunstancias normales Fleur se habría sentado a su lado, pero en esta ocasión agarró uno de los grandes cojines y dejó el resto del sofá para Jake, que inmediatamente tomó posesión de él.

Todos menos Fleur empezaron a discutir sobre cuál era el mejor grupo de rock de todos los tiempos. Su tristeza se acumuló y le formó un nudo en las entrañas que prefirió no examinar con demasiado detalle. Kissy le dedicó una sonrisa de complicidad. Fleur miró para otro lado.

Kissy carraspeó.

—Fleurinda, prometiste que me dejarías tus pendientes de ámbar. Enséñame dónde están antes de que me marche sin ellos.

Fleur no le había prometido nada parecido, tal como empezó a precisarle, aunque se interrumpió al toparse con una de sus miradas aceradas. No iba a permitir que su antigua amiga hiciera allí uno de sus numeritos, así que se levantó a regañadientes y la condujo hacia el dormitorio.

Una vez allí, Kissy cruzó los brazos.

—O borras esa expresión de niña consentida o le hago un francés en cuanto vuelva a esa sala, contigo delante.

—No sé de qué me hablas.

Kissy la miró con ceño.

—Vaya, vaya con la niña... ¿Sabes que me tienes harta? A tus veintiséis años deberías conocerte mejor.

—Ya me conozco lo suficiente.

En lugar de contestar, Kissy empezó a golpetear el suelo con uno de los zapatos rojos y planos que llevaba. Fleur se sintió culpable.

—Lo siento —dijo.

—Me lo imagino. Tu actitud es absurda.

—Tienes razón. Y ni siquiera sé por qué.

—Porque eres una celosa de ojos verdes, por eso.

—¡Yo no soy celosa! O al menos no de la manera que sugieres.

Kissy no iba a dar su brazo a torcer.

—¿Desde cuándo se supone que no voy a coquetear con un tipo atractivo? Y con más razón en este caso, porque ya no es que sea atractivo, es que se sale... Está para comérselo. ¿Y qué haces tú? Nada en absoluto, eso haces. Te quedas en un rincón sin decir ni mu. Das vergüenza ajena.

Fleur también estaba avergonzada.

—No es por Jake, no soy tan tonta. Simplemente vuelvo a sentirme como una adolescente, después de tantos años.

—Pues no me lo creo —dijo Magnolia Blossom—. ¿No te parece que ya es hora de dejar de engañarte? ¿No quieres acep-

tar tus sentimientos hacia ese hombre tan guapo que está sentado en la sala de tu propia casa?

—Mis sentimientos hacia él están hechos de signos de dólar.
La verdad, Kissy, ya casi he perdido a Olivia, y los únicos clientes que me quieren como representante son aquellos a los que
no quiero representar. Como ese cretino de Shawn Howell. Jake
ni siquiera finge que esté escribiendo y... —Se detuvo—. No,
claro, eso no es ninguna excusa. Lo siento, Kissy. Tienes razón.
Actúo de manera infantil. Perdóname.

La expresión de Kissy se ablandó por fin.

—De acuerdo —dijo—. Pero solamente porque siento lo
mismo cada vez que os veo a Charlie y a ti juntos.

—¿Charlie y yo? ¿Por qué?

Kissy suspiró y no quiso mirarla a los ojos.

—¡Le gustas tanto! Y yo sé que no puedo competir contigo
cuando se trata de apariencia. Cuando os veo a los dos hablando
me siento fatal.

Fleur no sabía si reír o llorar.

—Me parece que no soy la única que no se conoce a sí misma. —Le dio a Kissy un abrazo de oso y luego miró su reloj—.
Esta noche emiten *Dos hombres y un destino* en la tele. Si no
calculo mal, tendríamos que poder ver un trocito y luego volver
a la fiesta antes de que nos echen en falta. ¿Quieres que nos per-
mitamos ese capricho?

—¡Desde luego que sí! —Kissy encendió el pequeño televisor colocado sobre una mesa de segunda mano en una esquina
de la habitación—. ¿No crees que nos estamos haciendo demasiado mayores para esto?

—Quizá sí. Por Cuaresma quizá deberíamos dejarlo.

—O no.

El Butch Cassidy de Paul Newman y el Sundance Kid bigo-
tudo que encarnaba Robert Redford bebían en el balcón del
burdel. Kissy y Fleur se instalaron en el borde de la cama cuando la maestra de escuela Etta Place subía las escaleras de su pequeña casita, encendía la luz interior y desabrochaba los botones superiores de su vestido. Cuando llegaba a su habitación se

lo quitaba y lo colgaba en el armario. Luego, al volverse, lanzaba un grito al ver a Sundance Kid mirándola amenazadoramente, sentado al otro lado de la estancia.

—Continúe, señorita —decía él.

Ella lo miraba con ojos enormes y asustados. Muy despacio, él tomaba su pistola y la levantaba hacia ella.

—No pasa nada. No se preocupe por mí. Siga.

Ella vacilaba, pero finalmente se desabrochaba la larga prenda de ropa interior y se la quitaba. Sujetándola con pudor ante ella, intentaba ocultar la camisola.

—Suéltese el pelo —le ordenaba él.

Ella soltaba la prenda y se quitaba los pasadores.

—Mueva la cabeza.

Ninguna mujer iba a discutir con Sundance Kid cuando este la apuntaba al vientre con una pistola, y la maestra hacía lo que le ordenaba. Todo lo que le quedaba era la camisola y Sundance ya no tenía que hablar. Levantaba la pistola y la amartillaba.

Etta abría despacio la fila de botones de arriba abajo, hasta que la camisola se abría en uve. Las manos de Sundance se desplazaban a su propio cinturón para desabrocharlo y dejar las pistoleras. Luego se levantaba para acercarse a ella e introducía las manos en la prenda abierta.

—¿Sabes lo que deseo? —preguntaba Etta.

—¿El qué?

—¡Que por fin esta vez llegues a tiempo!

Cuando Etta le echaba los brazos al cuello a Redford, Fleur suspiró, se levantó y apagó la tele.

—Se hace difícil pensar que esta escena la haya escrito un hombre, ¿verdad?

Kissy miró a la pantalla en negro.

—William Goldman es un gran guionista, pero apuesto a que fue su mujer quien escribió esta escena mientras él estaba en la ducha. Lo que daría yo por...

—Mmm... Es la madre de todas las fantasías sexuales femeninas.

—Toda esa amenaza sexual masculina por parte de un amante de quien sabes que nunca te va a hacer daño... —Kissy se relamió.

Fleur se tocó la flor del collar.

—Lástima que ya no existan hombres así.

Jake estaba en el pasillo, junto a la puerta parcialmente abierta y oía la conversación de las dos mujeres. No le gustaba escuchar en secreto, pero Fleur se había comportado de una manera muy extraña durante toda la velada, y hacía tanto rato que se habían ido las dos que había decidido comprobar qué ocurría. Ahora lo lamentaba. Era exactamente el tipo de conversación que un hombre no tenía que escuchar nunca. ¿Qué querían las mujeres? En público su retórica era siempre sobre la comprensión y la igualdad, pero en privado ahí estaban, dos mujeres inteligentes que llegaban al orgasmo con machos del tipo cromañón.

Quizás estuviera algo celoso. Jake era uno de los mayores éxitos de taquilla de la década, y sin embargo perdía la cabeza por Fleur Savagar, que lo único que deseaba con él eran disparos verbales. Se preguntó si Redford tenía que vérselas con ese tipo de cosas. Si en el mundo existía alguna justicia, Redford debería estar sentado ante un televisor en Sundance, Utah, contemplando a su mujer emocionarse con alguna de las escenas de amor rudo de las películas de Bird Dog Caliber. Ese pensamiento le dio una fugaz satisfacción, emoción que se desvaneció cuando volvió a la sala. Desde luego, no eran tiempos fáciles para ser hombre.

A la mañana siguiente, Jake apareció para correr con ella, pero cuando rodeaban el estanque de Central Park apenas había articulado palabra. Ella tenía que encontrar la manera de motivarlo para que al menos intentara escribir. De vuelta a la casa tuvo el impulso de invitarlo el domingo siguiente a desayunar. Quizás estaría más comunicativo con el estómago lleno. Pero él declinó la oferta.

—Estupendo —replicó ella con frialdad—. Tu agenda está

imposible últimamente, con todo el tiempo que dedicas a aporrear la máquina de escribir.

Él se bajó la cremallera del suéter.

—No tienes ni idea.

—Pero ¿estás intentando escribir?

—Para tu información, ¡ya he llenado un cuaderno entero!

Jake siempre trabajaba con la máquina de escribir, de modo que no se lo creyó.

—Enséñamelo.

Él frunció el ceño y entró rápidamente en la casa.

Fleur se duchó y luego se puso unos tejanos y su suéter de punto favorito. Había estado tan preocupada con la colección de Michel, con los miedos de Olivia e intentando adivinar el siguiente movimiento de Alexi que no se había concentrado en el asunto que le rondaba la cabeza. Jake Koranda había establecido un acuerdo con ella para volver a escribir, pero no parecía estar por la labor.

A las diez salió por el pasillo y abrió la puerta que llevaba al apartamento del desván. No contestó cuando llamó en lo alto de la escalera. Introdujo la llave en la cerradura.

El desván consistía en un espacio amplio y abierto e iluminado tanto por una claraboya como por ventanas rectangulares a uno y otro lado. Fleur nunca había subido allí desde que Jake se había mudado, y comprobó que lo había amueblado con unas butacas confortables, una cama, un largo sofá y una mesa en forma de L sobre la que había una máquina de escribir y una resma de folios aún sin abrir.

Él estaba con los pies apoyados en la mesa. Jugueteaba con una pelota de baloncesto que se iba pasando de una a otra mano.

—No recuerdo haberte invitado —dijo—. No me gustan las interrupciones cuando estoy trabajando.

—Por nada del mundo querría ser un obstáculo en tu proceso creativo. Haz como si no estuviera aquí.

Fue hacia la pequeña cocina que se hallaba tras la curva de la encimera y fue abriendo armarios hasta que por fin encontró la lata de café que buscaba.

—Vete, Fleur. No quiero que estés aquí.

—Me iré después de que mantengamos una reunión de trabajo.

—No estoy de humor para reuniones.

El balón iba de la mano izquierda a la derecha y viceversa.

Ella dejó el bote de café y se acercó a la mesa de trabajo.

—Lo que ocurre es que estás seco, y yo no puedo permitirme semejante lastre en estos momentos. Todo el mundo en esta ciudad piensa que has firmado para que sea tu representante porque compartimos la cama. Solo hay una manera de hacer que cesen estas habladurías. Otra obra de teatro de Jake Koranda.

—Rompe nuestro contrato si quieres.

Ella le quitó la pelota de las manos.

—Deja de ser tan llorica.

El Jake Koranda relajado y bromista desapareció y ella se vio ante Bird Dog.

—Lárgate. Nada de esto te incumbe.

Ella no se movió.

—A ver si te aclaras. Primero me dijiste que yo era quien te bloqueaba, y ahora me dices que no es de mi incumbencia. O una cosa u otra.

Jake puso los pies en el suelo.

—Fuera.

La agarró por el brazo y la llevó hacia la puerta.

De pronto Fleur se enfadó, y no por su grosería, ni siquiera porque representara una amenaza para el futuro de su negocio, sino porque estaba desperdiciando su talento.

—¡He aquí el gran escritor! —se burló revolviéndose—. ¡Esta máquina de escribir está criando polvo!

—¡Todavía no estoy preparado!

La soltó y cruzó la estancia para coger la chaqueta que tenía sobre una silla.

—Pues yo no entiendo qué es lo que te cuesta tanto —dijo ella. Fue hacia la mesa y rompió el precinto de la resma—. Cualquiera es capaz de colocar un folio en una máquina de escribir. Mira cómo lo hago. No hay nada más fácil.

Él frunció el ceño.

Ella se sentó y accionó el interruptor de la máquina, que cobró vida.

—Mira esto: «Primer acto, escena primera.» —Tecleó las palabras—. ¿Dónde estamos, Jake? ¿Cómo es el escenario?

—No seas puta.

—«No... seas... puta» —repitió al tiempo que lo escribía—. Típico diálogo de Koranda: fuerte y antifemenino. ¿Qué más sigue?

—¡Para ya, Fleur!

—«Para... ya... Fleur.» Vaya, un nombre mal escogido. Demasiado cercano al de esa mujer tan increíble a la que ya conoces.

—¡Que pares, te digo! —Se precipitó hacia ella desde el otro lado de la habitación. Puso la mano sobre las manos de Fleur, lo que hizo que se levantaran a la vez varios tipos de la máquina y se bloquearan—. Para ti todo esto es una broma muy divertida, ¿verdad?

Bird Dog había desaparecido, y ella advirtió que bajo aquella rabia había mucho dolor.

—No es ninguna broma —repuso con suavidad—. Es algo que tienes que hacer.

Jake no se movió. Luego levantó la mano y se mesó el pelo. Ella cerró los ojos. Él se apartó y se dirigió a la cocina. Le oyó servirse una taza de café. Los dedos de Fleur temblaban cuando arrancó la hoja del carro de la máquina. Jake vino hacia ella con una taza en la mano. Ella deslizó una nueva hoja.

—¿Qué haces? —Parecía cansado, algo afónico.

—Hoy vas a escribir. No puedo consentir que sigas así. Se ha acabado.

—Nuestro acuerdo queda cancelado. —Parecía derrotado—. Me voy de este apartamento.

Ella quería endurecerse como respuesta a su tristeza.

—No me importa adónde vayas. Pero tenemos un acuerdo y vamos a mantenerlo.

—Así que esto es lo que te preocupa, ¿no? Tu agencia de tres al cuarto.

Aquellas salidas de tono no iban a alterarla.

—Hoy escribes.

Él se situó a su espalda, dejó la taza de café y le puso las manos suavemente en los hombros.

—No, no lo creo.

Le levantó el cabello y presionó la boca debajo de la oreja. Ella sintió su respiración cálida y el contacto de aquellos labios hizo que todos sus sentidos despertaran. Por un momento se abandonó a las sensaciones que él le suscitaba. Solo por un momento...

Las manos de Jake se deslizaron por debajo del suéter y recorrieron la piel desnuda hasta las copas de encaje del sujetador. Jugueteó con los pezones a través de la seda, provocando ondas de placer a Fleur. Jake soltó el cierre y apartó el sujetador. Cuando le subió el suéter y descubrió sus pechos, las ondas se convirtieron en oleadas de calor que le corrieron por las venas. Empujó los hombros de Fleur contra el respaldo de la silla de manera que los pechos apuntaron hacia arriba, y empezó a tirar de los pezones con los pulgares. Con los labios le atrapó un lóbulo y luego le recorrió todo el cuello. Era un seductor avezado, iba de un punto erógeno a otro, como siguiendo las instrucciones de un manual sexual.

En ese momento Fleur supo que la estaba comprando. Le apartó las manos para interrumpir esa seducción calculada y se bajó el suéter.

—Eres un auténtico hijo de puta —le espetó y se levantó de la silla—. Esta era la manera más fácil de hacerme callar, ¿verdad?

Él miraba a algún punto más allá de la cabeza de Fleur. Las puertas se cerraron, se hizo la oscuridad.

—No me presiones.

Se sentía furiosa consigo misma por ceder con tanta facilidad, y por supuesto furiosa con él, pero por encima de todo se sentía insoportablemente triste.

—El círculo se ha cerrado —dijo—. Has interpretado a Bird Dog durante tanto tiempo que finalmente se ha hecho contigo. Se está comiendo lo que quedaba de tu decencia.

Él cruzó la habitación y fue a abrir la puerta.

Ella se agarró al borde de la mesa.

—Claro está que hacer esas películas facilonas es más sencillo que hacer el trabajo de verdad.

—Fuera.

—El señor duro tiene un ataque de cobardía. —Volvió a sentarse. Las manos le temblaban tanto que apenas pudo dar con las teclas—. «Acto primero, escena primera», maldito...

—Estás loca.

—«Acto primero, escena primera.» ¿Cuál es la primera frase?

—¡Estás como una cabra!

—¡Venga, dime que sabes perfectamente de qué va esta obra!

—¡No es ninguna obra teatral! —Fue junto a ella—. ¡Es un libro! ¡Tengo que escribir un libro! Un libro sobre Vietnam.

Fleur tomó aire.

—¿Una novela bélica? ¿En el estilo de Bird Dog?

—No tienes ni idea.

—Pues entonces explícamelo, vamos.

—Tú no estabas allí. No lo entenderías.

—Eres uno de los mejores escritores del país. Haz que lo entienda.

Jake le volvió la espalda. Se hizo el silencio entre ellos. Se oyó una sirena distante y un camión que pasaba por delante del edificio.

—No podías hacer excepciones con ellos —dijo por fin—. Tenías que verlos a todos como enemigos.

Controlaba el tono, pero la voz parecía proceder de muy lejos. Se volvió y la miró, como si quisiera asegurarse de que comprendía lo que decía. Ella asintió, aunque en realidad no lo entendía. Si lo sucedido en Vietnam era la causa de su bloqueo a la hora de escribir, ¿por qué la culpaba a ella?

—Podía ocurrir que caminaras cerca de un arrozal y distinguieras a un par de niños, de cuatro o cinco años. Al momento siguiente te estaban lanzando una granada. Mierda. ¿Qué clase de guerra era esa?

Ella volvió a escribir. Intentó reproducirlo todo, con la esperanza de estar haciendo lo correcto, pero sin ninguna seguridad.

Él no parecía percibir el ruido de la máquina de escribir.

—El poblado era un bastión del Vietcong. Las guerrillas nos habían causado muchas bajas. Algunos de nuestros hombres habían sido torturados, mutilados... Eran nuestros compañeros... Eran chicos a los que habíamos acabado por conocer como a nuestra propia familia. Se suponía que teníamos que entrar y arrasar el poblado. Los civiles sabían cuáles eran las reglas. Si no eras culpable, no tenías que correr. La mitad de la compañía iba colocada, era la única manera de soportar todo aquello. —Tomó aire, con rabia—. Nos llevaron en helicóptero hasta una zona de aterrizaje cerca del pueblo, y en cuanto las condiciones de la zona fueron seguras la artillería abrió fuego. Cuando todo estuvo despejado, entramos. Los reunimos a todos en el centro del poblado. No corrían, porque conocían las reglas, pero aun así algunos cayeron tiroteados. —Cada vez estaba más pálido—. Una niña pequeña... Llevaba una camisa hecha jirones que no le cubría la barriga, y la camisa tenía un estampado con patitos amarillos. Cuando todo acabó, cuando el poblado entero ardía, alguien puso la radio y oímos a Otis Redding cantando *Sittin' on the Dock of the Bay*... Pues bien, la niña... la niña tenía moscas por toda la barriga.

Señaló con la mano la máquina de escribir.

—¿Has anotado esa parte de la música? Porque la música es importante. Todos los que estuvieron en Vietnam recuerdan la música.

—No... no lo sé. ¡Vas tan rápido...!

—Deja, ya lo haré yo.

La apartó a un lado, sacó la hoja que había iniciado Fleur y puso una nueva. Sacudió la cabeza una sola vez, como para aclararla, y luego empezó a teclear.

Ella se instaló en el sofá y esperó. Él no miraba más que a las páginas que iba escribiendo y que iban sucediéndose como por arte de magia. El ambiente en la habitación era fresco, pero el sudor apareció en su frente mientras escribía como un poseso.

Las imágenes que había evocado ya estaban grabadas en el cerebro de Fleur. El poblado, la gente, la camisa con los patitos... Algo terrible había ocurrido aquel día.

Él no se dio cuenta de que Fleur se marchaba sigilosamente.

Fleur y Kissy fueron juntas a cenar esa noche. Cuando volvió aún se oía el tecleo de la máquina de escribir. Le preparó un emparedado y cortó una porción del pastel francés de almendras que quedaba de la cena que habían organizado el otro día. Esta vez no se preocupó de llamar antes de utilizar la llave.

Él seguía inclinado sobre el teclado. En su rostro se distinguía la fatiga. Sobre la mesa, varias tazas de café, papeles... Él gruñó cuando ella dejó la bandeja y recogió las tazas para fregarlas. Limpió la cafetera y volvió a dejarla lista para hacer más café.

Cierto temor se había ido asentando en ella desde esa mañana. Seguía pensando sobre *Eclipse de domingo por la mañana* y sobre la masacre que Jake había presenciado en Vietnam. Ahora no podía dejar de hacerse una pregunta terrible: ¿Jake había sido un testigo impotente de una masacre, como el personaje que había creado, o bien había sido un participante activo?

Se envolvió con los brazos y se marchó del apartamento del desván.

A finales de esa semana recibió la primera llamada de Dick Spano.

—Tengo que encontrar a Jake.

—Nunca me llama —contestó ella. Y le estaba diciendo la verdad.

—Si se pone en contacto contigo, dile que lo estoy buscando.

—Vale, pero no creo que lo haga.

Esa noche subió al desván para comentarle la llamada. Jake tenía los ojos enrojecidos y barba incipiente. Parecía que no había dormido.

—No quiero hablar con nadie —le dijo—. Mantenlos alejados de mí. ¿Podrás?

Ella hacía todo lo que podía. Lo libraba de su director de negocios, del abogado, de todas aquellas secretarias... Pero alguien tan famoso como Jake no podía simplemente desaparecer. Pasaron otros cinco días. Como los que llamaban se mostraban cada vez más alarmados, ella decidió hacer algo, así que telefoneó a Dick Spano.

—He tenido noticias de Jake —dijo—. Ha empezado a escribir de nuevo y necesita estar desaparecido durante un tiempo.

—Tengo que hablar con él. Hay un compromiso que no puede esperar más. Dime dónde está.

Ella daba golpecitos en la mesa de su despacho con el lápiz.

—Creo que se ha ido a México. Pero no me ha dicho exactamente dónde.

Dick lanzó una imprecación y luego le soltó una lista de cosas que tenía que decirle si volvía a llamarla. Ella tomó nota y se guardó el papel en un bolsillo.

Octubre acabó y, con la fecha del desfile de moda de Michel ya muy cerca, las habladurías sobre los contratos rotos de Fleur no parecían extinguirse. Y por si eso fuera poco, las tontas historias que se habían propagado sobre ella y Jake a finales de verano seguían perjudicándola. Según esos rumores, Fleur Savagar no era más que una modelo en declive que intentaba montar un negocio aprovechándose de su antigua fama. Ninguno de los clientes potenciales que le interesaban había firmado con ella, y cada noche se dormía y unas horas después se despertaba sobresaltada oyendo la máquina de escribir de Jake. Ya por la mañana, utilizaba su llave para comprobar si estaba bien, aunque al cabo de cierto tiempo resultaba difícil saber cuál de los dos tenía un aspecto más ojeroso.

La víspera del desfile de Michel la pasó en el hotel, entre los técnicos y carpinteros que instalaban la pasarela. Volvió loco a todo el mundo con que se comprobaran los pases de seguridad y la presencia de guardias en la puerta. Incluso desquició a Kissy, pero en ese momento todo dependía de la colección de Michel. Alexi disponía de menos de veinticuatro horas para mostrar lo peor de sí mismo. Fleur llamó a Michel a la fábrica de Astoria para asegurarse de que los guardias estaban ojo avizor.

—Cada vez que miro fuera, están donde se supone que han de estar —le respondió su hermano.

Cuando colgó, tuvo que recordarse que tenía que respirar más serenamente. Había contratado a la mejor compañía de seguridad del estado. Ahora debía confiar en que hicieran su trabajo y tranquilizarse.

Willie Bonaday eructó y buscó en el bolsillo del uniforme sus tabletas de antiácidos. En ocasiones las mascaba, una tras otra. Eso le ayudaba a pasar el tiempo hasta que los del turno de día los relevaban. Había estado trabajando allí desde un mes atrás, y esa era la última noche. Willy pensaba que eran demasiadas precauciones para un puñado de vestidos, pero mientras a él le dieran el cheque por su trabajo, no iba a expresar su opinión sobre un asunto que no le concernía.

En cada guardia trabajaban cuatro hombres, y tenían el lugar bien sellado. Willie estaba sentado detrás de la puerta delantera de la antigua fábrica Astoria, mientras que su compañero Andy estaba en la trasera, y dos hombres jóvenes estaban fuera de las puertas del taller, en el segundo piso, donde se guardaban los vestidos. A la mañana siguiente, los guardias diurnos custodiarían los largos percheros en su camino hasta el hotel. Cuando llegara la noche el trabajo habría concluido.

Un par de años atrás, Willie había hecho guardias para Reggie Jackson. Ese era el trabajo que le gustaba. Cuando él y su cuñado veían a los Giants y vigilaban a Reggie Jackson, no unos vestidos. Willie tomó el *Daily News*. Mientras buscaba la sección de deportes, una furgoneta naranja desvaído con el logotipo de «Bulldog Electronics» pasó por delante del taller. Willie no reparó en ello.

El conductor de la furgoneta giró para introducirse en una calleja lateral sin siquiera mirar hacia la fábrica. No tenía que mirar nada. Había pasado por allí todas las noches de la semana anterior, cada vez con un vehículo diferente, de modo que sabía perfectamente lo que habría visto. Ya sabía de Willie, aunque ignoraba cómo se llamaba, y también del guardia en la entrada trasera, y del depósito del segundo piso, con los guardias apostados en el exterior. Sabía del turno de día que iba a llegar en unas horas, y de las tenues luces que se mantenían encendidas en el interior de la fábrica. A él lo único que le importaba eran esas luces. Nada más.

El almacén del otro lado de la calle, frente a la antigua fábrica, estaba abandonado desde hacía años y el candado oxidado de la parte trasera cedió fácilmente. El hombre sacó una caja de herramientas de la furgoneta. Pesaba mucho, pero eso no le preocupaba. Una vez estuvo seguro dentro del almacén, encendió la linterna e iluminó el suelo mientras andaba hacia la parte delantera del edificio. La linterna sí le preocupaba. El haz de luz se dispersaba demasiado, sin límites ni precisión. Era una luz chapucera.

La luz era su especialidad. Puros rayos de luz, finos como lápices. Luz coherente que no se difuminaba en focos indisciplinados, como ocurría con ciertas linternas.

Pasó casi una hora preparándolo todo. Normalmente no le llevaba tanto tiempo, pero se había visto obligado a modificar su equipo con un potente telescopio, y montarlo resultaba engorroso. De todos modos, no le importaba, porque le gustaban los retos, especialmente si eran retos tan bien pagados.

Cuando acabó de prepararse, se limpió las manos en un trapo que llevaba y luego limpió un círculo en el sucio cristal de la ventana del almacén. Le llevó su tiempo orientar y focalizar el telescopio, cerciorándose de dejarlo todo exactamente como le gustaba. Podía distinguir cada uno de los pequeños centros de clavijas de plomo sin ninguna dificultad. Los distinguía con mayor claridad que si hubiera estado en medio de ese depósito del segundo piso.

En cuanto estuvo preparado, accionó suavemente el láser y dirigió su rayo rojo a la clavija de plomo más lejana. La clavija solamente necesitaba 73 grados de calor para fundirse, y en cuestión de segundos comprobó que el láser había hecho su trabajo. Apuntó a la siguiente clavija, que también se disolvió bajo la potencia de aquel haz del grosor de un lápiz. En cuestión de minutos, todas las clavijas de plomo se habían fundido, y las cabezas aspersoras automáticas del sistema antiincendios regaban los percheros repletos de vestidos.

Satisfecho, el hombre recogió su equipo y abandonó el almacén.

Fleur

24

La llamada de la compañía de seguridad despertó a Fleur a las cuatro de la mañana. Escuchó la detallada explicación del encargado.

—No despierten a mi hermano —dijo antes de colgar.

Luego se echó las sábanas por encima de la cabeza y volvió a dormirse.

El timbre de la puerta la despertó. Miró el reloj y pensó en si era posible que los floristas entregaran rosas blancas a las seis de la mañana. En cualquier caso, no quería levantarse para comprobarlo. Metió la cabeza debajo de la almohada para seguir durmiendo. De pronto, alguien apartó la almohada. Ella gritó y se volvió en la cama, boca arriba.

Era Jake, vestido con unos tejanos y un suéter de cremallera abierto sobre el pecho. Llevaba el pelo revuelto y seguía sin afeitar.

—¿Qué demonios te pasa? ¿Por qué no contestas al timbre?

Fleur le arrancó la almohada de las manos y le dio un golpe en el estómago.

—¡Son las seis y media de la mañana!

—¡Y tú corres a las seis! ¿Dónde estabas?

—¡En la cama!

Él metió las manos en los bolsillos y adoptó una expresión enfurruñada.

—¿Cómo iba a saber que estabas durmiendo? Al no verte desde mi ventana pensé que te había ocurrido algo.

Ella ya no podía posponer más aquello, de manera que echó a un lado las sábanas. Él ni siquiera fingió no ver que el camisón se le había subido por los muslos. Fleur se estiró para encender la lámpara de la mesilla de noche y con toda la intención colocó las piernas a la manera de chica de anuncio de colchones, con los dedos de los pies en vertical sobre el suelo y los puentes delicadamente arqueados. Si se consideraba la envergadura de los problemas que tenía por delante aquel día, no era demasiado alentador que se preocupara por ofrecerle a Jake Koranda una inmejorable vista de sus piernas.

—Voy a preparar el desayuno —dijo Jake con tono abrupto.

Fleur fue a darse una ducha rápida, luego se puso unos tejanos y un viejo suéter. Jake la miró mientras rompía los huevos y los echaba a una sartén. Ahí de pie, junto a la cocina, parecía más alto aún, con los hombros tensando las costuras del suéter de una manera agresivamente masculina. A Fleur le costó aclararse los pensamientos.

—¿Cómo has entrado? Hice una comprobación de todas las puertas anoche, antes de irme a dormir.

—¿Cómo quieres los huevos, fritos o revueltos?

—Jake...

—Oye, que no puedo hablar y preparar el desayuno al mismo tiempo. Podrías ayudarme, ¿sabes? En lugar de estar ahí como la reina de Inglaterra. Aunque hay que reconocer que eres mucho más guapa...

Una maniobra evasiva típicamente masculina, pero dejó que él se saliera con la suya, pues se sentía hambrienta. Cogió una tostada y un zumo de naranja y luego se sirvió el café. Una vez que se sentaran a la mesa, reanudó el ataque:

—Has vuelto a camelar a mi directora de oficina. Riata te ha hecho un duplicado de su llave.

Él atacó el plato con el tenedor.

—Admítelo —insistió ella—. No puedes haber entrado aquí de ningún otro modo.

—¿Cómo puedes ponerle más mantequilla a la tostada que yo?

—Riata tiene una llave. Yo tengo una llave. Michel tiene una llave. Nadie más. Si la despido, te pesará en la conciencia.

—No vas a despedirla. —Mientras hablaba cambió su tostada por la de Fleur—. Tu hermano me dio un duplicado después de la cena. Me explicó lo que tu padre anda urdiendo. Michel está preocupado por ti y yo tampoco puedo decir que esté contento sabiendo que ese cabrón te sigue los pasos. Cuando esta mañana he visto que no salías a correr me he asustado.

Ella lo miró.

—Alexi no me haría daño físicamente. Michel debería saberlo. Me quiere viva, quiere que sufra. ¿No tienes ya bastante con tus propios problemas ahora mismo?

—No me gusta lo que está haciendo contigo.

Ella recuperó su tostada.

—Yo misma tampoco me gusto demasiado.

Comieron en silencio. Jake tomó un sorbo de café.

—Normalmente cuando trabajas no vas en tejanos y zapatillas. ¿Qué ocurre?

—Tengo que llevar todos esos percheros hasta el hotel. Los transportistas no se presentarán aquí hasta dentro de una hora, y lo de hoy va a ser muy largo. —Lo miró con expresión acusadora—. Por eso quería dormir un poco más. Por otro lado, no podía irme de casa con todo esto aquí dentro. —Hizo un gesto vago hacia la sala de estar.

Jake ya había reparado en esas filas de percheros metálicos de los que colgaban vestidos protegidos por plástico negro.

—¿Me explicas qué es todo esto, o tengo que suponerlo?

—Ya sabrás que Michel celebra hoy su desfile.

—¿Y la ropa que mostrará está aquí?

Ella asintió y le habló de la fábrica en Astoria y de la llamada que había recibido de madrugada.

—Los de la agencia de seguridad no saben a ciencia cierta qué ha hecho que se disparen los aspersores, pero todos los vestidos que estaban en el taller han quedado empapados.

Él levantó una ceja con expresión intrigada.

—Todo lo que hay en el taller es material desechable del propio taller —explicó ella—. Kissy, Simon, Charlie y yo hicimos el cambio anoche, después de que Michel y las costureras se fueran a casa. —Intentó sentir alguna satisfacción por haber engañado a Alexi, pero sabía que no podía bajar la guardia. Se levantó y fue hasta el teléfono—. He de llamar a Michel para que no le dé un ataque al corazón si esta mañana se le ocurre pasarse por la fábrica.

Jake se levantó de la silla.

—Un momento. ¿Me estás diciendo que Michel no sabe que habéis trasladado sus vestidos aquí?

—Es que este no es su problema. Yo fui la que destrozó el famoso Bugatti. Alexi quiere vengarse de mí. Michel ya tiene de qué preocuparse.

—Supón que Alexi envía a uno de sus matones aquí. Si eso ocurriera, ¿qué harías?

—La fábrica estaba protegida por guardias. Alexi no podía imaginarse que las muestras estaban aquí.

—¿Sabes cuál es tu problema? —Jake rodeó la mesa para ponerse a su lado—. ¡Pues que no piensas!

Cuando se desplazaba, el bolsillo del suéter tocó la encimera y Fleur oyó un ruido sordo. Entonces se dio cuenta de que un lado de la prenda colgaba más que el otro. Él se llevó la mano al bolsillo.

Ella volvió a colgar el teléfono.

—¿Qué llevas ahí?

—¿A qué te refieres?

Sintió un escalofrío.

—En el bolsillo. ¿Qué es?

—¿En el bolsillo? Las llaves.

—¿Las llaves y qué más?

Él se encogió de hombros.

—Y una automática del veintidós.

Ella lo miró perpleja.

—¿Una qué?

—Una pistola.

—¿Estás loco? —Fue hacia él—. ¿Has traído una pistola aquí, a mi casa? ¿Te crees que estamos en una de tus películas?

La expresión de Jake era seria y determinada.

—No voy a disculparme. No sabía con qué me encontraría al entrar aquí.

De pronto, sin que supiera por qué, Fleur se vio pensando en una chiquilla con patitos amarillos en la camisa, y en una carnicería. Un miedo cerval se abrió paso hasta el umbral de su conciencia.

—Quédate aquí mientras me pongo algo encima —dijo Jake antes de dejarla sola.

Todos sus instintos le decían que Jake no hubiera podido tomar parte en una atrocidad, ni siquiera en medio de una guerra. Pero su cerebro no podía aceptarlo con tanta facilidad. Deseaba no haberle dejado entrar de nuevo en su vida. Incluso con todo lo que ahora sabía de él, volvía a permitirle hurgar bajo sus defensas.

Cuando reapareció, las rosas blancas ya habían llegado. Torció el gesto.

—¡Menudo hijo de puta!

—Lo bueno del caso es que por lo visto no se ha enterado de que sus planes han fallado.

—Pues que siga pensando así. —Descolgó el teléfono y marcó un número—. Michel, soy Jake. Voy para el hotel con la Mujer Maravilla y con tu colección. Ya te lo explicaré cuando nos veamos allá.

—No tienes por qué hacer esto —le dijo ella en cuanto colgó—. Puedo hacerme cargo de la situación.

—Tú haz lo que yo te diga.

Los transportistas llegaron, y Jake lo hizo todo menos registrarlos antes de dejarlos entrar en la casa. Se mantuvo en guardia mientras cargaban los percheros y luego montó en la parte trasera del camión junto con ella. Cuando llegaron al hotel se hizo a un lado, pero sin perderla de vista ni un momento, y en una ocasión vio que se llevaba la mano al bolsillo de su parka. Aunque quería pasar desapercibido, uno de los empleados del hotel lo reconoció y pronto se vio rodeado por un enjambre de cazadores de autógrafos. Fleur sabía lo mucho que odiaba esa clase de atención pública, pero permaneció alerta hasta que hubieron dejado todos los percheros en su sitio.

Después estuvo un rato sin verlo, pero cada vez que pensaba que finalmente se había ido a casa, volvía a localizarlo vigilándola discretamente, junto a una escalera o al lado de una entrada de servicio, con una gorra bien calada. Aquella presencia la reconfortaba, por mucho que no le gustara admitirlo. En cuanto se acabara todo aquello, tendría una conversación larga y sin tapujos con ella misma.

En la confusión y el caos de detrás del escenario, se obligó a mostrar una confianza que no sentía. ¡Tantas cosas dependían de lo que pasara en las próximas horas! Se había producido una avalancha de peticiones para asistir al desfile, de manera que habían programado dos pases, uno a primera hora y otro a media tarde. Cada modelo disponía de un perchero independiente con todas las prendas ordenadas junto con sus complementos. Lo habitual era que los percheros se prepararan el día anterior, pero, dadas las circunstancias, todo había tenido que organizarse en un lapso de tiempo muy limitado. De este modo, se produjeron búsquedas desesperadas de última hora de accesorios que faltaban, y también un lío casi desastroso con los zapatos, todo ello acompañado de miradas de reproche dirigidas a ella. Entretanto, un equipo filmaba la colección para luego distribuir la cinta en tiendas de ropa y grandes almacenes.

Una hora antes del primer pase, Fleur se puso el vestido que había traído. Era una de las primeras piezas que Michel había diseñado para ella, un vestido rojo lacado, recto y entallado, con una ranura central desde el cuello hasta los senos y otra que bajaba desde encima de la rodilla hasta el dobladillo, a media pantorrilla. Una bandada de mariposas en abalorio adornaba uno de los hombros, y el motivo se repetía en miniatura sobre los dedos de los pies en sus zapatos de tacón de raso rojo.

Kissy apareció para acompañarla detrás del escenario. Estaba pálida y tensa.

—Esta ha sido tu peor ocurrencia. No va a funcionar. Me parece que tengo fiebre. Seguro que tengo la gripe. Sí, seguro que estoy enferma.

—No, lo que tienes son nervios. Respira hondo. Te pondrás bien.

—¡Nervios! ¡No son nervios, Fleur Savagar! ¡Esto es histeria, pura y dura!

Fleur la abrazó y luego fue a atender a la gente que llenaba la sala. Cuando hubo acabado de hablar con editores de moda y de posar para los fotógrafos, no sentía los extremos de los dedos, agarrotados por los nervios. Tomó posesión de la pequeña silla dorada que se le había reservado cerca de la parte delantera de la pasarela y le dio la mano a Charlie Kincannon.

Él se inclinó hacia ella y susurró:

—He estado escuchando lo que se dice por ahí y la verdad es que estoy preocupado. La gente piensa que los diseños de Michel serán *frufrús*, y no estoy demasiado seguro de entender qué significa eso.

—Significa que hace que las mujeres parezcan mujeres, y la prensa de moda no sabe muy bien cómo tomárselo, pero al final tendrán que aceptarlo.

Deseaba sentir esa misma seguridad que transmitía, pero la verdad era que cualquier nuevo diseñador que manifestara inclinaciones diferentes a las corrientes imperantes corría un serio riesgo de ser fulminado por los poderosos árbitros de la moda. Michel era el chico nuevo del vecindario en un entorno duro y muy territorial. La periodista de *Women's Wear Daily* parecía hostil, y Fleur entendió a qué se refería Kissy con aquello de la pura histeria.

La intensidad de la luz de la sala disminuyó y empezó a sonar un melancólico blues. Fleur se hincó las uñas en las palmas. Las puestas en escena demasiado teatrales habían pasado de moda. La tendencia que primaba en esos momentos era la sencillez, y eso valía tanto para la pasarela como para las modelos y los vestidos. Una vez más, le llevaban la contraria a la tendencia, y todo era por su culpa. Fleur había sido quien primero había hablado con Michel sobre esa idea tan estúpida.

El parloteo en la sala empezó a apagarse. La música se oyó más fuerte y las luces del escenario, detrás de la pasarela, iluminaron un *tableau vivant* instalado tras una cortina de gasa que daban a la escena un aire onírico. Las siluetas de los elementos de la escenografía —una barandilla de hierro, una farola, la sombra de palmeras y persianas rotas— sugerían un decadente patio de Nueva Orleans en una noche tórrida de verano.

Gradualmente se hicieron visibles las figuras de las modelos. Ocuparon el escenario con sus vestidos diáfanos, en los que pechos, codos y rodillas sobresalían en ángulos exagerados, como las figuras de una pintura de Thomas Hart Benton. Algunas llevaban abanicos de palma inmovilizados en el aire. Una se inclinó hacia delante y el pelo se desparramó hacia el suelo como las ramas de un sauce; llevaba un cepillo en la mano. Fleur oyó susurros entre el público y vio que la gente miraba de reojo para captar la reacción de los demás, pero nadie parecía dispuesto a pronunciarse antes de saber hacia dónde se encaminaría todo aquello.

De pronto, una figura se separó de las demás, con una actitud de creciente enfado hasta que accedió a una zona de luz azul. Miró al público un momento, como sopesando si merecía su confianza. Finalmente empezó a hablar. Les habló de Belle Reve, la plantación que había perdido, y sobre Stanley Kowalski, el infrahumano con el que se había casado su hermana Stella. Su voz transmitía agitación; el rostro, cansancio y sufrimiento. Finalmente guardó silencio y levantó la mano hacia ellos, rogándoles su comprensión. Volvía a sonar un blues. Derrotada, ella retrocedió hacia las sombras.

Tras un momento de perplejidad, el público empezó a aplaudir, primero tímidamente y luego más y más fuerte. El extraordinario monólogo de Kissy como Blanche DuBois en *Un tranvía llamado deseo* había sorprendido a todos.

Fleur comprobó que Charlie resoplaba, aliviado.

—La quieren, ¿verdad?

Ella asintió y contuvo la respiración: tenía la esperanza de que los diseños de Michel también les hubieran gustado. Por muy inspirada que hubiera estado Kissy, aquella velada estaba dedicada a la moda.

El tempo de la música se aceleró y una a una las modelos rompieron su hieratismo y salieron de detrás de la cortina para avanzar por la pasarela. Llevaban tenues vestidos de verano que evocaban flores perfumadas, calurosas noches meridionales y *Un tranvía llamado deseo*. Las líneas eran suaves y femeninas sin caer en lo recargado, con toques delicados y concebidos para mujeres hastiadas de parecer hombres. En Nueva York hacía años que no se veía nada semejante.

Fleur oyó los murmullos a su alrededor y también los bolígrafos tomando notas. Los aplausos fueron educados para los primeros vestidos, pero a medida que se iban sucediendo y que el público iba captando la belleza de los diseños de Michel, los aplausos crecieron hasta inundar por completo la gran sala.

Cuando el vestido final salió de la pasarela, Charlie soltó una exhalación larga y torturada.

—Siento como si hubiese vivido toda una vida en los últimos quince minutos.

Fleur sentía que le dolían los dedos y de pronto comprobó que los había estado hundiendo en la rodilla de su acompañante.

—¿Solamente una vida?

Siguieron otros dos cuadros, y la acogida de cada uno de ellos fue más calurosa que la anterior. Una lluvia vaporosa propia de *La noche de la iguana* envolvió a Kissy en un segundo monólogo y también sirvió como fondo para la ropa informal con estampados de jungla coloreada y salvaje. Finalmente Kissy interpretó a su brillante Maggie *la Gata* contra la silueta en sombras de una gran cama de bronce como introducción a una colección exótica de vestidos de noche que sugerían imágenes de deliciosa decadencia y pusieron al público en pie.

Cuando acabó la exhibición, Fleur contempló a Michel y a Kissy. Correspondían a los aplausos inclinándose. La vida ya no iba a ser la misma para ninguno de los dos. No habría podido encontrar una manera mejor de agradecerle a Kissy su incansable apoyo, ni de disculparse ante Michel por todos esos años de odio indebido: logrando que ambos obtuvieran el reconocimiento público que merecían. Al abrazar a Charlie, se dio cuenta de que el éxito de sus dos clientes también tendría impacto en su carrera. La primera velada de la tarde le había dado un buen espaldarazo a su credibilidad.

El público empezaba a rodearla cuando entrevió a Jake en un lugar recóndito de la sala. Antes de desaparecer, levantó los dos pulgares hacia ella.

La siguiente semana transcurrió en un torbellino de llamadas de teléfono y entrevistas. *Women's Wear Daily* convirtió la colección de Michel en portada, bautizándola como «nueva feminidad», mientras que los editores de modas guardaban turnos para informarse de sus planes futuros. Michel superó la conferencia de prensa que Fleur le había organizado y luego se la llevó a comer. Se dirigieron sendas muecas por encima de los menús.

—Los hermanos Savagar no lo han hecho tan mal por su cuenta, ¿verdad, hermanita?

—¡Qué van a hacerlo mal, hermanito! —Tocó la manga de popelina de la chaqueta de safari que llevaba sobre una camisa de seda borgoña, un suéter de comando francés y la corbata del ejército suizo—. Te quiero, Michel. Te quiero un montón. Tendría que decírtelo más a menudo.

—Yo también te quiero un montón, pero mi montón es más grande. —Hizo una pausa y ladeó la cabeza, de manera que el pelo le rozó el hombro—. ¿Te importa que sea gay?

Ella se llevó la mano a la barbilla.

—Preferiría verte feliz para siempre con alguien que me diera una tribu de sobrinos y sobrinas, pero ya que no será posible, desearía verte en una relación estable con un hombre que estuviera a tu altura.

—¿Alguien como Simon Kale?

—Pues ahora que lo dices...

Michel dejó el menú sobre la mesa y la miró con expresión triste.

—Eso no funcionaría, Fleur. Ya sé que contabas con ello, pero no va a ocurrir.

Ella se sintió algo avergonzada.

—He traspasado el límite, ¿verdad?

—Ajá —sonrió—. Y no sabes lo mucho que significa para mí que alguien piense en mi felicidad.

—Lo tomaré como un permiso para interferir en tu vida todo lo que quiera.

—No lo hagas. —Bebió un sorbo de su copa de vino—. Simon es una persona especial y hemos consolidado una amistad sólida, pero no llegará más allá. Simon es muy fuerte y autosuficiente. Realmente, no necesita a nadie.

—Eso es importante para ti, ¿verdad? Me refiero a sentirte necesitado.

Él asintió.

—Ya sé que no te gusta Damon. Y llevas razón. Puede ser un egoísta y no es un agudo intelectual. Pero me quiere, Fleur, y me necesita.

Ella se tragó su disgusto.

—Nunca he dicho que Damon no tuviera buen gusto.

Pensó en Jake. El tirón erótico que ejercía sobre ella era más fuerte cada vez que lo veía. No confiaba en él, pero lo deseaba. ¿Y por qué no iba a poder tenerlo? Le dio vueltas a esa idea. Sin ningún compromiso emocional. Nada más que sexo, sexo bueno, sexo sucio. Pero su atracción nunca había sido así. Sin embargo, ¿no era esa la esencia de la liberación real? Las mujeres no tenían que jugar a ningún juego. No debían jugar. Ella haría mejor en mirar fijo a los ojos de Jake y decirle que quería...

¿Que quería qué? «Ir a la cama» sonaba demasiado soso. «Hacer el amor» tenía implicaciones. «Echar un polvo» era una vulgaridad, y «follar», no digamos.

¿Iba a tener que derrumbarse simplemente por culpa de las

barreras del lenguaje? ¿Qué haría un hombre en su situación? ¿Cómo lo haría Jake?

¿Y por qué no iba a hacerlo Jake?

Entonces supo que nunca podría tomar la inciativa sexual, por mucho que lo deseara. Que esa reluctancia proviniera de los condicionamientos culturales o del instinto biológico no tenía mayor importancia: la cuestión era que la liberación de la mujer se enredaba en cuanto había que llamar las cosas por su nombre.

Fleur intentaba no hacer caso del tecleo de la máquina de escribir. Se concentró en enviar a Kissy de una audición a otra y trató de adivinar cuál sería el próximo movimiento de Alexi. Todos los que habían estado evitando sus llamadas querían de pronto hablar con ella, y en la primera semana de diciembre, un mes después del desfile de Michel, Kissy había firmado para aparecer en las representaciones de *The Fifth of July*. Luego iría a Londres para un papel secundario en una película de aventuras de gran presupuesto.

Fleur y Kissy no habían hablado de nada aparte de negocios en las últimas semanas, y una tarde se puso más que contenta cuando abrió la puerta y se encontró con su amiga allí de pie, con una pizza y una botella grande de Tab. Al cabo de un momento habían pasado a la sala y se habían sentado a la mesa baja que acababa de adquirir.

—Como en los viejos tiempos, ¿eh, Fleurinda? —dijo Kissy mientras sonaba *Tequila Sunrise* como música de fondo—. Aunque ahora que somos ricos y famosos quizá deberíamos cambiar al beluga, por mucho que cueste remplazar una pizza con peperoni tan yanqui por un pescado comunista.

Fleur bebió un sorbo de una de las copas Baccarat que Olivia Creighton le había regalado.

—¿Crees —preguntó— que somos unas hipócritas porque bebemos un refresco de régimen para acompañar la pizza? Parecería como si tuviéramos que elegir un camino u otro.

—Tú ve preocupándote por la ética, que yo voy comiendo. No pruebo bocado desde el desayuno, de modo que me muero de hambre. —Le dio un buen mordisco a la porción que acababa de sacar de la caja—. No creo que me haya sentido tan feliz en toda la vida.

—La pizza te gusta de verdad, vaya.

—No es la pizza. —Kissy se zampó otro trozo, pero esta vez tragó antes de hablar—. Es la obra de teatro, es la película, es todo... Bob Fosse me saludó ayer. Y no fue eso de «Hola, nena», no. ¡Me dijo «Hola, Kissy»! ¡Bob Fosse en persona!

Fleur sintió que una burbuja de placer crecía en su interior. Había logrado que eso ocurriera.

La imagen de la cara feliz de Belinda se abrió paso en su mente, y el placer desapareció. ¿Así se había sentido su madre al manipular su carrera?

Kissy estaba nerviosa por la película de Londres, y acribilló a Fleur con preguntas sobre el rodaje de *Eclipse*. Luego cambió de tema.

—No hablas demasiado de Jake últimamente.

Fleur dejó a un lado su pizza.

—Hace semanas que apenas levanta la vista de su máquina de escribir. Cuando subo a ver cómo le va, ni siquiera me ve.

No obstante, a veces continuaban saliendo a correr por la mañana, aunque nunca hablaban de nada importante, y Jake había aparecido por su cocina para desayunar en un par de ocasiones.

—O sea, que no estáis durmiendo juntos.

El tema de Jake era demasiado complicado, de manera que optó por una respuesta directa:

—Fue el amante de mi madre.

—Técnicamente, no —replicó Kissy—. Además, he estado pensando sobre este asunto. Por lo que he oído, Belinda es una mujer muy seductora. Jake era un chico muy joven. Ella se le echó encima. En ese tiempo Jake y tú no erais amantes. Así que lo que pasó entre ellos, fuera lo que fuese, no tuvo nada que ver contigo.

—Mi madre tenía que saber lo que yo sentía por él —dijo Fleur con amargura—, pero aun así no se contuvo.

—Eso dice mucho de ella, pero no de él. —Kissy recogió las piernas en el asiento—. Ya no crees aquello de que Jake te sedujo por el bien de su película, ¿verdad? Solamente he coincidido con él unas pocas veces, pero obviamente ese no es su estilo. Estoy segura de que tendrá sus defectos, pero la ambición ciega no parece uno de ellos.

—¡Pues claro que tiene defectos! Es la persona emocionalmente más deshonesta que he conocido nunca. Tendrías que ver cómo levanta una barrera contra cualquiera que se le acerque demasiado. Te deja ver algunos destellos de su verdadera personalidad, pero luego cierra la puerta de golpe. Eso está bien para una amistad intrascendente, pero no para alguien que le ama.

Kissy dejó la pizza y la miró. Fleur sintió que le ardían las mejillas.

—¡No, no estoy enamorada! ¡Kissy, me entiendes perfectamente! Hablaba en general. Sí, hay cosas en él que me gustan, sobre todo su aspecto, y su cuerpo... Pero... —Dejó que la mano cayera en su regazo—. No puedo permitírmelo. Mi cupo vital de personas deshonestas y manipuladoras está completo, no necesito otra más.

Kissy tuvo el detalle de cambiar de tema. Charlaron sobre la última neurosis de Olivia Creighton, y sobre qué vestidos llevaría Kissy a Londres. Finalmente y contra todo pronóstico, a Kissy parecieron acabársele los temas de conversación, y fue entonces cuando a Fleur le vino a la cabeza que el nombre de Charlie Kincannon aún no había surgido. Pero los ojos de Kissy brillaban y apenas podía permanecer a la mesa tranquila. Quizá tanta excitación se debiera no solamente al trabajo.

—Algo ha pasado entre tú y Charlie.

—¿Charlie?

—¡Sí! Venga, ¡desembucha!

—¡Fleur, por favor, qué expresión tan horriblemente vulgar! Fleur le quitó la porción de pizza de la mano.

—Pasarás hambre hasta que me cuentes lo que ocurre.

Kissy dudó, pero al final alzó las rodillas.

—No te rías, ¿vale? Ya sé que pensarás que es una tontería... —Enroscó un rizo entre sus dedos. —En realidad... —La garganta pareció cerrársele—. En realidad creo que quizás esté enamorada.

—¿Y por qué iba a pensar yo que es una tontería?

—Porque Charlie no es exactamente la pareja perfecta para mí, si consideramos mi historial.

Fleur sonrió.

—Siempre he pensado que erais los mejores compañeros. Eras tú la que no estaba de acuerdo.

Ahora que lo había contado, Kissy quería decirlo todo antes de perder la compostura.

—¡Me siento tan estúpida! Es el hombre más maravilloso que he conocido nunca, pero no sabía cómo relacionarme con un chico que me quería por algo diferente del sexo. Cada vez que quería seducirlo empezaba a hablarme de Kierkegaard, o del dadaísmo, o de los Knicks... ¡Qué horror! Y escúchame: fuera cual fuese el tema del que hablábamos, nunca, ni una sola vez intentaba dominar la conversación. No me hablaba como otros hombres. Sentía un sano interés por mis opiniones. Me retaba. Y cuanto más hablábamos, mayor conciencia tenía de lo lista que soy. —Sus ojos se llenaron de lágrimas—. ¡Fleur, eso me hacía sentir tan bien!

Fleur también sintió que los ojos le escocían.

—Charlie es una persona especial, lo mismo que tú.

—Lo bueno del caso es que al principio solamente podía pensar en llevármelo a la cama, que es, lo reconozco, mi terreno de juego preferido. Me apoyaba en él o le decía que necesitaba un masaje en la espalda. O bien cuando venía a recogerme yo estaba medio desnuda. Pero no importaba lo descarada que fuese, él no parecía enterarse. Al cabo de un tiempo, abandoné la idea de seducirlo y simplemente empecé a disfrutar de su compañía. Fue entonces cuando comprendí que no le era tan indiferente como fingía.

Fleur sonrió al ver la expresión soñadora de Kissy.

—Pues por lo visto valió la pena esperar.

Kissy hizo una mueca.

—Yo no le dejé tocarme.

—¿Lo dices en serio?

—¡Me encantaba que me cortejara! Luego, hará dos semanas, vino al piso una noche, después del ensayo. Empezó a besarme y yo lo estaba pasando realmente bien, pero de repente me asusté. Ya sabes lo que pasa. Me asusté de que después de lo bien que había ido todo, yo lo decepcionara. Por su expresión pensé que sabía cómo me sentía, puesto que sonrió con esa expresión tan dulce y comprensiva que tiene. Y luego propuso que jugáramos al Scrabble.

—¿Al Scrabble? —Tanto autodominio le pareció excesivo. Fleur estaba decepcionada con Charlie.

—Bueno, no era el Scrabble normal. Es una variante: el strip-Scrabble.

Fleur enarcó una ceja.

—¿Puedo preguntar cómo se juega a esta perversión particular?

—Es muy sencillo. Por cada veinte puntos que obtiene tu oponente tienes que quitarte una prenda. ¿Y sabes, Fleur? Tanto como deseaba acostarme con él, también me gustaba que me cortejara, y resulta que soy una jugadora de Scrabble realmente excepcional. —Trazó un dramático arco en el aire—. Empecé muy fuete con *klepht* y *pewit*.

—Estoy impresionada.

—Luego le disparé directamente entre los ojos con *whey* y *jargon* en un doble tanto de palabra.

—Eso seguro que lo dejó patidifuso.

—Por supuesto. Pero contraatacó con *jaw* en mi *jargon* y con *wax* en *pewit*. Aun así, era obvio que no jugábamos en la misma liga: yo nunca utilizo palabras de tres letras, a menos que esté desesperada. Para cuando había compuesto *viscacha*, él ya estaba en calzoncillos y con un calcetín. Yo seguía con mi combinación y todo lo de debajo. —Frunció el ceño—. Entonces fue cuando ocurrió.

—El suspense me va a matar.

—Me atacó con *qaid*.

—No existe tal palabra.

—Sí que existe, sí. Es un jefe tribal del norte de África, aunque normalmente solo conocen esa palabra los jugadores de Scrabble de la máxima categoría y los adictos a los crucigramas.

—¿Y entonces?

—¿No lo entiendes? ¡El muy pillo me estaba estafando!

—¡Ay, ay, ay!

—En resumen, puso *zebu* en horizontal y luego lo coronó con *zloty* en vertical. Mi *quail* tenía un aspecto lamentable después de eso, pero lo peor estaba por llegar.

—No sé si podré soportar tanta tensión.

—*Phlox* en un triple tanto de palabra.

—¡Qué tío!

25

Al llegar la Navidad, Fleur había conseguido tres clientes importantísimos: dos actores y un cantante. Alexi no había hecho más movimientos en su contra, y los viejos rumores sobre sus incumplimientos contractuales parecían acallarse. Los chismes sobre la relación que mantenía con Jake seguían, pero había corrido la voz de que él estaba escribiendo de nuevo, de manera que esa noticia había perdido mordiente. En cuanto al primer álbum de Rough Arbor, vendía por encima de las expectativas, y el desbordante éxito de la colección de Michel seguía aportando una avalancha de buena publicidad. Cuando Kissy recibió críticas estupendas después del estreno de la obra el 3 de enero, Fleur sintió que todos sus sueños se estaban convirtiendo en realidad. Entonces ¿por qué no era más feliz? Evitaba hurgar demasiado en su interior amparándose en el trabajo.

Jake dejó de aparecer cada mañana para ir a correr. Cuando ella iba arriba para comprobar que todo marchaba bien, él apenas hablaba. Había estado trabajando en su libro durante cerca de tres meses y tenía un aspecto cada vez más consumido. El pelo le bajaba por la espalda y olvidaba afeitarse durante días.

Un frío viernes por la noche, en la segunda semana de enero, algo la despertó. Silencio total. ¿Qué había ocurrido con la máquina de escribir? Se desperezó.

—No pasa nada, Flower —susurró una voz ronca—. Soy yo.

La tenue luz que se colaba en la habitación desde el invernadero le permitió ver a Jake sentado cerca de la cama, con las largas piernas orientadas hacia ella.

—¿Qué estás haciendo? —susurró.

—Mirarte cómo dormías. —Su voz era tan suave y oscura como la habitación en la noche—. La luz es un trazo en tu pelo. ¿Recuerdas cómo nos envolvíamos en tu cabello cuando hacíamos el amor?

La sangre despertó en su cuerpo abotargado por el sueño.

—Sí, lo recuerdo.

—Nunca tuve la intención de herirte —dijo Jake con rabia—. Quedaste atrapada en un fuego cruzado.

Ella no quería pensar en el pasado.

—Eso fue hace mucho tiempo. Ya no soy tan inocente.

—Vaya, pues no estoy tan seguro —repuso con un acento cortante—. Para alguien que quiere hacerme creer que se ha acostado con medio mundo, no veo que por aquí pasen demasiados hombres.

Ella quería que se mantuviera dulce y suave. Quería que le hablara de los trazos de luz en su pelo.

—Contigo en el piso de arriba prefieren no pasar por aquí, claro. Vamos a sus casas.

—¿De verdad? —Se levantó de la silla lentamente y empezó a desabrocharse la camisa—. Si lo haces con cualquiera, ya es hora de que me toque a mí.

Ella se incorporó en la cama.

—¡No lo hago con cualquiera!

Él se quitó la camisa.

—Hace meses que esto podía haber pasado entre nosotros. No tenías más que pedirlo.

—¿Yo? ¿Y qué me dices de ti?

Jake se limitó a poner la mano en el botón de sus tejanos.

—Para.

—¿Y si no lo hago? —La cremallera se abrió en uve y dejó al descubierto un vientre plano—. He acabado el libro.

—¿De verdad?

—Y no puedo dejar de pensar en ti.

Las emociones se le acumulaban en la cabeza y en el cuerpo... ¡Lo deseaba tanto! Pero algo ocurría. Algo terriblemente erróneo. Si había acabado el libro debería sentirse aliviado, y sin embargo parecía atormentado. Ella necesitaba averiguar por qué.

—Abróchate esos pantalones, *cowboy* —dijo con tranquilidad—. Primero tenemos que hablar.

—Y un cuerno vamos a hablar. —Se quitó los zapatos, apartó la sábana que la cubría y contempló el camisón azul hielo que se arrugaba por encima de los muslos de Fleur.

—Qué bonito.

Se quitó los tejanos.

—No.

—Calla un poquito, ¿quieres?

Alcanzó el borde del camisón.

—Vamos a hablar. —Ella empezó a retroceder, pero él agarró el camisón con fuerza y la mantuvo quieta.

—Más tarde.

Ella le apretó la muñeca.

—Lo mío no es sexo recreativo, contigo no.

Él la dejó ir de golpe, y con la mano abierta dio un golpe en la pared por encima de la cabeza de Fleur.

—Entonces ¿sexo caritativo? Si lo que te gusta es el sexo caricativo, te advierto que ahora mismo estás perdiendo una gran oportunidad.

Ella distinguió la pena que él no podía ocultar, y sintió una punzada en el corazón.

—¡Oh, Jake!

De pronto hubo un cortocircuito.

—¡Vale, olvídalo! —dijo él, y agarró los tejanos para ponérselos—. Olvida que he estado aquí. —Recogió la camisa y se dirigió hacia la puerta.

—¡Espera! —Ella quiso levantarse, pero se hizo un lío con las sábanas revueltas. Para cuando pudo liberarse, la puerta ya se estaba cerrando. Luego oyó sus pisadas en la escalera que llevaba al desván. Recordó entonces las ojeras de Jake, el sentimiento de desesperación que desprendía. Sin pensárselo más, corrió y subió por la escalera.

La puerta del apartamento estaba cerrada.

—¡Abre!

Silencio.

—Hablo muy en serio, Jake, abre esta puerta ahora mismo.

—Vete.

Fleur soltó un juramento y bajó en busca de sus llaves. Cuando por fin abrió la puerta, estaba temblando.

Lo encontró sentado en la cama, apoyado en el cabezal y con una botella de cerveza contra el pecho desnudo. No se había abrochado los pantalones. La hostilidad que desprendía crujía como el hielo.

—¿Has oído hablar de los derechos del inquilino?

—No has firmado ningún contrato. —Pasó por encima de la camisa, que yacía arrugada en el suelo, al dirigirse hacia él. Cuando alcanzó la cama lo estudió, intentando leerle la mente, pero todo lo que vio fueron líneas de fatiga alrededor de su boca y la desesperación reflejada en sus ojeras—. Si alguien necesita caridad —musitó—, esa soy yo. Ya ha pasado mucho tiempo.

El rostro de Jake se tensó, y Fleur comprendió que no podía esperar que él pusiera nada de su parte. Había revelado un exceso de necesidad y ahora tenía que disimularlo con camuflaje. Bebió un trago de cerveza y la miró como si fuera una cucaracha que acababa de aparecer por el piso.

—Tal vez algún pobre desgraciado te llevaría a la cama si no fueras tan pesadita.

A Fleur le hubiera gustado responderle con un bofetón, pero esa noche lo notaba capaz de autodestruirse, y sospechaba que eso era precisamente lo que deseaba.

—Pues he tenido montones de proposiciones...

—Sí, apuesto que sí —contestó él, burlón—. Chicos guapos con robot de cocina y BMW.

—Entre otros.

—¿Cuántos?

¿Por qué no podía admitir que la necesitaba en lugar de hacer que los dos se adentraran en ese terreno espinoso? Tenía que estar al tanto de la deriva de ese juego que le proponía.

—Docenas —dijo por fin—. Centenares.

—Seguro.

—Soy una leyenda.

—En tu imaginación. —Echó otro trago de cerveza y se limpió la boca con el dorso de la mano—. Y ahora me quieres para calmar tus frustraciones sexuales. Quieres que te haga de semental.

¡Qué falta de decoro!

—Si no tienes nada mejor que hacer...

Él se encogió de hombros y apartó las sábanas a un lado.

—Creo que no. Quítate ese camisón.

—Ni lo sueñes, vaquero. Si no te gusta, quítalo tú. Y ya que estamos, líbrate de esos pantalones, para que pueda ver qué tienes que ofrecer.

—¿Lo que tengo que ofrecer?

—Tómatelo como si estuviéramos en una audición.

Jake ni siquiera consiguió sonreír, y ella supo que había alcanzado el punto de ruptura.

—Pensándolo mejor —dijo—, quédate ahí. Esta noche me siento agresiva.

Se quitó el camisón por la cabeza, pero el pelo se le quedó enredado en los tirantes. Allí estaba, desnuda y vulnerable frente a él. Los dedos le temblaban mientras intentaba liberarse el pelo, pero solo consiguió empeorar la maraña.

—Inclínate —dijo él con suavidad.

La acercó por un lado de la cama. Ella se sentó dándole la espalda, y su cadera desnuda rozó el vaquero de él.

El camisón quedó suelto.

—Ya está.

No hizo ningún movimiento para tocarla. Ella miraba al otro lado de la habitación, con la espalda recta y las manos recogidas en el regazo; sabía que no podía ir más allá. Oyó que él se quitaba los tejanos. ¿Por qué tenía que hacerlo tan difícil? Tal vez ni siquiera fuera a besarla. Quizá se limitara a tenderla sobre la cama y penetrarla sin siquiera besarla. Pim, pam, encantado de conocerte, nena, pero ahora tengo que irme. ¿No era esa una actitud típicamente suya? Era un auténtico hijo de puta. Se aprovechaba de sus encantos. No quería hablar más que para insultarla. ¡Se disponía a volver a dejarla!

—¿Flower? —Le tocó el hombro con la mano.

Ella se volvió y dijo:

—No lo haré si no me besas. ¡Lo digo muy en serio! Si no me besas, puedes irte al infierno.

Él pestañeó.

—Y no creas que yo...

Jake la agarró por la nuca y la atrajo hacia su pecho desnudo.

—Te necesito, Flower —le susurró—. Te necesito de verdad.

Y le dio un profundo beso con lengua. Ella flotó a través de ese beso, lo bebió y lo devoró, deseó que no acabara nunca. La hizo caer sobre la espalda y la presionó contra el lecho bajo su peso.

El beso perdió suavidad y se convirtió en algo oscuro y desesperado. La respiración se hizo más agitada y ella arqueó la espalda para restregarle las caderas. Él empezó a sudar, y el sudor de los dos cuerpos se mezcló, y de pronto las manos de Jake empezaron a recorrerla ávidamente. Manos ásperas y ansiosas, en los pechos, en la cintura, en las caderas, en las nalgas, en la entrepierna...

En aquella manera de tocar había algo desesperado. Ella estaba asustada, por él y por ella misma. Toda la frustración, los años de negación... Todo eso formaba como una concentración de orgullo herido en su pecho. Lo abrazó, haciendo que los dos orgullos se encontraran.

—Ámame, Jake —susurró—. Ámame, por favor...

Los dedos hurgaron la tersa piel de los muslos y los separaron, al tiempo que aposentaba su peso entre ellos. Sin más, la penetró con fuerza y profundidad. Ella gritó. Él le tomó la cabeza entre las manos y le cubrió la boca con la suya. La besaba con desesperación al tiempo que se introducía más y más. Ella enseguida alcanzó un orgasmo sin alegría. Él no se detuvo. Permaneció en ella, con la lengua en su boca, con las manos en su pelo, embistiéndola más fuerte... más rápido... hasta que soltó un grito bronco y angustiado al derramarse en su interior.

Poco después de la culminación se deshizo el abrazo. Ella miraba al techo, pensando en la desesperación, los oscuros silencios y la desolación de aquella manera de hacer el amor. Él había acabado el libro, y tal vez le iba a decir adiós.

«Ámame, Jake. Ámame, por favor.» Las palabras que había dicho en pleno acto volvieron a ella, y se sintió mal.

Allí estaban, en la cama, y ni siquiera las manos se tocaban. Nada.

—¿Flower?

En su cabeza veía una larga extensión de arena quemada por el sol que se extendía, sombría y vacía, ante ella. Tenía mucho (trabajo, amigos...), pero ahora solo podía ver la arena yerma.

—Flower, quiero hablar contigo.

Ella le volvió la espalda y hundió la cara en la almohada. Ahora que todo había acabado quería hablar. Le dolía la cabeza, sentía la boca seca y acre. La cama crujió cuando él se levantó.

—Sé que no estás dormida.

—¿Qué quieres? —preguntó ella finalmente.

Jake encendió la lámpara que tenía junto a la mesa de trabajo. Ella se volvió para mirarlo. Él estaba en pie, despreocupadamente desnudo.

—¿Tienes algo que hacer este fin de semana que no puedas postergar? —le preguntó—. ¿Algo importante?

Así pues, quería representar la escena final, el gran adiós.

—Espera, que busco la agenda bajo la almohada —ironizó ella fatigosamente.

—¡Déjate de pamplinas! Ve y mete un par de cosas en una maleta. Te recojo en media hora.

Dos horas después estaban en un vuelo chárter con destino a no se sabía dónde y Jake iba dormido en el asiento junto a ella.

¿Qué defecto básico podía tener que le hacía enamorarse una y otra vez de ese hombre que no podía devolverle su amor? No volvería a intentar escurrir el bulto. Amaba a Jake Koranda.

Se había enamorado de él cuando tenía diecinueve años, y ahora había vuelto a recaer. Era el único hombre que parecía pertenecerle. Jake era parte de ella. Quizá tuviera una pulsión destructiva. Una y otra vez, la dejaba emocionalmente abandonada en las puertas del *couvent*. Él no daba nada a cambio. No hablaba de nada importante: la guerra, su primer matrimonio, lo que ocurrió cuando estaban rodando *Eclipse*... En lugar de eso, no paraba de gastarle bromas. Y, para ser sincera, ella hacía lo mismo con él. Pero en su caso se trataba de algo diferente: Fleur lo hacía porque tenía que protegerse. ¿Qué era lo que tenía que proteger él?

Eran las siete de la mañana cuando aterrizaron en Santa Bárbara. Jake se levantó el cuello de la chaqueta de cuero contra el frío mañanero, o quizá contra los ojos implorantes de alguna fan al acecho. Llevaba un maletín en una mano y con la otra la guio por el codo hacia el aparcamiento. Se detuvieron junto a un sedán marrón oscuro, un Jaguar. Abrió la puerta y metió en el portaequipajes el maletín y la bolsa de viaje.

—Tardaremos un rato en llegar —dijo con súbita simpatía—. Intenta dormir un poco.

La casa en voladizo de cristal y cemento parecía casi la misma que recordaba. ¡Qué bonito lugar para la despedida que todavía tenían que escenificar!

—¿Una vuelta a la escena del crimen? —ironizó mientras él aparcaba frente a la casa.

Él apagó el motor.

—No sé si lo llamaría exactamente un crimen, pero tenemos algunos fantasmas que enterrar, y este me parece el lugar más indicado para hacerlo.

Ella estaba cansada e intranquila, y no podía evitar pincharlo.

—Lástima que no hayamos encontrado ningún sitio donde vendieran cerveza de raíz. Ya que estamos tratando de inocencias perdidas...

Él la ignoró.

Mientras Jake fue a tomar una ducha, ella se puso un bañador. Envuelta en un albornoz, fue a probar el agua de la piscina. No estaba lo bastante climatizada para el frío de enero, pero aun así se quitó el albornoz y se zambulló. Empezó a hacer largos, pero la tensión que la atenazaba no quería disolverse. Salió, se envolvió en una enorme toalla y se echó en una tumbona al sol, y al momento cayó dormida.

Horas después, una menuda mujer mexicana de cabello negro y brillante la despertó para anunciarle que la comida estaría lista en un momento, por si quería cambiarse primero. Fleur evitó el gran baño con la bañera enorme en que habían hecho el amor hacía tantos años, y escogió otro más modesto destinado a los invitados. Tras ducharse, con el cabello echado hacia atrás, se sintió despejada por fin. Eligió unos pantalones gris claro y una blusa abierta verde salvia. Antes de dirigirse a la sala, se puso el collar que Jake le había regalado, pero se abrochó el botón a la altura de los pechos para que él no viese que lo llevaba.

Él estaba bien afeitado y se había puesto ropa casi elegante: unos tejanos nuevos y un suéter azul claro. Pero las líneas de fatiga alrededor de la boca seguían ahí. Ninguno de los dos tenía demasiado apetito, y la comida fue tensa y silenciosa. Ella no podía sacudirse la sensación de que todo lo ocurrido entre ellos iba a llegar a una conclusión, que no iba a haber ningún final feliz. Querer a Jake solamente podía conducir a un destino.

Al final la criada apareció con el café y lo dejó con contundencia sobre la mesa, para protestar por la injusticia que se había cometido con su comida. Jake le dijo que podía marcharse a casa y se quedó quieto en la silla hasta que oyó que la puerta de atrás se cerraba. Entonces se levantó de la mesa y se marchó. Cuando volvió llevaba un voluminoso sobre tamaño folio. Fleur lo miró, y luego miró a Jake a los ojos.

—Así que verdaderamente has acabado el libro.

Él se pasó la mano por el pelo.

—Voy a salir un rato. Si quieres, puedes leerlo.

Ella tomó el grueso sobre, dubitativa.

—¿Estás seguro? Fui yo quien te empujó a esto. Quizá...

—No vendas los derechos para convertirlo en una serie de televisión mientras estoy fuera. —Intentó sonreír, sin conseguirlo—. Esto va por ti, Fleur, y por nadie más.

—¿A qué te refieres?

—Exactamente a lo que acabo de decirte. Lo he escrito para ti. Solo para ti.

Ella no lo entendió. ¿Cómo podía haber pasado los últimos tres meses martirizándose con un manuscrito que únicamente ella iba a leer? ¿Un manuscrito que él no quería que se publicara? Fleur volvió a pensar en la niña de la camisa con patitos amarillos. Solo podía haber una explicación: el contenido era demasiado comprometido. Sintió náuseas.

Él se volvió y se alejó por la cocina. Salió por la misma puerta que había utilizado la criada un rato antes. Fleur fue con su taza de café hasta la ventana y contempló los tonos del crepúsculo en el paisaje. Jake había escrito sobre masacres en dos ocasiones, recreándola en una ficción en el caso de *Eclipse de domingo por la mañana* y ahora como historia real en el manuscrito que contenía ese sobre. Pensó en las dos caras de Jake Koranda. La brutal de Bird Dog Caliber, y la sensible del autor teatral que exploraba la condición humana con aguda capacidad de penetración. Siempre había creído que Bird Dog era la falsificación, pero ahora pensaba que tal vez se había equivocado, del mismo modo que había errado en muchas otras cosas sobre él.

Cuando por fin se atrevió a sacar el contenido del sobre había pasado largo rato. Se instaló en una silla cerca de las ventanas, encendió la luz y empezó a leer.

Jake fintó hacia la canasta instalada a un lado del garaje y saltó para un mate rápido, pero las suelas de las botas resbalaron sobre el cemento y el balón dio en el aro. Por un momento pensó en volver dentro por sus zapatillas, pero no soportaría ver a Fleur leyendo.

Se puso la pelota bajo el brazo y avanzó hacia el muro de

contención que cerraba el paso a la ladera. Le habría gustado disponer de un paquete de seis Coronitas, pero no iba a volver a la casa solo para eso. No podía acercarse a ella. No aguantaría ver la decepción en sus ojos por segunda vez.

Se apoyó contra el muro de piedra. Tendría que haber encontrado otra manera de finalizar la relación entre ellos, provocar la indignación de Fleur. Soportar aquel dolor tan penetrante se le hacía difícil, así que imaginó el murmullo del público en su cabeza. Se vio en la pista central de un gran estadio de baloncesto, con el equipo de los Celtics, el número 33 en la pechera. Bird.

«¡Bird! ¡Bird!» Intentó que la imagen se perfilara en su cabeza, pero se resistía a tomar forma.

Se levantó y volvió a conducir la pelota alrededor del garaje hacia el aro. Empezó a driblar. Era Larry Bird, algo más lento de lo que solía, pero todavía era un gigante, todavía volaba... «Bird.»

En lugar del rugido de la multitud en la grada, oyó otro tipo de música en su cabeza.

En el interior de la casa se sucedían las horas. La pila de folios leídos crecía junto a Fleur. Sentía la espalda dolorida por haber permanecido sentada tanto tiempo. Cuando llegó a la página final, no pudo contener las lágrimas.

Cuando pienso en Vietnam, pienso en la música que siempre estaba sonando. Otis Redding... los Stones... Wilson Pickett. Sobre todo pienso en Creedence Clearwater Revival, que era lo que sonaba cuando me subieron al avión en Saigón para volver a casa, y cuando respiraba por última vez aquel aire preñado de monzones, repleto de humo cannábico, sabía que la mala luna de la que hablaba la canción me había llevado. Ahora, quince años más tarde, sigo inmerso en ella.

26

Fleur encontró a Jake junto al garaje, sentado en el suelo justo donde no alcanzaban los focos. Estaba apoyado en una pared de piedra, con un balón en el regazo, y parecía como si acabara de recorrer los fuegos del infierno, lo que no distaba mucho de la realidad. Ella se agachó a su lado. Él la miró, ensimismado y distante, desafiándola a compadecerlo.

—No tienes idea de lo mucho que me habías asustado —dijo ella—. Me había olvidado de cómo eras y de tus malditas metáforas. Tanto hablar de masacres, y de la niña con la blusa de patitos amarillos... Te veía barriendo una aldea llena de civiles inocentes. Me asustaste tanto... Era como si no pudiera fiarme de mis propia intuición sobre ti. Pensaba que habías tomado parte en alguna carnicería horrible.

—Sí que tomé parte. Toda la jodida guerra fue una carnicería.

—Tal vez lo fue de manera metafórica. Pero yo me refiero al sentido literal.

—Entonces seguro que te habrá aliviado saber la verdad —dijo con amargura—. John Wayne acabó su carrera militar en un hospital psiquiátrico atiborrado de Thorazine porque no soportaba la tensión.

Ahí estaba, ese era el secreto que lo atormentaba. Por eso había erigido esos muros infranqueables a su alrededor. Temía que el mundo acabara averiguando que se había venido abajo.

—Pero tú no eras John Wayne. Eras un chico de veintiún años de Cleveland que había llevado una vida sin grandes altibajos y de pronto se enfrentó a un infierno.

—Me volví loco, Flower. ¿No lo entiendes? Estaba ululando en los tejados.

—Da lo mismo. Puedes verlo de las dos maneras. No podrías escribir obras tan sensibles y maravillosas que miran al corazón de la gente si fueras incapaz de conmoverte ante el sufrimiento humano.

—Tenía muchos compañeros, y ellos no se volvieron locos.

—Tenías muchos compañeros que no eran tú.

Tendió la mano para tocarlo, pero él se levantó y le dio la espalda.

—Veo que he conseguido despertar todos tus instintos protectores, ¿verdad? —El desdén que desprendían aquellas palabras casi dolía físicamente—. He conseguido que me compadezcas. Pues bien, créeme: no era eso lo que pretendía.

Ella también se puso en pie, pero esta vez no intentó tocarlo.

—Cuando me diste el manuscrito, tenías que haberme advertido de que no se me iba a permitir reaccionar. ¿Qué creías, que iba a responder como si hubiera visto una de tus estúpidas películas de Caliber? Eso no puedo hacerlo. No me gusta verte acribillar a la gente a balazos. Prefiero verte acurrucado en esa camilla del hospital, gritando porque no fuiste capaz de detener el curso de los acontecimientos. Tu pena me ha hecho sufrir contigo, y si no puedes aceptar eso, entonces no tendrías que haberme dado el libro a leer.

En lugar de tranquilizarlo, pareció que aquellas palabras todavía lo enfurecían más.

—No has entendido ni una jodida palabra.

Jake se fue y ella no lo siguió. Se trataba de él, no de ella. Caminó hacia la piscina, quitándose la ropa hasta quedarse en braguitas y sostén. Temblando de frío, miró el agua, oscura e inhóspita. Y se lanzó a ella. La frialdad líquida le robó la respiración. Nadó hacia la parte profunda y se volvió para flotar sobre la espalda. Fría... en suspenso... a la espera.

Pensó que Jake sentía una honda y desgarradora compasión por el niño que había sido, educado sin ninguna delicadeza por una madre demasiado cansada y airada por la injusticia de su vida como para darle al niño el amor que necesitaba. Había buscado un padre en los hombres que frecuentaban los bares del barrio. A veces encontraba uno, pero no siempre. Pensó en la ironía de la beca universitaria que había obtenido: no por su mente, tan sensible y destacada, sino por sus mates espectaculares.

Mientras flotaba en la fría agua, también pensó en su matrimonio con Liz. Había continuado amándola hasta mucho después del fin de su relación. Eso era muy típico de él. Jake no regalaba su amor fácilmente, pero una vez que lo daba tampoco era fácil que lo retirara. Cuando se había alistado estaba paralizado por el dolor y durante un tiempo quiso distraerse con la guerra, la muerte y las drogas. No le había importado sobrevivir o no. A Fleur la impresionaba pensar hasta qué punto había sido temerario. Sin embargo, cuando no había podido evitar lo ocurrido en aquella aldea, se había roto. Y a pesar de los largos meses en el hospital, en realidad no se había recuperado nunca.

Mirando hacia el cielo estrellado, Fleur creyó entender el porqué de todo aquello.

—El agua está demasiado fría. Será mejor que salgas.

Estaba plantado junto a la piscina, en una postura que no revelaba ni amistad ni enemistad. Sostenía una cerveza en una mano y una toalla naranja en la otra.

—Estoy bien —contestó ella.

Él dudó y luego fue a dejar la toalla y la cerveza junto a una tumbona.

Ella observaba las nubes que pasaban.

—¿Por qué me culpabas a mí de tu bloqueo? —preguntó por fin.

—El problema empezó cuando te encontré. Antes de tu llegada todo estaba bien.

—¿Tienes idea de por qué ocurrió?

—Sí, tengo algunas ideas.

—¿Te importa que las discutamos?

—No, no me importa. Me da igual.

Ella movía las piernas rápidamente en el agua.

—Te diré por qué no podías escribir. Yo estaba atacando el fuerte. Estaba horadando las murallas que tú levantaste, gruesas y fuertes, pero aquella chica de diecinueve años tan extraña que te devoraba con la mirada, aquella chica las derrumbaba con la misma velocidad que tú las construías. Te asustaba que, una vez que esas murallas recibieran el primer impacto, no pudieras volver a levantarlas.

—Lo estás haciendo más complicado de lo que fue. Después de tu partida no podía escribir porque me sentía culpable, eso es todo, y los dos sabemos que no fue culpa tuya.

—¡No! —Avanzó por el agua hasta que hizo pie—. Tú no te sentías culpable. Eso no es más que escurrir el bulto. —No era fácil decirle eso—. No te sentías culpable porque no tenías de qué sentirte culpable. Me hiciste el amor porque me deseabas, porque incluso me querías un poco. —Un doloroso nudo le dificultaba la respiración—. Seguro que me querías, Jake. Yo sola no puedo haber generado todo ese sentimiento.

—Tú no sabes nada de lo que yo sentía.

Ella se mantenía en pie en el agua, temblorosa, con el sostén mojado adherido a sus pechos, con el collar de la flor pegado a su piel. De pronto lo vio tan claro que se preguntó cómo no había llegado antes a esa conclusión.

—No es más que una cuestión de machismo, eso es lo que es. Con *Eclipse de domingo por la mañana* tu escritura se había vuelto demasiado reveladora, y entonces, al mismo tiempo, llegué yo y saltaron todas las alarmas. Pero tú no dejaste de escribir por mí. Tú dejaste de escribir porque temías desprenderte de tus protecciones. No querías que todo el mundo supiera que el chico duro de pantalla, el chico duro que tenías que aparentar ser mientras crecías, no tenía nada que ver con el hombre real.

—Pareces una psiquiatra.

Los dientes de Fleur empezaron a castañetear, con lo que pronunciaba las palabras entrecortadamente.

—Incluso cuando bromeas sobre tu imagen en la pantalla, de una manera sutil estás guiñando un ojo. Es como si estuvieras diciendo: «¡Cuidado todo el mundo! Claro que estoy actuando, pero todos sabemos que aun así soy todo un tío!»

—Menuda estupidez.

—Ya habías empezado a hacerte el duro de niño. Si no lo hubieras hecho, las calles de Cleveland te habrían comido. Pero al cabo de un tiempo empezaste a creer que en realidad eras eso, ese hombre que podía hacerse cargo de todo. Un hombre como Bird Dog. —Empezó a subir por la escalerilla, estremeciéndose al notar el contacto del aire—. Bird Dog es exactamente quien quieres ser: alguien emocionalmente muerto. Alguien que nunca siente dolor. Un hombre seguro.

—¡Estás como un cencerro! —La botella de cerveza chocó contra la mesa.

En lugar de aceptar que no era invulnerable, se revolvía contra el objetivo más cercano: Fleur. Ella se agarraba a la escalerilla, con los hombros contraídos contra el frío, con el pecho tenso por la angustia.

—Bird Dog no es ni la mitad de hombre que tú. ¿Acaso no lo ves? ¡El hecho de que te derrumbaras emocionalmente es una señal de tu humanidad, no de tu debilidad!

—¡Menuda tontería!

—Si quieres curarte por ti mismo, ve ahí dentro y lee ese maldito manuscrito, ese que tú mismo has escrito!

—¡Es increíble que lo hayas interpretado tan mal!

—Lee tu libro e intenta sentir alguna compasión por ese pobre chico, por ese chico tan valiente que se vio abocado a la desesperación...

Jake se levantó de la silla, pálido por la furia.

—¡No has entendido nada! ¡No has visto lo que tenías en tus narices! ¡No es ninguna historia sobre la piedad!

—¡Léelo! —gritó ella en la fría noche—. ¡Lee sobre el chico que no tenía a nadie que se preocupara por él!

—¿Acaso no lo entiendes? —estalló Jake—. ¡No es sobre la compasión! ¡Es sobre el asco! —Le dio una patada a una silla que tenía delante, lanzándola a la piscina—. ¡Lo que quería es que tú sintieras asco, para que te largaras de una vez por todas de mi vida!

Se volvió y corrió hacia la casa. Las puertas del *couvent* se cerraron de golpe para ella, como había ocurrido tantas veces. Él había huido, como todos, dejándola perdida, fría y sola. Fleur se acurrucó sobre el cemento, temblorosa, entumecida. Los viejos cedros que rodeaban la casa gemían. Alcanzó la toalla naranja y se envolvió en ella. Luego hizo un ovillo con sus prendas estropeadas. Finalmente lloró y lloró hasta que ya no le quedaron lágrimas.

Jake permanecía junto a la ventana en la oscuridad de la sala y miraba hacia la figura acurrucada junto a la piscina. Era una criatura bella, una criatura deslumbrante de luz y bondad, y él la había arrastrado al infierno. Detrás de los párpados notaba algo que los desgarraba, algo rápido y afilado. Quería absorber el dolor de Fleur, asumirlo como propio. Pero no iba a ir a ella, no se iba a permitir esa flaqueza. Le había dado el manuscrito. Lo había escrito solo para ella, para que entendiera por qué no podía ofrecerle todo lo que esa exquisita criatura merecía, todo lo que él no podía ofrecerle por ser demasiado débil o demasiado indigno.

Recordaba la noche que la había sorprendido con Kissy cuando estaban viendo *Dos hombres y un destino*. Redford no podría haber acabado en una camilla, encogido como un feto. Larry Bird no se habría vuelto loco. Y Bird Dog tampoco. ¿Cómo podría ella amar a un hombre que había acabado así de mal?

Se apartó de la ventana. No tenía que haberla traído aquí, ni haberla dejado entrar de nuevo en su vida, ni haberla querido tantísimo. Si en aquel momento se podía decir que había aprendido algo, ese algo era que no estaba hecho para el amor. El amor destruía las barreras que necesitaba para avanzar en el día a día. Como ella por sí misma era tan fuerte, no quería aceptar que él era débil. Los demás chicos no se habían vuelto locos, pero él sí.

Fleur había desperdigado los folios del manuscrito alrededor de la silla donde había estado leyendo. Jake se la imaginaba sentada allí, con sus largas piernas recogidas y su rostro grande y bonito contraído por la concentración. Fue hasta la silla y se arrodilló para recoger los folios. Iba a quemarlos antes de irse a dormir. Eran como granadas activadas a su alrededor, no podría dormir hasta que las destruyera, porque si alguien aparte de Fleur averiguaba lo que revelaban, ya podía ponerse una pistola en la sien y apretar el gatillo.

Volvió a situarse junto a la ventana. Ahora parecía tranquila. Tal vez se habría dormido. Ojalá.

De vuelta a la silla donde ella había estado leyendo, sus ojos cayeron sobre la primera página. La cogió y estudió su plantilla, la calidad tipográfica, el margen derecho demasiado cerca del borde. Observó todos esos detalles intrascendentes y luego empezó a leer.

CAPÍTULO 1

Todo en Vietnam podía ocultar una bomba. Un paquete de cigarrillos, un encendedor, el envoltorio de una golosina... Y todas esas cosas pueden explotarte en la cara. Pero no esperábamos nada de eso cuando vimos al niño tumbado a un lado de la carretera en los alrededores de Quang Tri. ¿Quién podía imaginar que alguien podía poner una bomba en el cadáver de un niño? Era el colmo de la violación de la inocencia...

En algún momento de aquella noche, Jake la condujo al interior de la casa. La cabeza de Fleur golpeó contra algo mientras él la llevaba en brazos por el pasillo en dirección a la habitación de invitados y soltó una maldición, pero cuando la posó en la cama y le deseó buenas noches en un susurro, ella percibió una horrible ternura que la hizo fingir que se había vuelto a dormir.

«Emocionalmente deshonesto.» Eso le había contado a Kissy sobre él, y llevaba razón. Ya tenía bastante dolor en su vida, y se retiraba. Amar a un hombre que le arrebataba el corazón para usarlo como una pelota de baloncesto se había convertido en algo difícil de sobrellevar.

Por la mañana temprano se lo encontró dormido en un sofá, la boca ligeramente abierta y el brazo caído sobre el montón de hojas mecanografiadas y esparcidas por el suelo. Fleur localizó la llave del Jaguar y lo metió todo en la bolsa de viaje tan silenciosamente como pudo. La furgoneta también estaba aparcada en el garaje, de manera que no iba a dejarlo aislado.

El coche arrancó a la primera. Puso marcha atrás y lo sacó al camino de acceso. En ese momento, el sol de la mañana la deslumbró. Tenía los ojos hinchados después de la noche anterior. Buscó las gafas de sol en su bolso. El camino de acceso era empinado y con muchos baches. Jake y sus inseguridades. Había hecho que acercarse a la casa fuera muy difícil, de manera que pudiera preservar su preciosa y estúpida privacidad.

Empezó a avanzar por el camino. Un movimiento en el espejo retrovisor le llamó la atención. Era Jake, que corría hacia el coche. Con el faldón de la camisa por fuera y el pelo alborotado, parecía dispuesto a asesinar a alguien. No entendió lo que estaba gritando. Probablemente fuera mejor así.

Apretó el acelerador, tomó demasiado rápido la siguiente curva y los bajos del coche tocaron un bache. Dio un volantazo a la derecha. El Jaguar coleó y antes de que pudiera hacer nada se encontró con la rueda trasera colgando sobre una zanja.

Apagó el contacto y apoyó los brazos en el volante, preparándose para la acometida de Jake y su rabia, o de Jake y sus bromas, o de Jake y cualquiera de las demás fachadas que decidiera levantar entre ellos. ¿Por qué no podía dejarla partir, sin más? ¿Por qué no podían tomar el camino de salida más fácil?

La puerta del conductor se abrió, pero ella no se movió. La respiración de Jake parecía tan enrabiada como la de Fleur aquella noche del Cuatro de Julio, seis meses atrás. Se ajustó las gafas de sol.

—Olvidabas tu collar —dijo él con un tono más agudo de lo

normal. Se aclaró la garganta—. Quiero que conserves tu collar, Fleur.

El colgante se deslizó hasta su regazo. Sintió la calidez del metal que él había cobijado en su mano. Ella miraba directamente al frente, a través del parabrisas.

—Gracias.

—Lo mandé hacer especialmente para ti. —Volvió a aclararse la garganta—. Se lo pedí a ese chico que conozco. Le hice un dibujo a lápiz.

—Es bonito —respondió ella con educación, como si acabara de recibir el regalo. Aun así, seguía sin dirigirle la mirada.

El pie de Jake crujió en la grava.

—No quiero que te vayas, Flower. Todo lo que ocurrió anoche... —Su voz sonaba ronca, como si hubiera pillado un resfriado—. Lo siento.

Ella no iba a permitirse llorar, pero le costaba un gran esfuerzo, y las palabras que pronunció sonaron más rotas que su propio corazón:

—No puedo... no puedo soportarlo más. Déjame ir.

Él soltó un rabioso resoplido.

—He hecho lo que me pediste. He leído el libro. Tenías... tenías razón. Yo he estado... demasiado encerrado en mí mismo demasiado tiempo. Tenía miedo. Pero cuando anoche fui a recogerte junto a la piscina... de pronto comprendí que lo que más temía era perderte, muy por encima de todo lo ocurrido quince años atrás.

Ella se volvió finalmente para mirarlo, pero él no la miraba a los ojos. Ella se quitó las gafas y volvió a oír cómo se aclaraba la garganta. De pronto comprendió que estaba llorando.

—¿Jake?

—¡No me mires!

Ella apartó la cara, pero al cabo de un momento tenía las manos de Jake en los brazos, y al siguiente tiraba de ella para sacarla del coche. La estrechó contra su pecho tan fuerte que apenas podía respirar.

—No me dejes... —farfulló—. He estado solo tanto tiempo... Toda mi vida. No me dejes. Dios mío, ¡te quiero mucho! Por favor, Flower.

Ella sentía que Jake se desmoronaba. Todas las capas protectoras que él había dispuesto a su alrededor se resquebrajaban. Por fin Fleur tenía lo que había querido: Jake Koranda con sus emociones expuestas, Jake dejándole ver lo que nunca había enseñado a nadie. Y eso la conmovió en lo más profundo de su corazón.

Ella cubrió sus lágrimas con los labios, las lamió, las hizo desaparecer. Intentó apaciguarlo con caricias. Ella quería rehacerlo completo. Tan completo como era.

—No pasa nada, *cowboy* —susurró—. Todo está bien. Te quiero. Pero no te encierres, no vuelvas a dejarme fuera. Puedo soportarlo todo menos eso.

Él la miró con ojos enrojecidos y desprovisto de toda su chulería.

—¿Y qué me dices de ti? ¿Hasta cuándo piensas dejarme fuera? ¿Cuándo piensas dejarme entrar?

—No sé a qué te...

Pero calló, y posó la mejilla contra la mandíbula de Jake. Sí, las cortinas de humo de uno y otro no eran diferentes. Durante toda su vida, había intentado encontrar su valor personal en las opiniones de los demás: las monjas del *couvent*, Belinda, Alexi. Y ahora en su negocio. Sí, quería que su agencia triunfase, pero si fracasaba no por eso sería menos persona. No pasaba nada malo con ella. Había sido tan víctima de sus conceptos equivocados como Jake.

«Intenta sentir alguna compasión por ese chico que fuiste», le había dicho. Quizá ya fuera hora de que hiciera propio ese consejo y sintiera compasión por la niña asustada que había sido.

—¿Jake?

Él le susurró algo al oído.

—Tendrás que ayudarme —dijo ella.

Él deslizó los dedos por su cabello y estuvieron besándose hasta perder la conciencia del tiempo. Cuando finalmente se separaron, él dijo:

—Te quiero, Flower. Saquemos de aquí este coche y vayámonos al mar. Quiero contemplar el océano y tenerte al lado y decirte todo lo que he querido decirte durante todo este tiempo. Y creo que tú también tendrás algo que decirme.

Ella pensó en todo lo que necesitaba explicarle. Sobre el *couvent* y sobre Alexi, sobre Belinda y Errol Flynn, sobre los años que había perdido y sobre sus ambiciones. Asintió.

Devolvieron el coche al camino. Jake condujo, y mientras descendían lentamente por la entrada a la casa, él tomó su mano y le besó la punta de los dedos. Ella sonrió y suavemente retiró la mano. En el bolso llevaba un espejito. Lo abrió para comprobar el estado de su rostro.

Lo que vio era inquietante. Pero no apartó la vista, como venía haciendo desde años atrás. Contempló su reflejo e intentó aceptar esos rasgos con el corazón, no con la mente.

La cara era una parte de ella. Podía ser demasiado grande para lo que ella entendía por belleza, pero vio inteligencia en su expresión, sensibilidad en sus ojos y humor en su generosa boca. Era una buena cara, bien equilibrada. Era su cara, y eso precisamente la hacía buena.

—¿Jake?

—¿Mmm?

—Eso de que soy guapa es cierto, ¿no?

Él la miró e hizo una mueca, con una broma en la punta de la lengua. Pero al comprobar la expresión de Fleur, la mueca desapareció.

—Creo que eres la mujer más bonita que he visto nunca... —dijo.

Ella suspiró y se reclinó en el asiento, con una sonrisa satisfecha en la cara.

El motorista esperó hasta que el Jaguar hubo desaparecido por la curva antes de salir de detrás del arbusto. Se levantó la visera del casco y volvió a la carretera. Luego subió por el accidentado camino que llevaba hasta la casa en voladizo.

27

Volvieron una hora después, temblando de frío tras el paseo lleno de besos a lo largo de la orilla. Jake preparó un fuego en la chimenea y extendió un edredón delante. Se desnudaron e hicieron el amor con lentitud y ternura. Él se puso encima. Ella se puso encima. La cabellera de Fleur los envolvió.

Después, con mucha ceremonia, quemaron el manuscrito, y a medida que las hojas ardían Jake parecía ir rejuveneciendo.

—Creo que ahora ya puedo olvidar —dijo por fin.

Ella apoyó la cabeza en su hombro.

—No olvides. Tu pasado siempre será parte de ti, y no tienes de qué avergonzarte.

Él cogió el atizador y empujó una hoja rebelde de vuelta a las llamas, pero no dijo nada. Fleur no lo quería presionar. Necesitaba tiempo. Por ahora ya había suficiente si podía hablar con ella sobre lo que había pasado.

Llamó a la oficina para decirle a David que necesitaba unos días libres.

—Pues ya era hora de que te tomaras unas vacaciones —le dijo él.

Fleur y Jake dejaron el mundo fuera. La felicidad que sentían les parecía que brillaba. Añadida a aquella manera tan tierna y apasionada de hacer el amor, les llenaba a ambos con sensaciones de plenitud entrañable.

En su tercera mañana, estaba en la cama, vestida solo con una camiseta, cuando él apareció, procedente del baño, envuelto en una toalla. Avanzó poco a poco hasta el cabezal de cuero de la cama.

—Vamos a pasear a caballo —propuso Fleur.

—Por aquí no hay ningún buen lugar para cabalgar.

—¿A qué te refieres? Hay una hípica que no queda ni a cinco kilómetros. Ayer cuando salimos pasamos por delante. Hace meses que no monto a caballo.

Él cogió unos tejanos y se puso a inspeccionarlos, como si les buscara arrugas, algo que ella nunca había visto que le importara en absoluto.

—¿Por qué no vas por tu cuenta? Tengo que resolver algo de trabajo atrasado. Además, siempre estoy montado en algún caballo. Y hacer en mis días libres lo mismo que en el trabajo...

—Si no vienes no será divertido.

—Fuiste la primera en decir que teníamos que acostumbrarnos a las separaciones. —Tropezó con las zapatillas de Fleur.

Ella lo miró con más detenimiento. Parecía nervioso, y una escandalosa sospecha la invadió.

—¿Cuántos westerns has hecho?

—No lo sé.

—Calcula, más o menos.

—Cinco o seis... No lo sé.

De pronto pareció pudoroso de despojarse de la toalla frente a ella. Con los tejanos en la mano, volvió al baño.

—¿Mejor siete u ocho? —dijo Fleur levantando la voz para que la oyera.

—Sí, quizá... Sí, creo que siete. —Oyó que abría el grifo y luego los sonidos de un brioso cepillado de dientes. Luego reapareció por fin: pecho desnudo, tejanos sin cerrar, un rastro de dentífrico en la comisura de los labios...

Ella le ofreció su sonrisa más dulce.

—¿Siete westerns, entonces?

—Ajá. —Él seguía manipulando la cremallera.

—Mucho tiempo en la silla.

—Esta maldita cremallera se ha atascado.

Ella agitó la cabeza, pensativa.

—Un montón de tiempo en la silla.

—Me parece que se ha roto.

—Entonces dime, ¿hace mucho que los caballos te dan miedo, o es algo reciente?

—Sí, seguro que está rota.

Ella no añadió ni una palabra. Simplemente sonreía.

—¿Yo, miedo a los caballos?

Ni una palabra.

Otro tirón de la cremallera.

—Tú sabes muchas cosas.

Jake incluso consiguió esbozar una mueca apropiadamente desafiante. En cuanto a la sonrisa de Fleur, pasó de dulce a almibarada. Finalmente Jake ladeó la cabeza.

—Yo no diría exactamente que me den miedo —murmuró.

—¿Y qué dirías exactamente? —respondió ella, arrulladora.

—Que no nos llevamos bien, eso es todo.

Ella soltó una carcajada y se dejó caer de espaldas en la cama.

—¡Tienes miedo de los caballos! ¡Bird Dog tiene miedo de los caballos! ¡Tendrás que ser mi esclavo para siempre! Con esta información puedo chantajearte el resto de tu vida. Masajes en la espalda, comidas caseras, fantasías sexuales...

Pareció tocado.

—Prefiero los perros —dijo.

—¿Ah, sí?

—Los grandes también.

—¿De verdad?

—Rottweillers. Pastores. Mastines. Cuanto más grande sea el perro, más me gusta.

—Estoy impresionada.

—Y tienes razones para estarlo.

—Estoy muy impresionada. Empezaba a pensar que eras más bien el típico tío loco por los chihuahuas.

—¿Estás loca? Esos escuchimizados muerden.

Ella se echó a reír y se lanzó a sus brazos.

En su último día juntos, estuvo echada con la cabeza en su regazo, pensando en lo poquísimo que le apetecía volar a casa al día siguiente, pero Jake necesitaba quedarse en California unas cuantas semanas para encargarse de todos los asuntos que había descuidado mientras escribía el libro.

Convirtió en pincel un largo mechón de Fleur.

—He estado pensando... —dijo mientras lo paseaba sobre sus labios—. ¿Qué ocurriría si...? —Pintó la mandíbula de Fleur—. ¿Y si nos casamos?

Ella sintió que se henchía de júbilo. Levantó la cabeza.

—¿De verdad?

—¿Por qué no?

La burbuja de alegría se apartó a un lado lo bastante para revelar una pequeña luz de alarma.

—Creo... creo que es demasiado rápido.

—Nos conocemos desde hace siete años. No me parece exactamente rápido.

—Pero no hemos estados juntos siete años. Ninguno de los dos puede permitirse que esto falle. Nos estropeamos con demasiada facilidad. Tenemos que estar absolutamente seguros.

—Yo no podría estarlo más.

Ni ella tampoco, aunque...

—Démonos la oportunidad de ver cómo nos las arreglamos con el hecho de tener dos carreras y cómo nos enfrentamos a los inconvenientes que surgirán.

—Creía que las mujeres eran criaturas románticas. ¿Qué ha pasado con el arrebato y la pasión?

—Wayne Newton empieza la temporada en Las Vegas.

—Dices cosas muy agudas con esa boquita. —Se inclinó para mordisquearle el labio inferior—. Vamos a hacer algo al respecto.

La boca se le desplazó al pecho, y ella pensó que estaba bien no correr al juzgado de paz. Los dos habían obtenido importantes revelaciones sobre sus auténticas personalidades en ese fin de semana y necesitaban tiempo para acostumbrarse.

Pero había también otra razón. En ella había una pequeña

parte que todavía no confiaba enteramente en Jake, y realmente no podría soportar otro abandono.

Los besos siguieron bajando y sus sentidos se encendieron, y entonces el mundo desapareció alrededor de los dos.

El éxito llama al éxito, y ahora que ya no importaba tanto, todo lo que tocaba parecía convertirse en oro. Renegoció el contrato de Olivia Creighton en *Dragon's Bay*, y luego firmó con uno de los actores más prometedores de la nueva hornada de Hollywood. La película londinense de Kissy iba fantásticamente bien, el álbum de Rough Harbor empezaba a emitirse como ocurría con los grandes éxitos, y llegaban pedidos para los diseños de Michel. Como guinda, volvió de una comida de trabajo una tarde y encontró un telegrama sobre su despacho. Rezaba así:

NOS ESCAPAMOS MAÑANA A MEDIODÍA *STOP* LLAMAREMOS DESPUÉS DE LUNA DE MIEL *STOP* CHARLIE ACABA DE DECIRME LO RICO QUE ES EN REALIDAD *STOP* QUÉ GRANDE ES EL AMOR

Fleur se echó a reír y se reclinó en su silla. Qué grande era el amor, realmente.

Jake voló desde Los Ángeles para un largo fin de semana de sexo, conversación y risas, pero luego tuvo que volver para unos doblajes. Hablaba con él dos o tres veces al día, en ocasiones más. Él llamaba en cuanto se despertaba y ella le llamaba antes de meterse en la cama por la noche.

—Esto es algo que nos convenía —le comentó ella—. Desde que no podemos tocarnos, estamos aprendiendo a relacionarnos en un nivel más cerebral.

La contestación fue muy típica de Koranda:

—Déjate de tonterías y dime de qué color son las bragas que llevas.

Un viernes por la tarde a finales de febrero volvía de la fiesta de inauguración del nuevo piso al que Michel y Damon se habían mudado. Justo cuando entraba, sonó el teléfono. Sonrió y cogió el auricular.

—Te había dicho que te llamaría, mi amor.

—¿Fleur? Oh, Dios mío, mi niña, ¡tienes que ayudarme! ¡Por favor, mi niña...!

Fleur apretó el auricular.

—¿Mamá?

—¡No permitas que lo haga! Ya sé que me odias, pero por favor, ¡no dejes que se salga con la suya!

—¿Dónde estás?

—En París. Yo... Creía que me había librado de él. Si lo hubiera sabido...

Las palabras se apagaban progresivamente, y al final empezó a sollozar.

Fleur cerró los ojos.

—Dime qué ha ocurrido.

—Envió a dos de sus matones a Nueva York para que me localizaran —dijo Belinda—. Me esperaban en el piso cuando volví a casa ayer, y me forzaron a acompañarlos. Me van a llevar a Suiza. Me va a encerrar, mi niña. Y solo porque me mantuve alejada de ti en Nueva York. Me ha estado amenazando desde hace años, y ahora cumplirá su...

De pronto se oyó un chasquido y la llamada se cortó.

Fleur se derrumbó en el borde de la cama, con el auricular todavía en la mano. No le debía nada a su madre. Había sido Belinda quien había decidido seguir casada con Alexi. Dependía demasiado del oropel que el mundo de aquel hombre le ofrecía para pensar en un divorcio. En cualquier caso, Fleur no se sentía responsable de lo que le ocurriera a Belinda.

Si no hubiese sido porque era su madre...

Fleur colgó el auricular y se obligó a examinar esa relación que había evitado considerar durante tanto tiempo. Los recuerdos de sus momentos juntos se deslizaban ante ella como las páginas del manuscrito de Jake, y vio con nuevos ojos lo que no había sido capaz de ver antes. Vio a su madre tal como en realidad era: una mujer frívola y débil que quería lo mejor de la vida sin disponer ni de la habilidad ni la fuerza de carácter suficientes para obtenerlo por ella misma. Y luego vio el amor de su madre hacia ella: tan egoísta, tan interesado, tan envuelto en manipulaciones y condiciones... Pero al fin y al cabo era amor. Un amor que surgía de lo más profundo del corazón, a tal punto que Belinda nunca había sido capaz de entender cómo Fleur podía dudar de él.

Se reservó un billete para un vuelo matinal a París. Era demasiado pronto para llamar a Jake, así que le dejó una nota a Riata para que le informara de que había surgido un asunto urgente que requería su presencia fuera de la ciudad. Jake no tenía que preocuparse si ella no llamaba en unos días. No quería que ni Jake ni Michel supieran adónde se dirigía. Lo que menos necesitaba en esos momentos era que Jake se presentara en París con un par de revólveres y un látigo. En cuanto a Michel, ya había sufrido suficiente con la indiferencia de Belinda.

Al salir de casa le daba vueltas a diversas hipótesis, a cuál más horripilante. Su madre debía de verse como la única víctima, pero Fleur tenía una visión más precisa: Alexi estaba usando a Belinda como un anzuelo humano para recuperar a su hija.

La casa en la Rue de la Bienfaisance permanecía gris y silenciosa en la luz crepuscular de París. Parecía tan inhóspita como Fleur recordaba, y al mirar por la ventana de la limusina que la había traído desde el hotel pensó en la primera vez que había visto esa casa. ¡Qué miedo había sentido aquel día! Miedo a conocer a su padre, ansia de ver a su madre, preocupación por no ir correctamente vestida... Esta vez, por lo menos, eso último no tenía por qué preocuparle.

Bajo su echarpe de noche de seda y terciopelo llevaba la última creación de Michel para ella, un vestido recto y entallado de color burdeos, con mangas largas y estrechas y un cuerpo rasgado con bordados de pequeñas cuentas. El vestido lucía el dobladillo desigual que se estaba convirtiendo en marca de la casa para Michel: a la altura de la rodilla en un lado, y descendiendo hasta media pantorrilla en el otro, con unas cuentas engarzadas que resaltaban la diagonal. Se había recogido el pelo en un moño alto, y se lo había arreglado con más detalles de los habituales, para acabar con unos pendientes granates que titilaban en sus orejas. A los dieciséis quizá le habría parecido indicado aparecer a la puerta de Alexi con un atuendo informal, pero a los veintiséis la cosa había cambiado.

Un joven vestido con terno apareció en la puerta. ¿Era uno de los matones a los que se había referido Belinda? Parecía un empleado de pompas fúnebres con un graduado en la Harvard Business School.

—Su padre la está esperando.

«Estoy segura.» Le entregó el echarpe.

—Me gustaría ver a mi madre.

—Por aquí, por favor.

Lo siguió hasta la sala delantera. La habitación parecía fría y vacía, con la única ornamentación de unas rosas blancas que estropeaban la repisa de la chimenea como un trazo lúgubre. Se estremeció.

—La comida estará lista en un momento —dijo el funerario—. ¿Desearía beber algo primero? ¿Tal vez una copa de champán?

—Desearía ver a mi madre.

Él se volvió como si ella no hubiera dicho nada y desapareció por el pasillo. Se abrazó como para soportar el frío, propio de una cripta, que reinaba en la estancia. Los apliques de la pared proyectaban sombras grotescas sobre los espantosos frescos del techo.

Ya tenía bastante. Solo porque el funerario hubiera cerrado la puerta no tenía por qué quedarse allí. Los tacones de aguja resonaron en el mármol cuando se dirigió al vestíbulo. Con la cabeza bien alta para ojos invisibles, caminó más allá de los valiosísimos tapices de Gobelinos en dirección a la gran escalinata. Cuando llegó arriba, otro funerario repeinado y traje oscuro apareció para bloquearle el paso.

—Ha equivocado su camino, *mademoiselle*.

Era una afirmación, no una pregunta. Fleur supo que había cometido su primer error. No iba a dejarla pasar y ella no se iba a permitir una derrota tan tonta. Necesitaba conservar todas sus fuerzas para la batalla con Alexi. Cortó por lo sano:

—Ha pasado mucho tiempo desde la última vez que estuve aquí. Había olvidado lo grande que es esta casa.

Retrocedió hasta el salón, donde el otro funerario la esperaba para acompañarla al comedor.

Otra ramo de rosas blancas y un único servicio en la larga mesa de caoba. Alexi había planeado una guerra de nervios, orquestándolo todo con cuidado para hacerla sentir impotente. Echó un vistazo al reloj que Jake le había enviado y pretendió ahogar un bostezo.

—Espero que la comida de esta noche sea decente. Tengo hambre.

La sorpresa brilló en la cara del ayudante antes de que inclinara la cabeza y se excusara. ¿Quiénes eran esos hombres de traje oscuro y con maneras tan acartonadas? ¿Dónde estaba Belinda? Y ya puestos, ¿dónde estaba Alexi?

Un criado con librea apareció para atenderla. Se encontró sentada con su vestido de terciopelo rojo oscuro a un extremo de la mesa larga y brillante, con los granates y cuentas relumbrando a la luz de las velas y concentrada en dar cuenta de la cena aparentando deleite. Incluso pidió una ración extra de *soufflé* de castaña. Para acabar, una taza de té y un coñac. Alexi podía dictar cómo jugaba su parte del juego. Ella fijaría la suya.

El de la funeraria volvió a aparecer mientras ella jugueteaba con la copa de coñac.

—Si *mademoiselle* tiene la amabilidad de acompañarme...

Fleur tomó otro sorbo y luego rebuscó en el bolso la polvera y el pintalabios. El hombre hizo patente su impaciencia.

—Su padre está esperando.

—He venido a ver a mi madre. —Abrió la polvera—. No quiero reunirme con el señor Savagar antes de hablar con ella. Si él no quiere permitírmelo, me iré inmediatamente.

El funerario no se esperaba semejante reacción. Dudó un momento y luego asintió.

—Muy bien. La llevaré con ella.

—Conozco el camino.

Volvió a meter la polvera en el bolso y pasó por su lado en dirección al vestíbulo, para luego subir por la escalera. Una vez arriba volvió a aparecer el hombre con el que había topado antes, pero esta vez no hizo ademán de detenerla, y ella lo dejó atrás como si fuera invisible.

Habían pasado casi siete años desde que había estado por última vez en la Rue de la Bienfaisance, pero nada había cambiado. Las alfombras persas seguían sofocando sus pisadas, y las madonas del siglo XV continuaban alzando la mirada hacia el cielo desde sus marcos dorados. En esa casa, el tiempo se medía en siglos y las décadas pasaban desapercibidas.

Mientras caminaba por los opulentos y silenciosos pasillos pensó en la casa que quería compartir con Jake: una casa grande, laberíntica, con puertas que se cerraran de golpe, inopinadamente, con pavimentos que crujieran y barandillas por las que los niños pudieran deslizarse... Una casa que midiera el tiempo en décadas ruidosas. Jake como padre de sus hijos... de los hijos que tendrían los dos. A diferencia de Alexi, Jake les gritaría cuando se enfadara. También los abrazaría y los besaría, y lucharía con el mundo entero si fuera necesario para mantenerlos a salvo.

¿Por qué dudaba? Casarse con él era lo que más deseaba en el mundo. Si eso implicaba que tenía que aceptar aquellas dos caras de su personalidad... Bien, pues a esas alturas ella ya estaba acostumbrada a sus trucos, y él no iba a tenerlo tan fácil para dejarla fuera cuando algo lo preocupara. Él tampoco lo iba a tener fácil. Fleur no tenía ninguna intención de abandonar su carrera y no había manera de atraerla hacia las labores del hogar. Además, Jake no era el único capaz de dejar a la gente fuera.

En el fúnebre frío de aquella casa se volatilizaron las dudas que tenía. No había ningún otro hombre en el mundo en el que pudiera confiar para ser el padre de sus hijos, y esa misma noche telefonearía para decírselo.

Había llegado a la habitación de Belinda, de manera que apartó sus pensamientos sobre el futuro para ocuparse del presente más inmediato. Después de llamar a la puerta pasaron unos instantes sin que obtuviera respuesta, hasta que por fin oyó movimiento. La puerta se entreabrió y vio el rostro de su madre.

—¿Mi niña? —La voz le temblaba, como si no hubiera hablado en mucho tiempo—. ¿De verdad eres tú?... Estoy hecha un lío, mi niña. No creo que... —Los dedos le revoloteaban como las alas de un pájaro cautivo hasta que la mano fue a tocar la mejilla de Fleur.

—No creías que fuera a venir, ¿verdad?

—No quería darlo por hecho. —Belinda se apartó un mechón de la cara—. Sabía... sabía que no debía habértelo pedido.

—¿Vas a dejarme entrar?

—Oh.. Sí, sí, claro.

Se hizo a un lado. En cuanto la puerta se cerró tras ella, Fleur percibió que su madre olía a tabaco rancio y no a Shalimar. Recordó la brillante ave del paraíso que solía llegar al *couvent* y cuya fragancia era tan dulce que se llevaba de inmediato todos los olores agrios de hábitos ajados y plegarias perdidas.

El maquillaje de Belinda se había estropeado, dejando solo un rastro de sombra azul en las arrugas de los párpados. Su rostro estaba demasiado pálido para soportar el contraste con el azafrán de la bata de seda arrugada. Fleur percibió una mancha en la pechera. También comprobó que el bolsillo delantero estaba cedido por el peso de demasiados encendedores. Belinda volvió a tocarle la mejilla.

—Espera, que iré a lavarme la cara. Siempre me gustaba estar guapa para ti. Tú siempre pensabas que era guapísima.

Fleur tomó la mano de su madre. Le pareció tan pequeña como la de un niño.

—Siéntate y cuéntame lo que ha ocurrido.

Belinda lo hizo, como un niño obediente inclinándose ante una fuerza superior. Encendió un cigarrillo y en su voz jadeante, pero propia de una mujer joven, le explicó las amenazas de Alexi de internarla en un sanatorio.

—No he bebido nada, mi niña. Él lo sabe, pero utiliza el pasado como una espada sobre mi cabeza para amenazarme siempre que lo irrito. —Exhaló una bocanada de humo—. No le gustó lo que ocurrió cuando fui a Nueva York. Pensaba que iba a esforzarme más en estar contigo. Pensaba que iba a incordiarte, pero solo consiguió enfadarse conmigo.

—Tuviste una aventura con Shawn Howell.

Echó la ceniza en un plato de porcelana.

—Me dejó por una mujer mayor, ¿lo sabías? Es divertido, ¿no te parece? Alexi canceló mis cuentas. La otra mujer, en cambio, era rica.

—Shawn Howell es un cretino.

—Es una estrella, cariño. Más pronto que tarde estará de vuelta, ya lo verás. —Lanzó a Fleur su conocida mirada de reproche—. Podías haberle ayudado, ¿sabes? Ahora que eres una agente tan importante podrías haber hecho algo más por un viejo amigo.

Fleur vio el disgusto en los ojos de su madre y esperó a sentir de nuevo la sensación de culpa, pero no ocurrió. En cambio, sentía la exasperación propia de una madre que se enfrenta a un hijo poco razonable.

—Sí, ya sé que podía ayudarlo, pero no quería hacerlo. No tiene ningún talento y no me gusta nada.

Belinda aplastó la colilla en el cenicero y frunció los labios.

—No entiendo lo que estás diciendo. —Examinó el vestido de Fleur—. Es un diseño de Michel, ¿verdad? Nunca imaginé que tuviera tanto talento. En Nueva York todo el mundo hablaba de él. —Los ojos se le estrecharon con una expresión vengativa y Fleur entendió que estaba a punto de ser castigada por no querer ayudar a Shawn—. Fui a ver a Michel. ¡Qué chico tan guapo! Es clavado a mí. Todo el mundo lo dice.

¿En verdad creía Belinda que podía darle celos? Fleur sintió un ramalazo de compasión por su hermano. Michel no le había dicho nada de la visita, pero podía imaginarse lo hiriente que le habría resultado.

—Lo pasamos maravillosamente bien —añadió Belinda, desafiante—. Me dijo que me presentaría a todos sus amigos famosos y que diseñaría todo mi vestuario.

Fleur distinguió el eco de una voz infantil en las palabras de Belinda: «Y no te dejaremos jugar con nosotros.»

—Michel es una persona especial.

Su madre no fue capaz de seguir dorando la píldora, y por su expresión se vio claramente que se derrumbaba. Removiéndose en su asiento, se inclinó hacia delante y se echó atrás el pelo.

—Me miraba igual que me mira Alexi. Como si yo fuera un insecto. Tú eres la única persona que me ha entendido en toda mi vida. ¿Por qué todo el mundo se empeña en hacerme las cosas difíciles?

Fleur no malgastó energías en señalarle que el mal estaba en las propias decisiones que tomaba. Pero sí se permitió una apreciación:

—Probablemente sería mejor que permanecieras apartada de Michel.

—Me odia todavía más que Alexi. ¿Por qué querrá encerrarme Alexi?

Fleur apagó la colilla humeante que su madre había dejado en el cenicero.

—Lo que ocurre con Alexi no tiene demasiado que ver contigo. Lo que hace es utilizarte para traerme aquí. Quiere ajustar cuentas.

Belinda irguió la cabeza y su petulancia desapareció al momento.

—¡Claro! ¿Cómo no me di cuenta antes? —Se puso en pie de pronto—. Tienes que marcharte ahora mismo. Es peligroso. Si hubiera pensado que... No puedo permitir que te haga daño. Déjame pensar.

Empezó a pasearse por la alfombra, echándose el cabello hacia atrás con una mano y con la otra buscando un cigarrillo, pensativa. Fleur se sentía preocupada. Por primera vez entendía hasta qué punto podían embrollarse las relaciones entre madres e hijas con el paso de los años.

«Ahora me toca a mí ser la mamá. No; tengo que seguir siendo la hija. No; quiero ser la madre.»

Mientras Belinda vagaba por la habitación y pensaba en cuál sería la mejor manera de proteger a su hija, Fleur llegó a la conclusión de que había pasado para siempre el tiempo de ser la hija de Belinda. Su madre ya no podía controlar la manera de ver las cosas, ni la de verse a sí misma, que tenía Fleur.

—Estoy en el Ritz —dijo por fin—. Volveré por la mañana y arreglaremos todo esto.

Tenía que llevarse a Belinda con ella, pero ahora era imposible, puesto que los hombres de la funeraria lo habrían impedido. Era necesario que encontrara otra vía.

Belinda la abrazó en un arrebato desesperado.

—No vuelvas, mi niña. Tendría que haber pensado que era a ti a quien quería traer a su lado durante todo este tiempo. Todo irá bien, no te preocupes. Pero no vuelvas por aquí, por favor.

Fleur miró a su madre a los ojos y vio en ellos sinceridad.

—Todo irá bien.

Fleur deshizo el camino por el laberinto de pasillos hasta la escalera. El funerario la esperaba abajo. Ella lo miró con severidad.

—Ahora quisiera ver al señor Savagar.

—Lo siento, *mademoiselle*, pero tendrá que esperar. Su señor padre no está preparado para recibirla todavía.

Y con un gesto le indicó que podía sentarse en el sillón rococó situado junto a las puertas de la biblioteca.

Así que la estrategia de guerra seguía vigente. Esperó a que el empleado desapareciera y luego fue hasta el salón. Una vez allí, tomó una rosa blanca de la repisa de la chimenea y se la ancló en el profundo escote del vestido de terciopelo. Brillaba contra su piel. Llevaba la pesada fragancia con ella cuando volvió al vestíbulo y a las puertas de la biblioteca.

A pesar de la espesa carpintería, podía sentir la presencia de Alexi al otro lado: Alexi que quería agarrarla, que quería pegarse a ella como el perfume de la rosa. Alexi, malicioso y seguro de sí mismo, imponía el ritmo del tiempo en esa guerra de nervios. Tomó el pomo y lo accionó lentamente.

Tan solo una tenue luz bañaba la estancia recargada de adornos, cuya periferia quedaba en sombras. Aun así, pudo comprobar que el hombre vigoroso que recordaba se había encogido. Estaba sentado tras su despacho, con la mano derecha apoyada en la mesa y la izquierda oculta en su regazo. Vestía de forma tan inmaculada como siempre (traje oscuro y camisa almidonada con un alfiler de corbata de platino), pero todo parecía demasiado grande. Vio un pequeño hueco en el cuello de la camisa, consideró cierta holgura en los hombros... Pero ni por un momento supuso que fueran signos de debilidad: incluso en las sombras de la habitación vio que aquellos penetrantes ojos eslavos no se perdían ni un detalle. Se deslizaron sobre ella, abarcaron el rostro, el cabello, bajaron por el vestido y finalmente fueron a posarse sobre la rosa blanca entre los senos.

—Tenías que haber sido mía —dijo.

28

—Eso quería yo: ser tu hija. Pero tú no me lo permitiste.

—Eres una *bâtarde*. No eres *pur sang*.

—Exacto. ¿Cómo iba a olvidarlo? —Deseaba distinguir mejor sus rasgos, así que se acercó más a la mesa—. Toda la incivilizada sangre irlandesa que llevo de los Flynn es demasiado vulgar para ti, ¿no es así? —Tuvo la satisfacción de ver cómo se envaraba—. Por lo que tengo entendido colgaron a uno de sus antepasados por robar ganado. Eso es mala sangre, definitivamente. Y luego toda esa manera de beber y de ir con rameras. —Hizo una pausa deliberada—. Y esas niñitas...

La mano que descansaba sobre la mesa se encogió.

—Eres una inconsciente si crees que puedes jugar conmigo y encima ganar.

—Pues entonces dejémonos de juegos. Deja de aterrorizar a Belinda.

—Mi intención es que tu madre ingrese en un asilo para alcohólicos irrecuperables.

—Eso debería ser difícil, si tenemos en cuenta que ya no bebe.

Alexi rio entre dientes.

—¡Qué ilusa eres todavía! Nada es difícil cuando uno tiene dinero y poder.

El día había sido largo para Fleur y el cansancio la iba ganando. Deseaba volver al hotel, llamar a Jake y sentir que la vida volvía a adquirir sentido.

—¿Y de verdad crees que voy a quedarme sentada mientras lo haces? Pues te aseguro que gritaré durante tanto tiempo y tan alto que todo el mundo lo oirá.

—Claro, claro que lo harás. No entiendo por qué Belinda no lo ha pensado también. Lo primero que tengo que hacer es silenciarte, y eso sería algo imposible sin recurrir a medidas bárbaras.

Fleur pensó en Jake con sus Colt relumbrantes y sus puños dispuestos a la greña. Jake, un hombre el doble de civilizado que ese otro que tenía delante. Tomó una silla y deseó que él prendiera la luz del despacho, porque así podría verle la expresión con mayor claridad.

—Nunca has tenido la intención real de encerrarla.

—Desde el principio te has mostrado como una digna oponente. Ya me esperaba que descubrieras el fuego del sótano, pero sustituir los vestidos fue una salida brillante.

—Cuando has convivido durante tiempo suficiente con una serpiente aprendes a arrastrarte por la tierra. Dime qué es lo que quieres.

—¡Qué americana te has vuelto! Grosera, vulgar... Sin paciencia para la *nuance*. Debe de ser la influencia de esos amigos tan zafios que frecuentas.

Fleur sintió un escalofrío. ¿De quién estaría hablando? ¿De Kissy? ¿De Michel? ¿O bien se trataba de Jake? Las alarmas se habían disparado en su interior. Tenía que mantener su relación con Jake bien al abrigo, escondida de los despiadados cálculos de Alexi. Con seguridad sabía que Jake había vivido en el apartamento del desván. Quizás incluso conociera la visita a la casa de Morro Bay... Pero no podía saber que ella se había enamorado de Jake. Cruzó las piernas y lanzó el contraataque.

—Estoy contenta con mis amigos. Especialmente con mi hermano. Con él cometiste un error desastroso, ¿lo sabes? El talento de Michel es a todas luces extraordinario, de modo que tiene por delante una carrera brillantísima. Como él mismo admite, para los negocios es malo, pero ese es el campo en el que yo soy buena, y me ocuparé de que el dinero se guarde en un sitio seguro.

—¡Diseñador de vestidos! —dijo Alexi con desprecio—. ¿Cómo puede mantener la cabeza alta?

Fleur se echó a reír.

—Pues tendrás que creerme si te digo que con toda la ciudad cortejándole no le resulta en absoluto difícil. Es curioso lo mucho que se te parece. Por el porte, la manera de caminar, los gestos... Todos vienen de ti. Incluso tiene tu misma costumbre de mirar a las personas que no son de su agrado achicando los ojos y levantando las cejas. Los que reciben estas miradas se encogen, literalmente. Es muy intimidante. Claro está que dispone de una humanidad de la que tú careces, lo que hace de él una persona mucho más poderosa.

—¡Michel es un *tapette*!

—¡Y tú tienes una mente demasiado limitada como para ver más allá de esto! —Oyó que aspiraba con fuerza y se concentró en mantenerle la mirada—. ¡Pobre Alexi! Quizás algún día pueda conseguir que te apiades de él.

—¿Y tú? —dijo él dando un manotazo en la mesa—. ¿Tienes remordimientos por lo que hiciste? ¿No lamentas haber destruido un objeto de una belleza tan singular?

—El Bugatti era una obra de arte, y es triste que ya no exista. Pero eso no es lo que estás preguntando, ¿verdad? Lo que tú quieres saber es si yo lo siento. —Hizo presión con los dedos en los adornos de cuentas de la falda. Alexi se inclinó más adelante y ella pudo oír el crujido del cuero cuando cambió el peso—. Pues no lo siento en absoluto. No me he arrepentido ni por un momento. —Las cuentas le hacían daño en los dedos—. Tú fuiste quien se declaró emperador de su propio reino, como un hombre que estuviera por encima de la ley, igual que las estrellas de cine de Belinda. Pero nadie está por encima de las leyes de la decencia, y los que intentan aplastar a los demás deberían ser castigados. Lo que tú me hiciste fue horrible, y yo te castigué. Es tan sencillo como eso. Tú ahora puedes amenazar a Belinda y también puedes seguir intentando arruinar mi negocio, pero nunca, nunca harás que lamente lo que hice.

—Te destruiré.

—Creo que he crecido demasiado para que eso sea posible, pero si lo he calculado mal, si resulta que de algún modo consigues destruir mi negocio... entonces, adelante. Ni aun así lamentaré lo que hice. Ya no tienes poder sobre mí.

La silla gimió cuando Alexi retrocedió para hundirse en sus profundidades.

—He dicho que destruiría tu sueño, *chérie*, y eso es lo que voy a hacer. Así el tanteo entre los dos quedará igualado. Estaremos empatados.

—Eso es un farol. No hay nada que tú puedas hacer para herirme.

—¿Un farol? Ese no es mi estilo. Nunca fanfarroneo. —Le deslizó un sobre por encima de la mesa. Ella lo miró un momento y sintió un escalofrío. Se inclinó para hacerse con el sobre—. Es un recuerdo.

Ella abrió el sobre y una pieza de metal golpeada cayó en su regazo. Las letras que llevaba grabadas eran todavía visibles: «Bugatti». Era el óvalo de color rojo que el Royale llevaba delante.

Entonces Alexi empujó otra cosa por encima de la mesa. En aquella luz tan tenue, le llevó su tiempo entender de qué se trataba. Se le heló la sangre.

—Un sueño a cambio de otro sueño, *chérie*.

Se trataba del artículo de un diario sensacionalista de Estados Unidos y de aquel mismo día. El titular le saltó a los ojos:

LA NUEVA BIOGRAFÍA DE KORANDA
REVELA DESORDEN MENTAL

—¡No! —Fleur sacudió la cabeza, con la esperanza de que aquellas palabras horribles desaparecieran, por mucho que sus ojos recorrieran las frases:

El actor y autor teatral Jake Koranda, conocido por su interpretación de Bird Dog Caliber, un *cowboy* al margen de la ley, sufrió un episodio de desorden mental mientras servía en el ejército norteamericano en Vietnam. Fleur Savagar, la agente literaria del actor y recientemente también compañera sentimental, revela en un comunicado a la prensa de hoy que Koranda estuvo hospitalizado por un síndrome de estrés postraumático...

Según Savagar, los detalles de la crisis quedarán revelados en la nueva autobiografía del autor... «Jake ha sido muy honesto al contar sus problemas emocionales y psicológicos —ha dicho Savagar— y estoy segura de que el público lo respetará por esa honestidad y de que juzgará esa experiencia con piedad y compasión.»

Fleur no pudo seguir leyendo. El artículo incluía fotografías: una de Jake como Bird Dog y otra de los dos corriendo por el parque; otra más de Fleur a solas con un titular lateral: «La Niña Brillante triunfa como agente para las estrellas.» Fleur dejó el diario en la mesa y lentamente se levantó. El emblema golpeado de Bugatti cayó sobre la alfombra.

—Durante siete años me he mostrado paciente —susurró Alexi desde el otro lado del despacho—. Ahora estamos empatados. Ahora tú también has perdido lo que más te importaba. Porque en realidad tu sueño no estaba en tu negocio, ¿verdad, querida?

El corazón se le contrajo en una pequeña masa de tejido helado que nunca más volvería a palpitar con vida. Durante todo este tiempo había pensado que la agencia era lo que más valoraba, pero Alexi había sabido verlo mejor. Desde el primer momento había comprendido que Jake era para ella tan elemental como el alimento y el agua. Jake era el sueño.

Pero algo en su interior impedía que le otorgara aquella victoria a Alexi.

—Jake no se creerá nunca algo así —dijo por fin, en un susurro apenas audible, pero calmado: tan calmado como el núcleo de una tormenta.

—Es un hombre acostumbrado a la traición de las mujeres —replicó Alexi—. Se lo creerá.

—¿Cómo lo has conseguido? Jake y yo destruimos ese libro juntos.

—Según tengo entendido había un hombre con una cámara especial vigilando la casa. Son cosas que han podido hacerse durante años.

—Mientes. El manuscrito no salió nunca de la casa de Jake. —Se detuvo. Tal vez... La mañana que Jake había salido corriendo tras de ella... Habían ido a pasear por la playa—. Jake sabe que yo nunca haría nada parecido.

—¿Ah, sí? Pues antes ya lo habían traicionado. Y sabe lo mucho que te importa el negocio. Ya antes habías utilizado su nombre para hacerte publicidad. No tiene por qué creer que no volverás a hacerlo.

Cada una de las palabras que decía era cierta, pero no podía permitir que Alexi se hiciera ilusiones.

—Has perdido —dijo ella—. Has subestimado a Jake y también me has subestimado a mí.

Se lanzó hacia delante con rapidez, para pillarlo por sorpresa, y pulsó el interruptor de la lámpara de la mesa.

Con una maldición, Alexi hizo un gesto con el brazo que lanzó la lámpara al suelo, en donde se volcó proyectando sobre él crueles iluminaciones. Intentó cubrirse un lado de la cara, pero era ya demasiado tarde. Para aquel entonces ella ya había visto lo que él quería ocultar.

La flojedad de la parte izquierda de su cara era tan sutil que alguien que no lo conociera podría no percibirla. En la parte inferior del ojo había un pliegue adicional y luego la piel de la mejilla se veía poco tirante, con un ligerísimo declive en la comisura de la boca. Otra persona con la misma afección podría haberle quitado importancia, pero para un hombre orgulloso y obsesionado con la perfección un defecto así de nimio era sencillamente intolerable. Ella lo entendía, e incluso sintió un inicio de compasión, pero lo rechazó enseguida.

—Ahora tu cara es igual de horrible que tu alma.

—¡Puta! *Sale garce!*

Él intentaba tumbar la lámpara, pero el lado izquierdo de su cuerpo no respondía como el derecho. Solamente consiguió acertar a la pantalla, con lo que la luz le iluminó más despiadadamente su cara.

—Has cometido un error fatal —dijo Fleur—. Jake y yo nos queremos de una manera que nunca podrías comprender, porque tú no tienes corazón. Lo único que sientes es la necesidad de controlar. Si entendieras lo que es el amor, o la confianza, sabrías que todos tus planes y todas tus conspiraciones no valen para nada. Jake confía en mí, y nunca en la vida creerá esta patraña.

—¡No! —gritó él—. ¡Te he ganado!

El lado débil de su rostro empezó a temblar. Ella percibió en su expresión el primer destello de la duda.

—Has perdido —replicó.

Entonces se volvió y salió de la biblioteca. Caminó por el vestíbulo hasta la puerta frontal y salió al exterior en la fría claridad de la noche de febrero.

La limusina ya no estaba —Alexi había planeado que se quedara esa noche—, pero ella no iba a volver a entrar en la casa. Avanzó por el camino de acceso hacia las puertas que se abrían sobre la calle. Todas las palabras que le había dirigido a Alexi eran mentira. Él lo había calculado correctamente. Podía intentar explicárselo a Jake. Sí, se lo explicaría. Posiblemente él ya pensara que Alexi era el responsable. Pero aun así, la culparía. La exposición era lo que Jake más temía en este mundo. Tal vez no le perdonaría nunca que la hubiera permitido.

Un sueño a cambio de un sueño. Alexi finalmente le había ganado.

Permanecía en pie junto a la ventana de la biblioteca, con los dedos de la mano derecha sujetando el borde de las cortinas. Contemplaba aquella figura alta y enhiesta que se iba alejando por el camino de entrada. La noche era fría y no llevaba abrigo ninguno, pero no se agazapó, ni se cubrió con los brazos, ni hizo gesto alguno que revelara el reconocimiento de la temperatura. Era magnífica.

Las ramas desnudas de los viejos castaños formaban una catedral esquelética sobre su cabeza. Él recordaba el aspecto de aquellos árboles con la primavera. Recordaba también que otra mujer había desaparecido por ese camino, internándose entre las floraciones. Ninguna de las dos mujeres había estado a su altura. Las dos lo habían traicionado. Aun así, él las había amado.

Sintió una gran desolación. Durante siete años había estado obsesionado con Fleur, y ahora se había acabado. No sabía cómo iba a llenar sus días. Los ayudantes ya estaban bien formados para hacerse cargo de sus negocios, y aquella asquerosa deformidad facial le llevaba a evitar a toda costa una aparición en público.

Un dolor difuso palpitó en su hombro izquierdo, y él lo frotó con la mano. La forma de caminar de Fleur era tan grácil y orgullosa... Pequeños relumbres se sucedían en el vestido cuando las cuentas se reflejaban con alguna luz. La Niña Brillante. Levantó el brazo y algo voló hasta caer al suelo. Alexi estaba demasiado lejos como para saber de qué se trataba, pero aun así, lo sabía. Tan claramente como si hubiera estado a su lado, sabía exactamente lo que había tirado. Una rosa blanca.

Fue entonces cuando el dolor lo atravesó.

Belinda se lo encontró en el suelo de la biblioteca, junto a la ventana, con el cuerpo encogido.

—¿Alexi?

Se arrodilló junto a él y pronunció su nombre en voz muy baja, porque sus esbirros no andaban demasiado lejos y no se suponía que ella estuviera por allí.

—¿Be... Belinda?

La voz era ronca y confusa. Ella le levantó la cabeza para apoyarla en su regazo y soltó un grito de sorpresa cuando vio que un lado de la cara de Alexi estaba contraído de una forma grotesca.

—Oh, Alexi... —Lo atrajo hacia ella—. Mi pobre, pobrecito Alexi. ¿Qué te ha pasado?

—Ayúdame. Ayuda...

Aquel suspiro agónico la horrorizó. Quería decirle, gritarle: «¡Deja de hablar de esta manera inmediatamente!» Sintió humedad en su muslo y vio que la saliva había goteado desde un lado de la boca de Alexi a su falda. Eso era demasiado. Quería echar a correr. Pero en lugar de eso, pensó en Fleur.

Los labios de Alexi se contrajeron para formar las palabras.

—Ve... ve por... ay... ayuda.

—Calla, calla. No malgastes las fuerzas. No intentes hablar.

—Por favor...

—Descansa, querido.

El batín se le había abierto y una de las solapas estaba vuelta. Llevaban casados veintisiete años, y ella nunca le había visto con una pieza de vestir mal colocada. Estiró la solapa.

—Ay... ayúdame.

Ella lo miró.

—No intentes hablar, querido. Limítate a descansar. No te dejaré. Te sostendré hasta que no me necesites más.

Entonces pudo ver el miedo en sus ojos, que primero consistía tan solo en un mero brillo, pero que se fue haciendo más intenso. Tanto, que Belinda estuvo segura de que había entendido la situación. Le pasó los dedos temblorosos por los finos cabellos.

—Pobre querido mío —dijo ella—. Pobre, pobre querido mío. Te quería, ¿sabes? Eres el único que nunca me ha entendido de verdad. Si por lo menos no te hubieras llevado a mi niña...

—No hagas... no hagas esto. Te lo ruego...

Los músculos de su lado derecho se tensaron, pero estaba demasiado débil como para levantar el brazo. Los labios adquirieron una tonalidad azul, y la respiración se hizo más pesada. Belinda no quería que sufriera, e intentó pensar en la manera de confortarlo. Finalmente se abrió el vestido y lo atrajo hacia su pecho desnudo.

Al final se quedó quieto. Cuando miró la cara del hombre

que había conformado su vida un par de lágrimas se equilibraron perfectamente en las pestañas inferiores de sus incomparables ojos azul jacinto.

—Adiós, querido mío.

Jake sintió como si le hubieran quitado todo el aire. Un balón pasó silbando junto a él y rebotó en las gradas vacías, pero no podía moverse. Incluso los ruidos del partido que seguía tras él se diluyeron. El frío se extendió por el tejido mojado de sudor y sobre su piel hasta los huesos. Luchaba por respirar.

—Jake, lo siento mucho. —Su secretaria seguía junto a él a un lado de la pista, con la cara pálida y con la frente arrugada por la preocupación—. Lo que he pensado era que tú querrías verlo enseguida. Los teléfonos no paran de sonar. Tenemos que emitir un comunicado.

Arrugó el diario en su puño y la dejó atrás, en dirección a la puerta de madera. El sonido de la respiración resonaba en las paredes del gimnasio de Los Ángeles mientras bajaba los escalones hacia el vestuario vacío. Se puso los tejanos sin quitarse los pantalones cortos, tomó la camisa y salió corriendo del viejo edificio de ladrillo en el que había ido jugando partidos de vez en cuando en los últimos diez años. Cuando la puerta se cerró con estrépito detrás de él supo que nunca iba a volver.

Los neumáticos del Jaguar chirriaron cuando salió desde el aparcamiento hacia la calle. Iba a comprar todos los diarios. Todos los ejemplares. Iba a enviar aviones a todo el país, a todos los quioscos del universo. Compraría todos los diarios y los quemaría y...

Se oyó en la distancia la sirena de un camión de bomberos. Recordaba el día que había vuelto a casa y había encontrado a Liz. En aquella ocasión había sido capaz de luchar. Había pegado con el puño en la cara de ese hijo de puta hasta que le habían sangrado los nudillos. Recordaba cómo había sentido los brazos de Liz cuando ella se había arrodillado para abrazarle las piernas, como en un cartel de *Un sombrero lleno de lluvia*. Ella gritaba y le rogaba que la perdonara mientras ese pobre desgraciado seguía tendido en el suelo con los pantalones en los tobillos y la nariz hundida a un lado de la cara. Cuando Liz lo había traicionado, la rabia que había sentido tenía un objetivo.

El sudor le enturbiaba la vista. Se secó la frente. Había escrito el libro para Fleur, desparramándolo todo para ella...

Agarró fuerte el volante y sintió el gusto metálico de las armas en las profundidades de la boca. El gusto del miedo. El miedo de metal frío.

29

Belinda miraba la maleta abierta sobre la cama de Fleur como si nunca hubiera visto nada semejante.

—No puedes dejarme ahora, mi niña. Te necesito.

Fleur se cargaba de paciencia. Faltaban tan solo unas horas y dejaría esa casa atrás, para siempre. Faltaban tan solo unas horas para que pudiera lamer sus propias heridas en privado.

—El funeral fue hace una semana —dijo por fin—. Además, te veo la mar de bien.

Belinda encendió otro cigarrillo.

La carga de las gestiones de la muerte de Alexi había caído por completo sobre los hombros de Fleur. Un derrame cerebral, había dicho el doctor. Uno de los asistentes de Alexi lo había encontrado tendido en el suelo de la biblioteca, junto a la ventana que daba a la parte delantera de la casa. Por lo visto el ataque le había sobrevenido poco después de que ella saliera, y Fleur no dejaba de pensar que tal vez se había situado allí para verla cuando todo había ocurrido. La muerte de Alexi no dejaba en ella ni un sentimiento de triunfo ni uno de pesar: simplemente la conciencia de que una fuerza poderosa había desaparecido de su vida.

Michel no había volado desde América para asistir al funeral.

—No puedo —le había dicho a Fleur durante una de las llamadas que repetían a diario—. Ya sé que no es justo dejarte sola allí, pero yo no puedo fingir que siento su muerte. Además, no podría soportar a Belinda mirándome con esos ojos de cordero ahora que la gente conoce mi nombre.

Fleur decidió que era mejor así. Necesitaba todas sus energías para enfrentarse a todas las gestiones. La tensión añadida de la relación entre Michel y Belinda solamente haría las cosas más difíciles.

Belinda soltó un hililo de humo.

—Ya sabes que todo este lío legal hace que la cabeza me dé vueltas. No puedo soportarlo.

—No tienes por qué hacerlo. Ya lo hemos hablado. David Bennis va a hacerse cargo de los asuntos de Alexi. Podrá manejarlo todo desde Nueva York.

Hacer que los ayudantes de Alexi entendieran que ahora estaban a sus órdenes había sido otro de los retos a los que se había enfrentado. Eso, y lidiar con las necesidades de Belinda y con la manera de reaccionar de su estómago cada vez que el teléfono sonaba.

—Quiero que tú te encargues de mis negocios, no un extraño. —Fleur no respondió, y la boca de Belinda formó el mismo puchero que le había hecho a su hija una docena de veces en la última semana, cada vez que no le seguía la corriente—. Odio esta casa. No puedo pasar la noche aquí.

—Pues entonces vete a un hotel.

—Eres fría, Fleur. ¿Por qué te portas así conmigo? No me gusta que me dejes fuera de esta manera. Todas esas historias sobre Jake en Vietnam... He tenido que leerlas en los diarios. Estoy segura de que has hablado con él del asunto, pero tú... ¡Si es que no me cuentas nada de nada!

No, Fleur no había hablado con él. Jake no se ponía al teléfono. Sentía un dolor penetrante al recordar la voz eficiente de la secretaria al otro lado de la línea:

—Lo siento, Miss Savagar, pero no sé dónde está... No, no ha dejado ningún mensaje para usted.

Fleur lo había probado tanto en la casa de California como en el domicilio de Nueva York, sin resultado. Luego había vuelto a contactar con la secretaria, y esta vez se había topado con una abierta hostilidad.

—¿No ha hecho ya suficiente daño? Los periodistas lo están acribillando. ¿No entiende el mensaje? No quiere hablar con usted.

Eso había sido hacía cinco días, y Fleur no había vuelto a intentar localizarlo.

Tomó la maleta.

—Si no quieres vivir aquí, Belinda, podrías marcharte. Eres una mujer rica y puedes vivir donde quieras. Me he ofrecido a ir a visitar piso contigo, pero tú no has querido.

—He cambiado de opinión. Vayamos mañana.

—Demasiado tarde. Mi avión despega a las tres.

Pero al contrario de lo que pensaba Belinda, no iba a Nueva York.

—¡Mi niña! —dijo Belinda con un gemido—. No estoy acostumbrada a estar sola.

Conociendo a su madre, Fleur dudaba que lo estuviera por demasiado tiempo.

—Eres más fuerte de lo que crees —le dijo.

«Las dos somos más fuertes de lo que creemos», pensó.

Los ojos de Belinda se llenaron de lágrimas.

—No puedo creer que me dejes. ¡Después de todo lo que he hecho por ti!

Fleur plantó un beso fugaz en la mejilla de su madre.

—¡Todo irá bien, ya verás!

De camino al aeropuerto, la limusina se quedó atrapada en el tráfico. Fleur estudiaba los escaparates hasta que un autobús turístico le impidió verlos. Al cabo de unos metros la limusina avanzó al autobús y Fleur se encontró mirando la cara de Jake en un anuncio de *Disturbance at Blood River*. El ala del sombrero dejaba los ojos en la sombra, iba mal afeitado y con un puro cortado por los dos extremos plantado en la comisura de la boca. Bird Dog Caliber: un hombre sin puntos débiles, un hombre que no necesitaba de nadie. ¿Qué le había hecho pensar que al final podría civilizarlo?

Cerró los ojos. Tenía un negocio que dirigir, y no podía permitirse estar fuera por más tiempo, pero necesitaba unos días, tan solo unos pocos, a solas, antes de volver. Necesitaba estar en un lugar en el que nadie pudiera encontrarla, un lugar en el que dejar de pasar los días esperando una llamada de teléfono que no llegaba nunca. El corazón destrozado ya se había recuperado antes. Ahora podría volver a hacerlo.

Lo haría en Mikonos.

La casa de campo blanca se alzaba en un olivar cercano a una playa desierta. Fleur se tostaba al sol y hacía descalza largos paseos junto al mar. Se decía que el tiempo curaría las heridas. Pero se sentía abotargada y con una sensibilidad daltónica: así en Mikonos, en donde los blancos eran tan blancos que dañaban los ojos, en donde el azul del Egeo era tan azul que redefinía el tono, todo se había vuelto gris. No sentía hambre cuando olvidaba comer, ni dolor cuando pisaba una roca afilada. Paseaba junto al mar y veía que el cabello se le ondulaba al viento, pero no podía sentir la brisa sobre la piel. Pensaba si esa terrible insensibilidad desaparecería en algún momento.

Por la noche le torturaban los recuerdos: se despertaba soñando que hacía el amor con Jake. Sus labios en sus pechos... La sensación de su cuerpo, empujándola, palpitante... Si la hubiera amado como ella lo amaba, hubiera sabido que nunca habría podido traicionarlo. De eso era de lo que había tenido miedo desde el principio. Por esta razón le había dado largas cuando él le había hablado de matrimonio. No había confiado en que él la quisiera lo suficiente, y había tenido razón. Él no la había querido lo bastante para seguir siendo fuerte.

Al pasar el tercer día comprendió que Mikonos no tenía poderes curativos extraordinarios. Había descuidado su negocio durante demasiado tiempo y tenía que volver a Nueva York. Aun así, se permitió todavía un par de días antes de obligarse a llamar a David para decirle cuándo volvía.

Se sentía abotargada y dolida, pero no estaba rota.

Al salir del avión en el aeropuerto Kennedy había empezado a nevar. Los pantalones de lana le irritaban los muslos en las zonas en donde la piel empezaba a pelarse. Además, tenía el estómago revuelto por dos horas de turbulencias sobre el Atlántico. La nieve hizo más ardua que de costumbre la labor de buscar un taxi y el que encontró por fin tenía la calefacción estropeada. Era más de medianoche cuando por fin entraba en su casa.

La sintió húmeda y casi tan fría como el taxi. Fleur dejó la maleta y subió el termostato antes de quitarse los zapatos. Sin desprenderse del abrigo, caminó hasta la cocina, se llenó un vaso de agua y tiró en él dos Alka-Seltzer. Mientras se diluían los comprimidos el frío del suelo penetró por las medias. Se iba a meter en la cama con la manta eléctrica y no se iba a mover hasta la mañana siguiente. Pero primero tomaría la ducha más caliente que pudiera aguantar.

Hasta que no estuvo en el baño no se quitó el abrigo. Se recogió el pelo en lo alto de la cabeza, abrió las puertas de la ducha y dejó que el agua caliente se deslizara sobre ella. Al cabo de seis horas se iba a forzar a levantarse para ir a correr por el parque, por muy mal que se sintiera. Esta vez no iba a dejarse derrumbar. Repetiría los mismos movimientos una vez al día hasta que, por fin, el dolor fuese soportable.

Cuando se secó, se puso un camisón de raso beis que estaba colgado junto a la ducha. Se había olvidado de encender la manta eléctrica, de manera que se puso la bata a juego. El cambio de temperatura desde Mikonos era demasiado drástico. Por mucho que acabara de salir de la ducha, ya volvía a sentir frío. Las sábanas iban a parecerle heladas.

Abrió la puerta del baño y avanzó mientras se ataba la bata. Extraño. Creía haber encendido la luz cuando había entrado en el dormitorio. ¡Qué frío hacía! Las ventanas se estaban entelando por la niebla que reinaba fuera. Quizás era que el piloto de la calefacción no...

Gritó.

—¡Quédese donde está, señorita, y no se mueva!

Un gemido se le quedó prendido en la garganta.

Él estaba sentado al otro lado de la habitación solamente con la cara visible en la luz procedente de la puerta abierta del baño. La boca apenas se movió cuando dijo:

—Haga lo que le digo y todo irá bien.

Ella retrocedió a trompicones hacia el baño. Él levantó el brazo y ella se encontró mirando el largo y plateado cañón de un revólver.

—No se aleje más —dijo.

Fleur sentía el corazón en la garganta.

—Por favor...

—Suéltela.

Primero no entendía a qué se refería. Luego comprendió que hablaba de la cinta de la bata. Rápidamente, la soltó.

—Y ahora la bata.

Ella no se movió.

Él levantó el arma, que ahora la apuntaba al pecho.

—Estás loco... —gimió ella—. Estás...

Amartilló el arma.

—Quítesela.

Las manos volaron a la parte delantera de la bata. La abrió y la dejó deslizar por sus brazos. Con un susurro, el tejido se desprendió y cayó al suelo.

Levantó el cañón ligeramente.

—Suéltese el pelo.

—Por favor...

Las manos se le hicieron un lío con los pasadores, pero a medida que el cabello caía, gotas de agua se esparcieron por sus hombros desnudos.

—Muy bonito. Bonito de verdad. Y ahora el camisón.

—No... —rogó.

—Bájese los tirantes, despacio. Uno primero y luego el otro.

Ella se bajó el primer tirante y luego se detuvo.

—Siga —dijo, haciendo un gesto brusco con el arma—. Haga lo que le digo.

—No.

Él se irguió en el asiento.

—¿Qué ha dicho?

—Ya me has oído.

—No me haga enfadar, maestra.

Inmediatamente, Fleur cruzó los brazos sobre el pecho.

«¡Mierda! —pensó Jake—. ¿Y ahora qué se supone que tengo que decir?»

—Abrázame un buen rato, ¿quieres? —pidió ella.

Él dejó el Colt con cachas de nácar sobre la mesa junto a la cama y caminó hasta donde estaba ella. Tenía la piel helada. Abrió su parka y la rodeó con ella, para luego apretarla contra su camisa de franela.

—No eres divertido —dijo, soltando un pequeño gemido.

—Oye, ¿estás llorando? —Ella asintió contra la mandíbula de Jake—. Lo siento, cariño. No quería hacerte llorar. Supongo que el ritmo tendría que mejorar.

Ella sacudió la cabeza, demasiado aturdida para interpretar cómo podía tener noticia de Butch Cassidy así como de su fantasía.

—Me parecía una buena idea —continuó diciendo Jake—. Especialmente me lo pareció cuando no podía decidir qué decirte en cuanto te viera.

Fleur habló contra la camisa de Jake.

—Bird Dog no puede resolver esto por nosotros. Tenemos que arreglarnos sin él.

Él le levantó la barbilla y le dijo:

—Tienes que aprender a separar realidad y fantasía. Bird Dog es un personaje cinematográfico. Me gusta interpretarlo porque me ofrece una oportunidad de librarme de mi agresividad, pero no soy él. Yo soy el que se asusta con los caballos, ¿recuerdas?

Ella lo miró.

—Vamos, que estás helándote. —La llevó hasta la cama y retiró las sábanas y mantas. En un santiamén, Fleur se instaló entre ellas. Jake se despojó rápidamente de la parka y de las botas y se deslizó en la cama junto a ella.— Me parece que tienes algún problema con la caldera de la calefacción. Aquí dentro hace un frío terrible.

Ella extendió el brazo para encender la luz.

—¿Por qué no respondías a mis llamadas? Me volví loca. Creía que...

—Sí, ya sé lo que pensabas. —La miró, medio incorporado sobre el antebrazo. La expresión de la cara se contrajo—. Lo siento, Flower. La prensa estaba en todas partes y toda la carga del pasado me tenía acogotado. —Sacudió la cabeza—. No podía pensar con lógica. Te dejé en la estacada.

—¿Cuándo te imaginaste que se trataba de Alexi?

—Daría cualquier cosa por poder decir que fue enseguida. —Miró al otro extremo de la habitación, con expresión abstraída—. Pero ya sabes cómo soy a la hora de culparte por todo lo que no puedo controlar. En realidad pasó una semana hasta que todo se ordenó lo suficiente en mi cabeza.

—¿Una semana? —Justo cuando había salido para Mikonos.

Él se pasó el pulgar por la comisura de los labios y le susurró:

—Te recompensaré. Te lo prometo.

¡Parecía tan torturado! No podía soportarlo, así que lo miró y le dijo:

—¡Y tanto que me vas a recompensar! Para empezar, con diamantes.

—Tantos como quieras —le respondió él, con la voz tomada por la emoción.

Ella le mordió el pulgar.

Jake jugueteó con un mechón de pelo de Fleur.

—Sigo sin entender cómo consiguió hacerlo. No perdí ese original de vista ni por un segundo.

En ese momento quien miró al infinito fue ella.

—Sí, sí que lo perdiste de vista. La noche en que lo leí. Tú te fuiste fuera, ¿recuerdas? Yo estuve sola con ese manuscrito durante horas.

—No seas chiquilla. —Le tomó la barbilla y la volvió hacia él para besarla de nuevo. El corazón de Fleur se hinchó. Por mucho que él no entendiera cómo podía haber ocurrido de otro modo, sabía que ella no lo había traicionado. Estaba haciendo de su fidelidad un asunto de fe.

Fleur acarició la mandíbula, fija en una expresión dura y tozuda.

—Alguien entró en la casa y fotografió el manuscrito mientras estábamos paseando por la playa ese primer día. Encontré los negativos después de que Alexi muriera.

—¿Los encontraste? —Levantó la cabeza—. ¿Y qué hiciste con ellos?

—Los quemé, claro está.

—Vaya. —Parecía preocupado.

Ella no podía creerlo. Se incorporó apoyándose en los codos.

—¿«Vaya»?

—Podrías habérmelo consultado —susurró—. Eso es todo.

No pudo evitarlo. Se puso el edredón sobre la cabeza y gritó.

Por un momento se hizo el silencio. Finalmente él tiró del edredón. Cuando llegó a la altura de la nariz de Fleur, mirándola fijamente, dijo:

—Reescribirlo será mucho trabajo, eso es todo. —El mohín del labio inferior parecía tan malhumorado como siempre.

Ella miró hacia el Colt.

—¿Está cargado?

—No, claro que no.

—Lástima.

Los cristales de las ventanas se estremecieron. Él apartó el arma todavía más.

—Todos tus amigos empezaron a llamarme cuando salió el artículo en ese periódico sensacionalista. Como entendían lo enfadado que podía estar, todos se apuraron a protegerte. Kissy interrumpió su luna de miel. ¡Qué mujer! ¡Qué lengua! Simon me amenazó con ir a contarle a todos los periódicos que yo era gay. Michel me pegó. —Fleur lo miró con ojos penetrantes y él levantó las manos—. ¡Oye, que no se lo devolví! Te lo juro. —Volvió a taparse con las sábanas para estar más cerca de ella—. Incluso me localizó un cretino, un tal Barry Noy, que no me dejaba en paz.

—¡No será verdad...!

—¡Y tanto que es verdad! —Le revolvió el pelo—. ¿Tienes idea de cuánta gente te quiere?

Los ojos de Fleur se llenaron de lágrimas. Él siguió hablando y acariciándole el pelo.

—Yo seguía enrabiado cuando Belinda me encontró, hará unos tres días. Tiene una manera de mirar, esa madre tuya, con esos ojos azules... Me dijo que era la estrella de Hollywood más atractiva del momento y que estaba desperdiciando la ocasión de estar con la única mujer en el mundo que era lo bastante buena para mí. —Sacudió la cabeza—. Pero escúchame, Flower. Ninguno, ¡ninguno de todos esos hijos de puta metementodos amigos tuyos tenía idea de dónde podía encontrarte! Hasta que David Bennis me llamó ayer, pensaba que esta vez te había perdido de verdad. ¡Mikonos! ¿Quién demonios va a Mikonos? Si vuelves a huir de mí de este modo...

—¡Yo voy a Mikonos!

Jake la apretó contra su pecho tan fuerte que Fleur pensó que sus costillas no lo aguantarían.

—Lo siento, amor. ¡Te quiero tanto! Lo eres todo para mí. Cuando corrió la noticia, todo el mundo iba detrás de mí, como para despellejarme, como si quisieran ajustarme las cuentas. —Besó una lágrima que había escapado de los ojos de Fleur—. Y luego empezaron a llegar las cartas. Venían de todas partes del país. De tipos que habían estado en Vietnam y que no podían quitárselo de la cabeza. Lo mismo eran maestros que banqueros, o basureros, y un montón de tíos que no podían resistir mucho tiempo en un solo trabajo. Algunos todavía tienen pesadillas. Otros dicen que la de Vietnam fue la etapa más feliz de sus vidas, y que volverían a hacerlo todo igual. Algunos me lo contaban todo sobre sus matrimonios rotos, o sobre los matrimonios felices, y sobre los hijos que han tenido... Algunas de las cartas decían que «estaba perpetuando el mito del veterano de guerra perturbado de Vietnam». Pero no es que estuviéramos perturbados. Tan solo éramos un grupo de tíos que habían visto demasiado. Cuando leí esas cartas entendí por fin que había escrito algo que todo el país necesita ver. Voy a publicar mi libro, Fleur, y voy a incluir esas cartas.

—¿Estás seguro?

—No voy a vivir más en las sombras. Quiero hablar a pleno sol. Pero eso no puedo hacerlo sin ti.

Ella lo rodeó con los brazos y hundió la cara en su cuello.

—¿Tienes idea de lo mucho que te quiero?

—¿Tanto como para hablar de coches familiares y de matrimonios en los que ambos trabajan?

—Y de niños —dijo ella, sin dudarlo—. Quiero niños. Montones de niños.

Él hizo la mueca para enseñar el diente mellado que la volvía loca y deslizó la mano por debajo del camisón.

—¿Quieres que empecemos ahora? —No esperó a la respuesta para cubrirle la boca con su boca. Tras unos momentos, retrocedió.

—¿Flower?

—¿Sí?

—No estoy disfrutando de este beso.

—Lo-lo siento. —Intentó evitar que los dientes le castañetearan, pero era un esfuerzo inútil—. ¡Tengo tanto frío! ¡Si hasta echo vaho cuando respiro!

Jake gruñó y se quitó de encima las sábanas.

—Vamos, que te necesito para que me ilumines con la linterna.

Con la parka sobre el camisón de raso y los pies envueltos en calcetines de lana, lo siguió al sótano. Mientras él se arrodillaba en el suelo para encender el piloto de la caldera, ella le metió la mano por debajo de la camisa.

—¿Jake?

—¿Sí?

—Cuando la casa se haya calentado...

—Mantén la linterna quieta, ¿quieres? Ya casi estoy.

—Cuando la casa se haya calentado, ¿qué te parecería si...? Vaya, no sé, ¿crees que sería una tontería si...?

—¡Ahí está, ya ha prendido! —Sacudió la cerilla para apagarla y volvió a incorporarse—. ¿Decías...?

—¿Qué?

—Estabas diciendo algo. Que si me parecía...

Ella tragó saliva.

—Nada. No me acuerdo.

—Mentirosa. —Deslizó las manos en el interior de la parka y alrededor de su cintura para atraerla hacia él—. ¿Acaso no sabes que no hay nada que prefiera por encima de eso? —Sus labios capturaron el lóbulo de la oreja y luego se desplazaron a través de la mejilla de Fleur, hasta que pudieron susurrarle sobre la boca—. Tendrás que volver a recogerte el pelo con esos pasadores. Es la parte que prefiero.

Aunque luego resultó que había partes de ella que a Jake todavía le gustaban más...

Cuando todo hubo acabado, en la habitación ya se respiraba un ambiente agradable, y ellos estaban saciados. Se quitaron de encima todas las sábanas y dormitaron. Fleur por fin levantó la cabeza del pecho de Jake para decir:

—La próxima vez cojo yo el revólver.

Y volvió a apoyarse en su almohada.

—Nadie apunta con un arma a Bird Dog —respondió él acariciándole el hombro desnudo.

—¿Ah, no? —dijo ella, apuntando hacia él con el índice.

—¡Uau! ¿Eres muy rápida, eh?

—Soy la más rápida de la Gran Manzana —dijo soplándose el dedo—. Así que Bird Dog tendrá que adaptarse a las circunstancias.

Jake se pasó el pulgar por la comisura de los labios.

—Me parece que Bird Dog ya lo ha hecho.

Sonrió, y ella le devolvió la sonrisa. La nieve caía contra el cristal. La calefacción se activaba. Se miraron con perfecta confianza mutua.

Epílogo

El cuerpo del joven formó un arco perfecto antes de zambullirse en el agua turquesa de la casa en Bel Air de Belinda. Se llamaba Darian Boothe (la «e» final había sido idea de Belinda) y cuando volvió a salir a la superficie le envió un beso.

—Maravilloso, guapísimo, me encanta verte.

Él le contestó con una sonrisa que tal vez, según pensó Belinda, no fuera demasiado sincera. Los bíceps se le marcaron al salir de la piscina, y el pequeño Speedo de nailon rojo se le adhirió a las nalgas. Tenía la esperanza de que los de la cadena compraran el programa piloto que él les proponía. De no ser así, él iba a sentirse tristísimo, y ella debería invertir demasiada energía en animarlo. Por otro lado, si lo compraban, él se iría y la olvidaría, pero a ella no le sería difícil encontrar a algún otro joven actor que necesitara su ayuda.

Abrió más las piernas, para que el sol pudiera alcanzar el interior de sus muslos aceitosos, y volvió a ponerse las gafas. Estaba cansada. No le había resultado nada fácil volver a dormirse después de la última llamada de Jake, la noche pasada, para decirle que los gemelos habían nacido.

Ya sabía que Fleur iba a tener gemelos desde que se había hecho aquellas ecografías, de modo que no era ninguna sorpresa, pero Belinda no se imaginaba siendo abuela de tres. Fleur y Jake llevaban casados tres. Tres años, tres niños. Era un tanto molesto.

Y no tenían intención de detenerse allí. Su bella hija se había convertido en una gallina clueca.

Belinda se guardaba para sí lo que pensaba, pero tenía que admitir que Fleur se había convertido en algo con lo que no estaba conforme. Su hija le enviaba regalos muy pensados y la llamaba varias veces a la semana, pero no se podía decir que la escuchara de verdad, como antes. Sí, Belinda tenía que mostrarse comprensiva. Con la inauguración de la oficina de Fleur en la Costa Oeste el año anterior, ni siquiera el escéptico más recalcitrante podía negar que había convertido su agencia en un éxito clamoroso. Y los de *Vogue* la habían fotografiado para la nueva y maravillosa línea de vestidos premamá diseñada por Michel. Fuera como fuere, para Belinda estaba muy claro que Fleur no vivía según sus posibilidades. Tanta belleza, echada a perder... Dios sabía que no necesitaba sentarse detrás de un despacho. Y luego, los fines de semana, ella y Jake huían a esa granja perdida de Connecticut en lugar de quedarse en Manhattan, en donde podrían ser la pareja más brillante y solicitada de la ciudad.

Belinda se acordaba de la última visita que había hecho a la granja, dos meses atrás. Era a principios de julio, justo después del cuatro. Al salir del coche había pisado un regalo de uno de esos perros que Fleur insistía en mantener. Sus zapatos Maud Frizon nuevos, echados a perder. Fue a llamar al timbre. Nadie contestó, de manera que entró en la casa.

El interior era fresco y lleno de olores de cocina, pero no respondía a lo que según Belinda tenía que ser el interior de la casa de dos personas tan famosas. Suelo de grandes tablones de madera en lugar de mármol. Dos alfombras trenzadas típicas de Indiana en lugar de alfombras persas. Una pelota de baloncesto descansaba a un lado de la chimenea. Una regadera galvanizada contenía algunas plantas de jardín muy vulgares. En un mueble le pareció ver algo que se asemejaba sospechosamente al bolso Peretti que le había regalado a Fleur dos Navidades atrás, si no fuera porque la cabeza amarilla del pajarraco de Barrio Sésamo sobresalía desde el interior.

Belinda se había quitado los zapatos manchados y había bajado por las escaleras hasta el comedor. Sobre la mesa había un original, pero no sintió la tentación de mirarlo, aunque sabía que docenas de personas darían cualquier cosa por saber de qué iba la nueva obra de Jake Koranda. A pesar de todos los premios que recibía, lo que escribía Jake no le interesaba. Y el libro sobre Vietnam por el que había recibido su segundo premio Pulitzer era lo más deprimente que había leído en toda la vida.

Las películas de Jake le gustaban infinitamente más que sus escritos y hubiera deseado que las rodara una tras otra, pero en los últimos tres años solamente se había filmado una película con Bird Dog como protagonista. De hecho, Fleur se había enfadado por este motivo. Ella y Jake habían discutido durante días, pero él se había mostrado inflexible. Le había dicho que le gustaba interpretar a Bird Dog, y que ella podía resignarse a soportarlo una vez cada tantos años. Al final, Fleur había acabado yendo al rodaje cuando el trabajo le permitía ausentarse, y una vez allí se distraía con los caballos.

Justo en aquel momento, Belinda había oído la risa de Fleur procedente del exterior. Se acercó a la ventana y apartando el visillo bordado vio a su hija.

Allí estaba ella, embarazada, tendida en el suelo y con la cabeza en el regazo de su marido, bajo un cerezo que tendría que haber sido arrancado años atrás. Fleur llevaba unos shorts azules premamá y una de las camisas de Jake con los botones inferiores abiertos para dejarle espacio a su barriga. A Belinda le vinieron ganas de llorar. El bonito pelo rubio de su hija estaba tirado hacia atrás con una cinta elástica, un largo rasguño recorría su pierna quemada por el sol y una picada de mosquito se le distinguía en el tobillo. Y lo peor de todo: Jake le echaba cerezas a la boca con una mano, mientras que con la otra le acariciaba la barriga.

Fleur volvió la cabeza, y Belinda vio el rastro del jugo de las cerezas en su barbilla. Jake la besaba y luego deslizó la mano bajo la camisa para palparle un pecho. Avergonzada, Belinda empezaba a volverse cuando oyó cerrarse la puerta de un coche y luego un grito agudo y alegre. El corazón de Belinda se aceleró y se inclinó hacia delante para captar la primera visión de Meg en semanas.

Meg...

Fleur y Jake levantaron la vista cuando la niña llegó corriendo alrededor de la casa. Pasó a toda velocidad junto a una piscinita hinchable verde y se lanzó con su cuerpecito rechoncho hacia ellos. Jake la alcanzó antes de que pudiera llegar a Fleur y la abrazó.

—¡Eepa, pequeña! ¡Ten cuidado, que puedes hacer que esa barriga de mamá haga pum!

—¡Qué buen inicio de educación sexual, *cowboy*! —dijo Fleur mientras tiraba de la falda del vestidito—. Me parece que veo helado en esa boca, ¿verdad? ¿Has conseguido que Nanny te vuelva a comprar uno pequeñito?

Meg se metió el dedo índice en la boca y se tomó una pausa contemplativa mientras lo chupaba. Luego se volvió hacia su padre y le hizo la mueca más grande del repertorio. Él rio, volvió a abrazarla y la besó en el cuello.

—¡Es una artista del despiste! —dijo Fleur, antes de inclinarse hacia ella y tomarle uno de los muslos como si fuera a comérselo.

Oyó el estallido del trampolín de la piscina, y Darian Boothe hizo un salto mortal antes de sumergirse en ella, con lo que devolvió a Belinda a su propia casa en Bel Air y a la conciencia de que ahora su hija tenía dos hijos más. Mientras seguía tomando el sol con el olor del cloro en la nariz, pensó en cuán despectivamente habría considerado Alexi la maternidad de Fleur. Pobre Alexi.

Pero no le gustaba pensar en él, así que pasó a pensar en Darian Boothe y en si la cadena de televisión compraría el programa piloto. Luego pensó en Fleur, que seguía siendo tan bella que sentía que el corazón le dolía al verla. Y en Meg...

No era gran cosa como nombre: demasiado sencillo para una niña tan bonita, con la boca de su padre, con los ojos de su madre y con el pelo brillante y castaño de Errol Flynn. De cualquier modo, un nombre con Koranda como apellido sería fabuloso en el mercado, y luego la sangre hablaría.

Más de treinta años habían pasado desde la noche en que James Dean había muerto en la carretera de Salinas. Belinda se desperezó al sol de California. Después de todo, no se podía decir que se lo hubiera montado demasiado mal por su cuenta.

Nota de la autora

Son tantas las personas que han colaborado directa e indirectamente con este libro, tanto en su forma original como en su nueva edición revisada... Gracias muy especiales a quienes desde el mundo de la moda y de las películas contestaron a mis preguntas con tanta generosidad: David Price, Calvin Klein Ltd.; Ford Models, Inc.; y el equipo de producción y el reparto de *Flanagan*. Un considerable grupo de escritores me ofreció buenos consejos e información práctica: Dionne Brennan Polk, Mary Shukis, Rosanne Kohake, Ann Rinaldi, Barbara Bretton y Joi Nobisso. Amigos y vecinos anteriores compartieron sus conocimientos especializados conmigo: Simone Baldeon, Thelma Canty, Don Cucurello, Dr. Robert Pallay, Joe Phillips y el equipo de la biblioteca pública de Hillsborough (Nueva Jersey). Mi editora original, Maggie Crawford, amó este proyecto desde el principio. Después de eso, mi editora actual, Carrie Feron, ha favorecido con sabiduría y entusiasmo su nuevo nacimiento, junto con mi fantástico agente, Steven Axelrod. ¿Cómo agradecer a todo el fabuloso equipo de HarperCollins, William Morrow y al de Avon Books, que continúa cuidándome tan bien? Todos los escritores deberían contar con este apoyo. Y para Bill y el Dr. J: gracias por la inspiración.

SUSAN ELIZABETH PHILLIPS
www.susanelizabethphillips.com